Seit jener Zeit, als Pepe Carvalho den spektakulären Mord im Zentralkomitee der spanischen KP aufklären mußte, hat der Gourmet nicht mehr Madrid besucht. Doch ein Undercover-Auftrag zwingt den Privatdetektiv, seine geliebten Ramblas in Barcelona zu verlassen, um sich als Bodyguard des Finanzhais Lázaro Conesal zu verdingen. Allerdings sind die Tage des zwielichtigen Bankers gezählt, sowohl beruflich wie auch privat. Obwohl er einen millionenschweren Literaturpreis gestiftet hat, wird er während der feierlichen Preisverleihung ins Jenseits befördert. Der Tatort ist das Madrider Luxushotel *Venice*, und alle anwesenden Schriftsteller haben ein Motiv. Ein Mordfall so klassisch wie ein Roman von Agatha Christie. So muß sich Pepe Carvalho zunächst eingestehen, daß er zwar nicht das Leben seines ungeliebten Auftraggebers retten konnte, aber nun zumindest den Täter ausfindig machen muß.

Der Katalane Manuel Vázquez Montalbán, Jahrgang 1939, gehört zu den profiliertesten spanischen Gegenwartsautoren. Er lebt als Journalist, Essayist, Romancier und Lyriker in Barcelona. Genau wie sein Protagonist schlendert er über die Ramblas in Barcelona, um anschließend ein delikates Menü zu genießen. 1995 wurde er vom spanischen Kulturministerium mit dem Nationalen Literaturpreis für sein Gesamtwerk ausgezeichnet.

In der Reihe rororo-Thriller liegen vor: Carvalho und der Mord im Zentralkomitee (Nr. 43116), Carvalho und die tätowierte Leiche (Nr. 42732), Carvalho und der tote Manager (Nr. 43087), Ich tötete Kennedy (Nr. 42893), Die Rose von Alexandria (Nr. 42816), Tahiti liegt bei Barcelona (Nr. 42995), Verloren im Labyrinth (Nr. 43055), Die Vögel von Bangkok (Nr. 42772), Zur Wahrheit durch Mord. Stories (Nr. 42930), Zweikampf. Stories (Nr. 42909), Krieg um Olympia (Nr. 43166), Der Bruder des Todes (Nr. 43193) und das Carvalho-Kochbuch Die Leidenschaft des Schnüfflers (Nr. 43060). «Robinsons Überlegungen angesichts einer Kiste Stockfisch» ist im Wagenbach Verlag erschienen.

«Pepe Carvalho kennt keine Angst vor Klischees. Er ist Philosoph. Das mach ihn zum wahren Helden. Deshalb liebe ich ihn so sehr, daß ich nach Luft schnappen muß.»

Milena Moser

Manuel Vázquez Montalbán

Undercover in Madrid

Ein Fall für Pepe Carvalho

Deutsch von
Bernhard Straub

Rowohlt

rororo thriller
Herausgegeben von Bernd Jost

11.–13. Tausend April 1998

Deutsche Erstausgabe
Veröffentlicht im Rowohlt Taschenbuch Verlag GmbH,
Reinbek bei Hamburg, August 1997
Copyright © 1997 by Rowohlt Taschenbuch Verlag GmbH,
Reinbek bei Hamburg
Die Originalausgabe erschien 1996 unter dem Titel «El premio» bei
Editorial Planeta, Barcelona
Copyright © A. M. D. Communicación, S. A. y Vázquez Montalbán, 1996
Copyright © Editorial Planeta, Barcelona, S. A., 1996
Redaktion: Peter M. Hetzel
Umschlaggestaltung: Walter Hellmann
(Foto: Fotex/S. Cellai)
Satz: Garamond (Linotronic 500)
Gesamtherstellung: Clausen & Bosse, Leck
Printed in Germany
ISBN 3 499 43274 9

Für Carmen Balcells,
die an jenem Abend nicht anwesend war.

«Uroboros» bedeutet nach Evola die Auflösung der Körpergrenzen: die universelle Schlange, die sich nach Auffassung der Gnostiker durch alle Dinge windet. Gift, Viper, universelle Auflösung sind Symbole des Undifferenzierten, eines allgemeinen oder «invarianten» Prinzips, das zwischen allen Dingen verkehrt und sie miteinander verbindet.

Lexikon der Symbole, Juan Eduardo Cirlot

Literaturwund. Übersetzung des katalanischen *lletraferit*: Bezeichnung für Menschen, die von der Literatur so besessen sind, daß sie an ihr leiden wie an einer Wunde, deren Heilung sie nicht wünschen.

Es war unvermeidlich, und die meisten Gäste mieden es auch nicht, das Spalier der Journalisten, die mehr oder weniger auf Literaturpreise spezialisiert waren und im Dunstkreis jener etablierten Kritiker und Pseudokritiker herumlungerten, die der Einladung gefolgt waren, um das Gefühl zu genießen, anders zu sein als die anderen und der Verleihung des Venice-Preises der Stiftung Lázaro Conesal beiwohnen zu dürfen – mit einhundert Millionen Peseten der höchstdotierte Literaturpreis Europas – und das trotz der Verachtung, mit der sie stets die Verbindung von Geld und Literatur gestraft hatten, wobei sie jene sechzig Prozent der besten Schriftsteller der Weltgeschichte ignorierten, die Angehörige mächtiger, wenn nicht sogar oligarchischer Familien waren. Die Kameras aller Fernsehanstalten verfolgten den Einzug der bekanntesten Persönlichkeiten, entweder weil ihnen die Gesichter vertraut waren oder auf Anordnung des Protokollchefs, einem Kenner des *Who's Who*. Aber dann wandten sie sich begierig dem äußeren Rahmen zu, der Darstellung «...von spielerischem Design, das die unmögliche metaphysische Beziehung zwischen Gegenstand und Funktion widerspiegelt», wie die Werbeprospekte des Hotels *Venice* verkündeten. Der Saal für Galadiners umfaßte das gesamte Repertoire avantgardistischen Designs: den Tischen war das Aussehen von Spiegeleiern verpaßt worden, die in zuwenig Öl gebraten waren, und die Sitzgelegenheiten waren in der Art elektrischer Stühle konzipiert, die, in einer Verbeugung vor der irreversiblen ökologischen Sensibilität, mit Solarenergie betrieben wurden. Das Licht entströmte dem Eigelb der vermeintlichen Spiegeleier sowie einem Dekor von Artischocken, Karotten, Porreestangen, Zwiebeln und sonstigen Gemüsesorten, deren Umrisse, von einem wenig gemüsebegeisterten Kind gezeichnet, an Decken und Wänden hingen. Lázaro Conesal, Besitzer des Hotels und eines nicht unerheblichen Teils der dort Versammelten, hatte die Gestaltung des *Venice* dem «harten» Flügel der Mariscal-Schüler anvertraut, die sich nicht scheuten, der Poetik der peterpanesken Träume Mariscals die systematische Provokation der funktionalen Plumpheit des Objekts überzustülpen. Genug Freiheit der Eigeninitiative sei der Natur vergönnt gewesen, bevor das Design geboren wurde, und daher seien sie so, wie sie seien, die Äpfel und die Mistkäfer, Un-Design einer unseligen Evolution, bei der kein Designer habe eingreifen können. Lázaro Conesal fand diese Theorien köstlich, in der festen Überzeugung, daß Theorien fast nie jemandem schaden, ganz im Gegensatz zu den Theoretikern selbst; aber Objekt-Theoretiker pflegten nicht gefährlich zu sein.

«Ich bin für die Subversion der inneren Bilder», hatte ihm Marga Segurola erklärt, als sie ihn für *El Europeo* interviewte.

«Auch für anderen Subversionen?»

«Gibt es noch andere?»

Marga Segurola vervielfachte soeben ihre kurzen Beine eines zweibeinigen Hundertfüßlers, um sich mit zynischem Grinsen und gespaltener Zunge den ankommenden Schriftstellern zu nähern, die im Verdacht standen, sich unter einem Pseudonym um den Preis beworben zu haben.

«Na, wieviel Kohle hat man dir geboten, damit du so tust, als würdest du zu den Kandidaten gehören? Wieviel kriegst du, wenn du den Preis gewinnst? Brauchst du die hundert Millionen dafür, daß du deine Seele an diesen Parvenü verkaufst?»

Manche Schriftsteller versuchten, sich zu rechtfertigen, andere entzogen sich ihren Krallen, indem sie das Gespräch auf die extravagante Dekoration lenkten.

«Du bist doch so enzyklopädisch gebildet, Marga. Wie würdest du diese Stilrichtung bezeichnen?»

«Postmariscalismus. *heavy*, wie mir Lázaro Conesal erzählte.»

«Katalanisch?»

«Katalano-valenciano-mykeno-balearisch.»

«Schon wieder diese Katalanen! Die reinste Invasion!»

«Der Besitzer stammt doch aus Brihuega.»

«Lázaro Conesal! Ich glaube, die Weine, die serviert werden, stammen aus seinem eigenen Anbau, und zum Diner gibt es garantiert Lachs. Er besitzt doch Fischzüchtereien auf den Färöerinseln. Und nach dem Dessert gibt es hoffentlich hauseigenes Kokain!»

«Ein Mäzen, der mit Koks dealt?»

«Er konsumiert es zumindest. Man muß die moralischen Risiken diversifizieren.»

Verleger und Literaturagenten begleiteten ihre Lieblingsschriftsteller, ständig von dem Argwohn gepeinigt, sie könnten zur Konkurrenz überlaufen. Die Verleger waren zudem besorgt über die große Summe, die Conesal auf den Spieltisch des Literaturmarktes werfen würde, und die Agenten witterten Morgenluft angesichts der Möglichkeit, daß Conesal beim Verkauf der Neuheiten ihrer Schützlinge sein Vermögen in die Waagschale warf.

«Es ist nicht alles vertreten, was Rang und Namen hat.»

«Wer fehlt denn?»

«Na, die literarische Superagentin 009 mit *licence to kill*, Carmen Balcells, ist nirgends zu sehen. Das heißt, keines ihrer Pferde liegt gut im Rennen.»

«Oder sie hat den Preis bereits in der Tasche.»

Nun trudelten Verlagsmanager der Marke «Terminator» ein, spezialisiert auf Unternehmensverjüngung nach dem Verfahren, alles über fünfunddreißig zu entlassen, egal ob Büroboten oder Schriftsteller in der dritten Phase. Sie waren jedoch schlau genug, die Eigentümer davon auszunehmen, auch wenn sie es nicht verdient hatten. Man hatte auch nie von dem Fall gehört, daß ein Manager seine Bioaggressivität so weit getrieben hätte, sich nach dem fünfunddreißigsten Geburtstag selbst auf die Straße zu setzen. Manche Exemplare der neuen Gattung trugen angeblich eine Waffe im Schulterhalfter, K. o.-Spray in der Tasche oder ein Messer im Strumpfband. Sie fürchteten den von ihnen heraufbeschworenen Haß, der zwar rein literarischer Natur war, aber aufgrund der Tatsache, daß Verlags-«Terminatoren» fast nie ein Buch aufschlugen, hielten sie die Blicke der *Literaturwunden* für die Androhung terroristischer Gewalt, die die Regeln der ewigen und sanktionierten Dialektik zwischen Alt und Neu außer Kraft setzen wollte. An einigen Tischen saßen Buchhändler und Buchhändlerinnen nebst zugehörigem Ehepartner, herausgeputzt für das Fest des Geldes und der Bücher, privilegierte Verkäufer enzyklopädischer Werke mit zwanzig bis dreißig Millionen Jahreseinkommen, Schriftsteller, die gewohnheitsmäßig Preisverleihungen besuchten, lebendige oder scheintote Kräfte der Kultur, Politiker, die sich einen kulturellen Touch geben wollten, heimlich Schreibende, die ihr Brot als Anwälte, Mediziner oder Schleichhändler für Insiderwissen verdienten, saßen Seite an Seite mit Vertretern der neuen sozialen Klasse des demokratischen Systems, den neuen Reichen, die als junge Oligarchie jene sozialistische Staatsgewalt unterstützten, welcher sie den Ursprung ihres Reichtums verdankten, sowie einigen Haien aus der alteingesessenen Oligarchie, die dem Gastgeber einen Gefallen schuldeten oder hofften, ihm bald einen schulden zu dürfen, jenem Lázaro Conesal, der in Literaturkreisen der über Fünfzigjährigen, wo man die Erinnerung an Scott Fitzgerals Helden hochhielt, der «Große Gatsby» genannt wurde. Alle erwarteten mit besonderer Spannung den Wind einer neuen *transición*: Irreversibel erschien ihnen der fortschreitende und endgültige Niedergang der Sozialisten und die Rückkehr der Rechten, die seit der Zeit der prähistorischen Urhorde dazu bestimmt waren, Spanien zu regieren. Selbst Kulturfunktionäre der neuen Rechten, des *Partido Popular*, tauchten auf, erpicht darauf, Schritt für Schritt Positionen im Kulturbereich zu erobern, der während der ersten *transición* fast gänzlich zur Domäne der Linken geworden war. Eine der faszinierendsten Tätigkeiten des Abends bestand darin, herauszufinden, wie vielen Invasoren des *PP* es gelungen war, einen Platz an den Tischen der Kulturprominenz zu ergattern. Einige Tische waren streng nach Berufsgruppen besetzt, so jener mit den wichtigen Rundfunkkommentatoren, Journalisten oder Schriftstellern, die sich der Kunst widmeten, die gesamte nationale und menschliche Realität kritisch zu prüfen, Morgen für Morgen, in quasi alphabetischer Reihenfolge. Sie eröffneten die private abendliche Runde mit dem Austausch von Informationen über die Probleme, die Lázaro Conesal mit der Staatsbank und der Regierung hatte.

«Was treibt einen Kritiker deines Ranges zu diesem Ausverkauf korrupter Schreiberlinge?»

Altamirano fuhr sich mit der Hand über die gewaltige Stirn, um die Schweißperlen zu entfernen, die sie wie gewöhnlich zierten, und ließ den zweiten Blick, mit dem er Marga Segurola bedachte, sanfter ausfallen als den ersten, den sie ignoriert hatte. Mit dem zweiten jedoch paktierte sie und nahm mit einem Lächeln die wohlgesetzte Erwiderung entgegen, die etwas gelispelt aus dem Munde des gefürchtetsten und meistkritisierten Literaturkritikers Spaniens kam.

«Und was führt die Elsa Maxwell der Literatur in die Gefilde südlich des Río Grande?»

«Man merkt, daß du ein alter Knabe bist, mein Lieber! Elsa Maxwell? Wer weiß heutzutage noch, wer Elsa Maxwell war!»

«Weiche bitte meiner Frage nicht aus, Marga! Was versprichst du dir davon, bei dem großen Vermögen, das deine Familie besitzt, hier als Gralshüterin der Reinheit der Literatur aufzutreten?»

«Gerade Familien wie meine förderten das Beste, was geschrieben wurde. Die schlechte Literatur ging schon immer zu Lasten von Arbeitern und Armen. Wer liest schon Gorkij? Oder O'Casey?»

«Daß deine Familie literarische Neigungen besitzt, heißt noch lange nicht, daß du selbst eine Schriftstellerin bist.»

«In meiner Schublade liegt ein Roman, in dem ich bis ins Detail schildere, was eine junge Frau fühlt, wenn ihr klar wird, daß sie die erste Menstruation hinter sich hat.»

«Vierhundert Seiten?»

«Nein, ich schreibe *light*. Vierhundert Seiten sind eine Zumutung. Hundertfünfzig Bildschirmseiten mit dreifachem Abstand, aber von großer technischer und linguistischer Komplexität, und ab und an zitiere ich sogar Steiner.»

«Wie dein Liebling Narciso Arroyos, der schreibt, als solle die Sprache zur Anprobe zum Schneider gehen! Hübsche Definition von Arroyos, nicht? Ich verdanke sie Alvaro Pombo, der bisweilen eine treffsichere Feder führt.»

«Du warst es doch, der Narciso Arroyos in den Himmel gehoben hat!»

«Ich?»

«Alter Zyniker. Er gehörte zu den Schriftstellern, auf die du mit dem Finger gezeigt und verkündet hast: Das ist der Schriftsteller mit der besten Startposition für das Jahr 2000. Aber das prophezeist du ja allen.»

«Ich übertreibe gerne. Dabei lag das damals noch in weiter Ferne... Manchmal überlege ich mir, wie vielen Schriftstellern ich schon in Aussicht gestellt habe, sie würden im Jahr 2000 an erster Stelle stehen. Ich komme auf 53. Du gehörst auch dazu. Vielleicht wirst du im Jahr 2000 einen sehr guten Platz belegen. Aber beeile dich, denn wir haben bereits 1995. Du hast noch knapp fünf Jahre, um unter die fünftausend besten Schriftsteller Spaniens vorzustoßen. Dein Roman ist also komplex. Man muß ihn mit Muße lesen. Wie gute Literatur. Oder man läßt es ganz. Ein Meisterwerk ungelesen zu lassen ist zuweilen der beste Dienst, den der Leser einem großen Autor erweisen kann. Man weiß, daß es gut ist, das genügt. Hundertfünfzig Seiten mit dreifachem Abstand. Eine Fahrt im Taxi.»

«Bei deinem Lesetempo bestimmt.»

Wenn ein naiver Zaungast der literarischen Gesellschaft den Dialog zwischen Segurola und Altamirano beobachtete, sah er nur, daß zwischen ihren Händen und Gesichtern Einverständnis herrschte, während das erstarrte Lächeln kämpfen mußte, um den mörderischen Worten, dem Zusammenprall der Macht der Medien und der Macht der Kritik standzuhalten. Naive Augen wären jedoch sofort zu den anderen Paaren, Trios oder Grüppchen von *Literaturwunden* weitergeschweift, die sich unter liebenswürdigen Phrasen des Wiedersehens zusammenfanden, zu den Selbständigen, Finanzgrößen und den Reichen ohne ausgewiesene Branche, die zur Verleihung des Venice-Preises erschienen waren, um zu sehen und gesehen zu werden. Die Atmosphäre lud sich auf mit Ironie und Einfalt, die einander die Waage hielten.

«Ich verdiene mein Geld mit Toiletten.»

«Ironisch oder im Ernst?»

Das war Oriol Sagalés, einer der ewig vielversprechenden Schriftsteller, der die Stirn gehabt hatte, fünfzig Jahre alt zu werden, ohne für mehr als eine Handvoll ausgewählter Leser zu schreiben, deren Telefonnummern und Zweitwohnsitze er auswendig wußte. Seine süffisante Antwort galt dem Präsidenten der Firma Puig – Sanitäre Einrichtungen GmbH, dem Befürworter eines Sponsorengesetzes, das ihm das Fortführen einer Stiftung mit sündhaft teuren falschen und spottbilligen echten Gemälden erlauben würde.

«Bei uns zu Hause gab es keine Bücher. Ich habe von Kindheit an Bücher vergöttert.»

«Mir erging es genauso mit Toiletten.»

«Hatten Sie zu Hause keine?»

«Ich wuchs in einer Jugendstilvilla auf, ohne die sich meine Familie, die Sagalés' aus der Textilbranche, vor dem Rest der Welt nackt gefühlt hätte – mit prunkvollen, uralten und riesengroßen pompejanischen Toiletten im Stil des *noucentisme* – in Madrid nennt man es wohl *novecentismo*. Der Entwurf stammte, wie ich glaube, von Rubiò. Der *noucentisme* hat uns zu spät erreicht, er konnte gerade noch die Toiletten erobern, und das verdankten wir einem Zirkel, in dem mein Großvater verkehrte, wo er Eugenio d'Ors und andere Traumtänzer seines Schlages traf. D'Ors bewirkte immerhin, daß wir die sanitären Einrichtungen im Sinne der neuen Ästhetik veränderten, weil er, wie er sagte, beim Pissen gerne wisse, worauf er pisse, und ein Jugendstil-Pissoir sei eines Hurenhauses würdig. Don Eugenio sagte «Huren» auf katalanisch und nahm so dem Wort jeden morbiden und sexuellen Beigeschmack. Oder finden Sie, daß das katalanische Wort ‹meuca› nach ‹Hure› klingt? Ich habe die Jugendstil-Pissoirs nicht mehr erlebt, dabei hätten sie mir bestimmt besser gefallen. Die Toiletten des *noucentisme* waren eine Art trügerischer Vorläufer des Funktionalismus, sie zeigten einem beinahe den Punkt, auf den man mit dem Pipi zielen mußte, nur daß das beinahe fehlte. Die *noucentistes* waren ziemliche Calvinisten, genau wie der katalanische Präsident Pujol, und ihre ‹Werke› mußten stets ‹wohlgetan› sein, selbst das obskure Werk ihres Pimmels. Den Pissoirs des *noucentisme* fehlte das dorisch-ionische Moment der Katalanen. Ich bevorzuge die barocke Unverschämtheit des katalanischen Jugendstils, des *modernisme*, oder auch die echte Modernität der Funktionalisten. Deshalb wünsche ich mir schon immer eine der modernen Toiletten, die Sie herstellen. Ich erinnere mich, daß ich, wenn ich den Verlag Anagrama besuchte, regelmäßig pissen mußte, und das nur, um in Pissoirs aus Ihrem Hause urinieren zu können.»

«Das Design ist deutsch.»

«Norddeutsch. Bayerisch kann es nicht sein. Bei dem, was diese Leute pissen, brauchen sie Latrinen in Übergröße.»

«Aus Norddeutschland, natürlich.»

«Das Design hat etwas Nordisches... Dänisch.»

«In der Tat. Die Entwürfe kommen aus einer Fabrik in Holstein... In der Nähe der Halbinsel Jütland.»

«Ich bin besonders empfänglich für das Nordische. Der Norden ist die Vernunft und der Süden der Spucknapf. Am liebsten wäre mir ein Norden, den zur Vernunft gekommene oder einfach zivilisierte Südländer bewohnen.»

«Aber wenn wir den Norden mit Südländern besiedeln, was machen wir dann mit den Nordländern?»

«Wir karren sie zur Spitze des Nordpols und stürzen sie in den Abgrund auf der Rückseite des Planeten!»

Die Señora Puig neigte ihr überfrisiertes Löwenhaupt und das vom Alter und den Folgen des Ozonlochs verwitterte Dekolleté nach vorn, um dieser ewigen Hoffnung etwas vertraulich mitzuteilen, dem ewig hoffnungsvollen Autor, der seit zehn Jahren stets dieselbe Kritik bekam, stets von demselben Kritiker, in stets derselben Zeitung: «Eines der typischsten Phänomene des Neuen Spanischen Romans ist Sagalés, ein solipsistischer Schriftsteller, der nur die Nähe jener Geister duldet, denen es gegeben ist, immer noch staunen zu können über eine Literatur, welche sich den Gesetzen des Marktes widersetzt – Menschen mit Verständnis für den einsamen Kampf eines Autors, der die Gabe der geheimen Ironie besitzt und diese als Methode der Erkenntnis eines Universums nutzt, das nur ihm allein sichtbar ist…» Sagalés sah aus nächster Nähe die geschminkten und aufgesprungenen Lippen der Dame, ihre Zähne sauber, aber gefleckt vom Schwarzmarktpenizillin der vierziger Jahre, ihre Augen, spinnenhaft in ihrem Subkultur-Maskara der sechziger Jahre, und das Weiß getrübt von Äderchen, trotz der Augentropfen der neunziger Jahre.

«Sie sind einer der wirklich großen Schriftsteller!»

«Vielen Dank, Señora!»

«Ich verstehe gar nicht, warum hier alle Katalanen an einem Tisch sitzen.»

«Die Madrider haben uns gern unter Kontrolle, damit wir ihnen nicht den sprichwörtlichen Sinn für Humor rauben. Sie wissen nämlich am besten, wie man Karneval feiert, und sie brauchen dabei stets einen faden, langweiligen Katalanen, der ihnen Beifall klatscht. Dafür nennen sie uns dann Europäer.»

«Sie brauchen sich für solche Possen nicht herzugeben.»

Sagalés versuchte, dem Tête-à-tête zu entkommen, ohne sein Lächeln zu verlieren, und fing dabei einen sarkastischen Blick auf, den ihm seine Frau über den runden Tisch hinweg zuwarf. Zwei trockene Martinis, und schon war sie betrunken. Die Augen des Schriftstellers versuchten, ihr die Lippen zu versiegeln, es war aber bereits zu spät.

«Mein Mann ist der älteste Jungschriftsteller des Gemeinsamen Marktes.»

«Ist das Ihre Frau?»

«Sie heißt Laura. Ja, sie ist tatsächlich meine Frau. Welche Frau dürfte so mit einem Mann sprechen, der nicht ihr Ehemann wäre?»

Die Tischgenossen interessierten sich alle für die neuentdeckte Beziehung zwischen dem jungen alten Schriftsteller und dieser Frau, die nicht eben schlank war, aber voller warmer Rundungen, die zur Betrachtung einluden.

«Ich hatte aber doch gehört, Sie seien…»

Ein Rippenstoß des erfolgreichsten Vertreters enzyklopädischer Nachschlagewerke der westlichen Hemisphäre Spaniens verbot seiner Frau zu sagen, was sie dachte. Aber schon stürzte sich Señora Sagalés auf sie.

«Was denn, schwul? Homosexuell?»

«Nein. Junggeselle.»

«Ja, das stimmt. Mein Mann ist immer Junggeselle geblieben.»

«Meine Frau ist mein größtes literarisches Talent.»

Alle außer seiner Frau lachten über die sarkastische Bemerkung des Autors, aber die Situation verlangte nach Entspannung, und der Vertreter hielt den Moment für gekommen, um die schwere Last von Büchern auf den Tisch zu legen, die er Jahr für Jahr verkaufte.

«Ich hasse es, wenn Bücher verkauft werden.» Damit schnitt ihm Sagalés das Wort ab und erklärte: «Vor allem, was meine eigenen betrifft. Von wenigen Ausnahmen abgesehen, zu denen ich auch die an diesem Tisch Versammelten rechne, finde ich es empörend, daß alles, was ich erträumt und geschrieben habe, von irgendwelchen Hanswürsten gelesen werden soll. Genug, daß ich schreibe. Womit habe ich es verdient, daß sich eine Horde analphabetischer Schweine über das Fleisch von meinem Fleisch hermacht, um es zu mißbrauchen, unanständig zu berühren und schließlich aufzufressen, ihrem schnöden Stoffwechsel zuliebe, der meine Begabung in einen schmutzigen Haufen von Vitaminen und Proteinen verwandelt und damit einen Leser ernährt, der im allgemeinen dämlich ist, und zwar derart, daß er zwei- oder dreitausend Peseten ausgibt, um etwas zu kaufen, das er selbst nicht erschaffen konnte!»

Der Vertreter hatte es das Lächeln, die Sprache und das Gestikulieren verschlagen, doch brachte er schließlich stammelnd hervor:

«Menschenskind ... Zu meiner Kundschaft gehören jede Menge gebildete Leute: Ärzte, Zahnärzte, Anwälte!»

Laura zwinkerte ihm zu.

«Versuchen Sie nicht, ihn zu überzeugen! Mein Mann schreibt nur für sich selbst.»

«Dann ist er der erste Schriftsteller, den ich kennenlerne, der keine Bücher verkaufen will!»

«Vielleicht würde er einen Verkauf dulden, wenn durch eine formelle Erklärung vor einem schreibunkundigen Notar garantiert würde, daß keiner sie liest.»

«Was soll das! Sie wollen uns auf den Arm nehmen, nicht wahr? Mit irgend etwas muß man doch seinen Lebensunterhalt verdienen!»

«Ich verdiene ihn mir auf anständige und mühselige Weise. Von Zeit zu Zeit schreibe ich Nachrufe auf Schriftsteller, die im Sterben liegen oder soeben verstorben sind. Viele Verwandte von Schriftstellern und ähnlichen Leuten wenden sich nach deren Tod unverzüglich an die Zeitung und verlangen einen Nachruf aus meiner Feder. Der Besitz eines Sagalés-Nachrufes ist wie der Besitz eines Picasso. Ich könnte ohne weiteres, hier und jetzt, aus dem Stegreif, auf jeden von Ihnen einen Nachruf formulieren. Auf Sie selbst beispielsweise. Wie lautet Ihr Wertester?»

«Was meinen Sie?»

«Ihr werter Name, wenn Sie so freundlich wären.»

«Julián Sánchez Blasa.»

«Wo liegt das Feld Ihrer literarischen Mission?»

«Sie meinen, wo ich meine Bücher vertreibe? Gut. Stellen wir uns mal Spanien vor und teilen es in zwei Hemisphären!»

«Schwer vorzustellen, Spanien reicht wirklich nicht für so viel, aber wir tun mal, als ob.»

«Also, und ich bin für die westliche Hemisphäre zuständig.»

«Julián Sánchez Blasa hat das Zeitliche gesegnet und eine große Lücke ins literarische Gedächtnis der westlichen Hemisphäre Spaniens gerissen. Dank seines zähen Ringens um die Hebung des Bildungsniveaus der schreibunkundigen Massen füllten sich die spanischen Haushaltungen mit enzyklopädischen Wörterbüchern und den Gesammelten Werken fast aller Schriftsteller des Namens Torcuato. Seine Witwe bittet um ein Gebet für seine Seele, die so nüchtern war wie sein Leben. Literaturvertreter deklamieren im Winter Shakespeare, und im Sommer fahren sie nach Benidorm.

> *Come, come, you froward and unable worms!*
> *My mind hath been as big as one of yours,*
> *My heart as great, my reason haply more,*
> *To bandy word for word and frown for frown;*
> *But now I see our lances are but straws.*

«Können Sie mir das mal übersetzen, damit ich weiß, ob ich wütend werden muß?»

> O kommt, ihr eigensinn'gen, schwachen Würmer!
> Mein Sinn war hart wie einer nur der Euern,
> Mein Herz so groß, mein Grund vielleicht noch besser,
> Um Wort mit Wort, um Zorn mit Zorn zu schlagen:
> Jetzt seh ichs, unsre Lanzen sind nur Stroh.

«Sie kennen ihn doch gut, was meinen Sie?»

«Ich würde ihm die Fresse polieren», urteilte Laura, und der Vertreter brach in Gelächter aus.

Mit einem Achselzucken erklärte der älteste Vertreter der hoffnungsvollen Schriftstellerjugend Spaniens die informelle Audienz für beendet, und die Blicke schweiften wieder durch den großen Saal. Die Leute, die den Gästen die Plätze zuwiesen, hatten Anweisung, der kulturellen Prominenz Respekt zu erweisen, indem sie sie mit Prominenten der Wirtschaft zusammenbrachten. So saßen die größten Vermögen des Landes an einem Tisch mit Literaturgrößen, die irgendwann den Cervantespreis erhalten würden, obwohl sie bereits den Nobelpreis und den Planeta-Preis bekommen hatten, und für die exotische Note sorgte ein Gewinner des Lyrik-Preises der Firmen «Principe de España», «Loewe», «El Corte Inglés», «General Motors», «Parmalat» oder «La Teresita-Suppen», Hauptsache, er besaß jenen senatorialen Nimbus, den nicht mehr ganz junge spanische Lyriker, unabhängig von ihrem Alter, dadurch erzielen, daß sie ein paar Parmenides-Zitate, ein gewisses metaphysisches Unbehagen und einen Sonnenuntergang auf unwirklichen Inseln zu Gedichten verarbeiten. Schriftsteller, die noch nicht die höheren

Weihen besaßen, saßen etwas entfernter vom Präsidiumstisch in den Gefilden, wo Männer aus Industrie und Handel stehend die Ankunft des amtierenden Präsidenten der *Comunidad Autónoma de Madrid*, Don Joaquín Leguina, erwarteten. Er würde zwar demnächst seinen Sessel an Ruiz Gallardón abtreten müssen, den siegreichen Kandidaten der Rechten, dieser hatte aber aus Respekt vor dem Amt, das sein Freund, wenn auch politischer Gegner, immer noch bekleidete, die Einladung nicht angenommen. Leguina kam in Begleitung der Ministerin für Kultur, Doña Carmen Alborch, die ebenso wie er vor dem Ende ihrer politischen Laufbahn stand, wenn man den Kommentaren der Umstehenden glaubte, die Leguina mehrheitlich mangelnde Flexibilität vorwarfen, weil er sich vom torpedogetroffenen Schiff der Sozialisten mit in die Tiefe reißen ließ, der Ministerin hingegen Gewitztheit bescheinigten, war es ihr doch trotz kurzer Amtszeit gelungen, als einziges Regierungsmitglied in Technicolor in die Geschichte Spaniens einzugehen, die ansonsten von Ministern in Militär-Khaki oder Marengo-Grau beherrscht wurde. Der Unternehmer Regueiro Souza betrachtete sich in einem versteckten Spiegel seines Zigarettenetuis und kontrollierte das Make-up, das seinem Gesicht die ebenmäßige Haut eines reifen Pfirsichs verlieh. Dafür beulten sich mächtige Tränensäcke unter den exzessiv bewimperten, schrägstehenden Augen, die versuchten, als erster die Ankunft der Ministerin zu erspähen, aber ihre Zielrichtung änderten, als Jesus Aguirre, der Duque de Alba, seinen fürstlichen Einzug hielt, während er in differenzierter Form auf Begrüßungen reagierte oder sie ignorierte. Er wurde Regueiro Souzas Tischnachbar, wie das Kärtchen neben dem Gedeck verkündete. Bevor der Duque ankam, nahm auch Hormazábal am Tisch Platz, exquisit kahlköpfig und asthenisch wie immer und so wortkarg, daß er die Anwesenheit Regueiros nur mit einem angedeuteten Fingerschnippen zur Kenntnis nahm. Weitere Begrüßungen waren an diesem Tisch nicht mehr erforderlich, und man war ebenso überrascht wie an allen anderen Tischen, als die Scheinwerfer der Fernsehkameras und die Blitzlichter der Fotografen einen gleißenden Korridor schufen, durch den die erwarteten Würdenträger einzogen. Don Lázaro Conesal bahnte ihnen den Weg, seitlich gehend, um ihnen nicht den Rücken zuzukehren. Trotz des Adels der weißhaarigen, schneidigen Erscheinung Leguinas und der fröhlichen, sambatänzerischen Farbenpracht der Kulturministerin galten alle Blicke Conesal in seinem makellosen dunklen Galaanzug von Armani. Seine fast weißblonde Mähne eines metallisierten Wagnerhelden war mit sündhaft teurer Brillantine geglättet, ohne die weich gewellten Koteletten zu behelligen, die das Weiß eines soignierten Schneemenschen zeigten. Seine Haut, auf besten Yachten in Sonne und Wind der besten Gewässer und der schönsten Winkel des Mittelmeers gebräunt, wurde täglich mit Naturkosmetika von Bissé und zweimal wöchentlich mittels einer kompletten aufbauenden Gesichtsmassage gepflegt – von den Händen einer Masseurin, die eigens aus Marrakesch eingeflogen wurde, und zwar im Privatjet des Millionärs, nicht zu verwechseln mit seiner Interkontinentalmaschine, die für aufwendigere Unternehmungen reserviert war.

«Aplomb und Geld», bemerkte Altamirano angesichts dieser Erscheinung.

«Plumpheit und Gold», berichtigte Marga Segurola.

Lázaro Conesal wirkte wie gefirnißt mit dem gewachsten Lack einer Luxuslimousine, der Blicke zurückwerfen und die Anerkennung seiner selbst einfordern kann. Der Gefahr, wie ein schöner Dressman aus der Parfümwerbung für Männer zu wirken, begegnete Conesal, indem er wie der Besitzer dieses Parfüms und dieses Dressmans auftrat. In der Tat wirkte Lázaro Conesal wie der Eigentümer jeglicher Metapher seiner Erscheinung. Er stellte den hohen Besuch seiner Gattin vor, einer früheren Beamtin des Wohnungsbauministeriums, die in gewisser Weise das Aussehen eines magersüchtigen und durch viele Zulassungsprüfungen gealterten Mädchens bewahrt hatte. Danach entschuldigte sich Conesal dafür, den elektrischen Stuhl neben der Ministerin räumen zu müssen, da ihn die Pflicht als Vorsitzender der Jury rufe.

«Aber ich weiß dich in bester Gesellschaft, liebe Ministerin. Das hier ist mein Sohn Álvaro. Er hat gerade das MIT hinter sich und braucht jemand wie dich, der ihn in die mediterrane Kultur einführt. Vergiß nicht, Álvaro, dieser Stuhl ist nur geliehen! Sobald die Entscheidung gefallen ist, stehst du auf und gibst ihn mir zurück!»

Álvaro Conesal, in Smokingjacke von Armani und Secondhand-Jeans, führte die Hand der Ministerin an die Lippen, woraufhin diese ihn auf beide Wangen küßte, sich bei ihm unterhakte und in sein Ohr flüsterte: «Ich habe bei dem Tausch profitiert! Die Söhne schöner Männer sind noch schöner als ihre Väter.»

«Dafür haben die Söhne reicher Väter weniger Geld als ihre reichen Väter.»

Die Bemerkung fand Lázaro Conesal nicht gerade passend, aber da die Ministerin mit ansteckender Begeisterung reagierte, lachte auch er über den Scherz seines Sohnes und trat den Rückzug in die Quartiere der Jury an. Er paßte seinen Schritt dem des Privatdetektivs an, den ihm sein Sohn an die Fersen geheftet und seinen ständigen Bodyguards hinzugefügt hatte. Dieser Mann, der ihn nicht einmal grüßte, ging mit der Miene eines Veteranen langweiliger Ereignisse neben der Gruppe her, die der Finanzier mit seiner gewohnten Eskorte bildete. Conesal wußte gerne Bescheid, wer ihn beschützte, erinnerte sich bei dem Neuen jedoch nur vage an einen klangvollen galicischen Familiennamen und den Austausch eines Monologs, den er selbst gehalten, und hartnäckigen Schweigens, mit dem der Detektiv am mittäglichen Essenstisch gekontert hatte. Während sie gingen, wurde Conesal mehrmals von Subalternen angesprochen, die ihm demonstrieren wollten, wie angespannt und besorgniserregend die Lage sei; er beschränkte sich jedoch darauf, so zu tun, als sei alles unter Kontrolle, und dies zu bezweifeln sei verständlich, aber nicht notwendig.

«Und was ist mit unserem Geschäft?»

Der bullige, herausfordernde Mann reichte ihm zwar die Hand, aber in seinen Augen lauerte ein Ultimatum, beinahe die Androhung von Gewalt.

«Hormazábal! Findest du, es ist jetzt der richtige Moment?»

Conesal ließ seinen Gesprächspartner stehen, aber das Vorbild wirkte ansteckend, und so kamen noch andere, die Conesal die Hand drücken und versuchen wollten, ein paar Worte mit ihm zu wechseln.

«Wollt ihr plaudern oder den Namen des Preisträgers erfahren? Die Jury ist versammelt und erwartet mich.»

An der Saaltür zu dem Flur, der ihn zum Versteck der Preisrichter führen würde, bedeutete er seinen Leibwächtern mit herrischer Geste zurückzubleiben. Nur der Detektiv ging weiter, bis er in der Tür stehenblieb und sich nach den Gesprächsgrüppchen des Speisesaals umwandte, während Conesal an ihm vorbeirauschte, ohne sich an seinen Familiennamen zu erinnern und ohne die geringste Lust, danach zu fragen.

«Wer wird den Preis bekommen?»

«Sánchez Bolín.»

«Bist du dir sicher?»

Ariel Remesal, Gewinner von sieben Provinzpreisen mittlerer Bedeutung, zeigte seinem Tischnachbarn einen Titel auf der Bücherliste; Fernando Tutor war Verleger bibliophiler Ausgaben, spöttisch «der Bibliophile der *transición*» genannt, wegen der vielen Subventionen, die er erhalten hatte, um Bücher vor dem Vergessen zu bewahren, die eigentlich vergessen werden konnten. Dies machte ihn zum Obersten Richter am Weltgerichtshof der Geschichte Vergessener Literatur und verlieh ihm Entscheidungsgewalt über das literarische Weiterleben nach dem Tode, auf unbeschnittenem Büttenpapier und gebunden in das Leder teuerster Föten der besten Schlachthöfe.

«*Die Sorgen eines Russen in China*. Von Sánchez Bolín?»

«Eine typisch sanchezbolinische Paraphrase. Diese angestaubte Leidenschaft für kulturelle Promenadenmischungen in Material und Zielsetzung. Jules Verne und der Fall der Berliner Mauer. Was kann ein postkommunistischer Russe in einem China für Sorgen haben, das in der Theorie immer noch kommunistisch ist?»

«In der Tat. Typisch Sánchez Bolín. Auch das Pseudonym: Mateo Morral, ein Anarchist der Jahrhundertwende. Unzeitgemäßer, als zu Fuß zu gehen. Die nostalgischen Scherze einer saturierten Operetten-Linken», warf Andrés Mazaneque ein, der beste schwule Poet und Romancier beider Kastilien – ein Titel, der allerdings von den besten schwulen Dichtern und Schriftstellern Leóns nicht anerkannt wurde, da sie die autonome politisch-administrative Einheit von Alt-Kastilien und León mehrheitlich ablehnten. Dieser Ansicht war auch Alma Pondal, die Mercedes geheißen hatte, bevor sie in der Pubertät Mahler entdeckte. Die beste schreibende Hausfrau ihrer Generation war mit ihrem Ehemann gekommen, dem besten Brücken- und Straßenbauingenieur seiner Generation. Sie beschränkte sich nicht auf einfache Zustimmung.

«Wir brauchen eine Entsanchezbolinisierung des spanischen Romans! Es reicht endlich! Im Grunde verdanken wir Sánchez Bolín nur eine einzige positive Leistung.»

«Wie konstruktiv du heute abend wieder bist!»

«Er entlarvte den überlebten Sittenroman von Delibes mitsamt seiner Schule und den Nachfahren des sozialistischen Realismus, die sich in den sogenannten Schwarzen Roman geflüchtet hatten.»

«In den Kackbraunen-Roman. Er riecht nach Scheiße. Mit Verlaub.»

«Schlimmer. Riecht nach dem Nichts.»

Der beste schwule Schriftsteller beider Kastilien war nicht mehr zu bremsen. «Wir sollten die Tatsache, daß wir hier in Spanien sind, nutzen und im Zuge der Entsanchezbolinisierung die gesamte spanische Literatur entkatalanisieren! Was für eine Pest! Dieses Provinz-Spanisch der ganzen Marsés, Mendozas, Azúas oder Goytisolos! Überall dieses Gerüchlein von Tomatenweißbrot und dem Wörterbuch von María Moliner!»

«Noch viel schlimmer: Nach dem *Diccionario Ideológico* von Casares. Übrigens, ist Sánchez Bolín überhaupt hier? Bei derartigen Abendpartys pflegt er sich eigentlich nicht blicken zu lassen. Wenn er da ist, dann heißt das, daß…»

«Er ist da.»

Der Finger der besten schreibenden Hausfrau, für das literarische Ereignis eigens handpflegerisch restauriert, zeigte zu einem Tisch, der in Relation zum Präsidium ziemlich gut plaziert war, und dies verdankte er nicht nur der Anwesenheit des unerwartet abgemagerten Sánchez Bolín, sondern auch der des einzigen real existierenden spanischen Nobelpreisträgers, der die gesamte Literatur in seinem dreifaltigen Kinn, das die verächtlich geschürzten Lippen mit dem dreifaltigen Bauch verband, gespeichert hatte. Des weiteren saßen dort ein Mitglied der Königlichen Akademie der Wissenschaften, das diese Tatsache seinem Alter sowie seiner allgemeinen Biologie und Gelehrsamkeit verdankte, sowie Jorge Justo Sagazarraz, der Erbe einer Reederei mit gemischtem Kapital, den die ovale Glatze und der ungepflegte, schüttere Bart alt wirken ließen, und Mona d'Ormesson, die ihre guten intellektuellen Beziehungen in bare Münze umzusetzen verstand und in der Freizeit *Sir Orfeo* übersetzte, eine mittelenglische Version des Mythos von Orpheus und Eurydike. Sagazarraz sah man mehr stehen als sitzen, mehr gehen als stehen und, Vorwände murmelnd, durch den Saal schlendern, um zu grüßen und gegrüßt zu werden. Nach jeder

Runde schien er einen weiteren Flachmann mit Whisky geleert und dafür gesorgt zu haben, daß seine Wangen von weiteren violetten Äderchen durchzogen wurden. Die Dame rezitierte ein Gedicht neben dem fluchtbereiten, rundlich-dicken Ohr von Sánchez Bolín, der seine ständig rutschende Brille mit kurzem, dickem Finger hochschob, um diesen dann weiterzuschicken über die endlose Stirn, um Schweißperlen aufzuspüren und zu vernichten.

> *Pues ahora he perdido a mi reina*
> *la mas hermosa dama que nació jamás.*
> *Nunca volveré a ver mujer.*
> *Al bosque salvaje me retiraré,*
> *y viviré alla para siempre,*
> *con fieras agrestes en la selva gris.*

> Nun hab ich meine Königin verloren,
> die schönste Dame, je geboren.
> Nie will ich wieder eine Frau ansehn.
> In die Wildnis will ich gehen,
> um dort zu leben, für immer,
> mit wilden Tieren im grauen Wald.

«Schön, nicht?»

«Ja.»

«Es ist von einer poetischen Würde, die dem Besten der orphischen Literatur in nichts nachsteht.»

«Völlig richtig.»

«Meine Arbeit bereitet mir viel Freude. Außerdem rechne ich mit der Anerkennung von García Gual. Ein Genie, dieser Mann! Sein Buch *Mythen, Reisen, Helden*, das bei Taurus erschien, war jahrelang mein Lieblingsbuch.»

«Wirklich großartig», gab Sánchez Bolín zu.

«Wirklich großartig», bestätigte der Reeder Sagazarraz.

«Interessieren Sie sich für Mythologie?»

Sagazarraz brauchte eine Weile, bis er verstanden hatte, daß die orphische Dame ihn gemeint hatte.

«Ich interessiere mich für das Reisen. Ich bin Reeder.»

«Reeder! Ein sagenumwobenes Metier. Segeln Ihre Schiffe um

den Erdball? Fahren sie randvoll mit Erdöl durch die Schlagadern der industriellen Welt?»

«Unser Haus produziert fast ausschließlich für den Fischfang, vor allem für den Fang von Kalamar.»

Der Glanz in den Augen der Übersetzerin erlosch.

«Frischen Kalamar, natürlich.»

Damit versuchte der Reeder die Situation zu retten, fand aber keine Gnade mehr vor den Augen der wählerischen Dame.

«Unsere Firma hat noch nie Kalamares *a la romana* gefangen!»

Die Übersetzerin hatte jegliches Interesse an Sagazarraz verloren; für Sánchez Bolín oder den Nobelpreisträger fand ihr Blick jedoch wieder zu schönster Leuchtkraft. Nachdem Sánchez Bolín als Empfänger ihrer Wunder verbraucht war, stürzte sie sich auf den Nobelpreisträger, der nicht in Stimmung war für orphische Schalmeien, sondern in lateinischer Sprache deklamierte: *«Nemo secure loquitur, nisi qui libenter tacet.»*

Der Satz wäre in seiner eigenen Seltenheit verschlossen geblieben, hätte ihn der Schriftsteller nicht mit einem Rülpser gekrönt. Aber die orphische Dame schreckte vor nichts zurück, um weiterhin orphisch zu bleiben, und legte noch mehr Begeisterung in ihren Blick, als sie erwiderte: *«Verecundari neminem apud mensam decet.»*

Der Nobelpreisträger, dem es peinlich war, nicht schockiert zu haben, senkte die Stimme zum Baß eines russischen Sängers und lenkte das Gespräch auf den Südpol des Körpers.

«Wenn das Wetter umschlägt, spüre ich ein Jucken in den Hoden.»

Die Übersetzerin, die annahm, der Nobelpreisträger würde den Machtkampf gerne weiterführen, ignorierte die Lachsalve, die den ständig feuchten Lippen des angeheiterten Sagazarraz entfuhr. Mit noch boshafterem Funkeln senkte sie den Blick mit größtmöglicher Leuchtkraft in die Augen des Nobelpreisträgers und entgegnete: «Die müssen ja ziemlich groß sein, wenn man bedenkt, wie oft sie sie erwähnen.»

«Sie irren sich. Sie sind schön klein und ganz nahe am After, wie bei den Tigern.»

«Das kann man operieren.»

«Ich habe sie mein Leben lang da gehabt! Sie sind ein Teil meiner Persönlichkeit und haben es mir ermöglicht, sogar meine Übersetzerinnen ins Samoyedische aufs Kreuz zu legen.»

Alle Augen am Tisch wanderten zu dem ausgebeulten Unterleib des Schriftstellers, der angesichts der hochgewachsenen Schlankheit seines übrigen Körpers überdimensional wirkte. Selbst Sánchez Bolíns Augen betrachteten das orographische Relief dieses Bauches, als stehe er kurz vor der Eruption, nahmen aber einen überraschten Ausdruck an, als sie unter den zwischen den Tischen Umherstreunenden eine bekannte und nicht zur Situation passende Gestalt erblickten.

Donnerwetter! dachte er und hätte es beinahe laut gesagt, als sein Blick dem des merkwürdigen Gastes begegnete, und sie zwinkerten einander komplizenhaft zu. Was aber nicht genügte. Sánchez Bolín erhob sich und ging zu seinem schweigenden Gesprächspartner.

«Was führt Sie denn hierher?»

«Literarische Grillen.»

Mehr gab das Gespräch nicht her, und die Ober marschierten ein, zu Galakommandos formiert wie eine Wiener Operettenarmee, und über den Köpfen schwebten Tabletts, während die Kellner Teller mit erlesenen Vorspeisen der vom Art déco geprägten Nouvelle cuisine verteilten und andere wiederum katalanischen Sekt einschenkten, der, wie die Speisekarte verkündete, die Vorspeisen begleiten sollte.

«Aus Katalonien?» fragte Mudarra Daoiz, ein Akademiemitglied, dessen Spezialgebiet der Gebrauch des Diminutivs in der weiblichen spanischen Literatur des siebzehnten Jahrhunderts war. Der harte Blick seiner geröteten Augen und die starkadrigen, über dem Flötenglas gekreuzten Hände brachte die Einschenkbewegung des Sommeliers zum Stillstand, während die versteinerten Lippen den Ober noch einmal anklagend fragten: «Aus Katalonien?»

«Nein, Señor, ich stamme aus Alcázar de San Juan.»

«Ich meine den Sekt!»

«Das ist *cava*, also katalanischer Sekt, jawohl, mein Herr.»

«Ich weigere mich strikt, irgend etwas Katalanisches zu mir zu nehmen, solange Katalonien den Genozid an der kastilischen Sprache fortsetzt.»

Der solidaritätsheischende Blick des Akademiemitglieds stieß auf Apathie und Durst nach Sekt, egal woher. Nur die Übersetzerin des

Sir Orfeo zuckte mit dem ganzen Körper zurück und bedeckte ihre Augen mit dem Unterarm, wodurch sie die Stabilität des soliden elektrischen Stuhls einer harten Probe unterwarf.

«Nein!»

Allgemeine Neugier richtete sich auf den Adressaten dieses Nein. Nein zum katalanischen Sekt? Nein zum Völkermord an der spanischen Sprache in Katalonien? Nein zum heldenhaften Patriotismus des Akademiemitglieds?

«Nein! Es ist nicht zu glauben!»

Was konnte sie nicht glauben, oder woran konnte sie nicht glauben? Die Übersetzerin hatte den Unterarm wieder von den Augen genommen und starrte das alte Akademiemitglied an, als sei er ein zugleich sexueller und mentaler Leckerbissen, und zwar dergestalt, daß die betagte Gattin des Angestarrten versuchte, dem unverschämten Blick entgegenzutreten, während ihr Gatte errötend die erschlafften Federn des Pfauen sträubte, der er einmal gewesen war, damals, als er in Exeter einer isländischen Dozentin an die Brust gefaßt hatte, die auf die literarische Landschaft im Werk des Arcipreste de Hita spezialisiert war. Die Professorin war berühmt gewesen für ihre Brüste, die jede Schlacht gegen das Gesetz der Schwerkraft gewannen, keinen Büstenhalter benötigten und wie Schwimmkörper einer aschblonden Schönheit wirkten, die im Ozean der gebildetsten und laszivsten Blicke der Romanistik ertrank. Als es dem Professor gelungen war, mitten im Hin und Her eines langen Gesprächs über den Kostumbristen Góngora eine ihrer Brüste zu berühren, dachte er an die Zeilen von Garcilaso:

> *Wo war die Säule, die der gold'ne Busen*
> *In anmutig stolzer Haltung aufrecht hielt?*

Wenig kümmerte ihn allerdings Garcilasos Metapher vom Hals als solchem. Der Busen. Der Busen. Berühren verboten, so ist der Busen. Die Lippen der Übersetzerin bildeten schließlich nicht mehr die Form eines Herzens, das im fettigsten Blutrot Margaret Astors erglühte, sondern öffneten sich, um den Professor mit einem Attribut auszustatten.

«Wie süß!»

Die Gattin des Professors war ohne Zweifel die verwirrteste und der Professor die fassungsloseste Person am Tisch. Das Attribut war zwar lobend, wie die semantische Analyse ergab, die er, so schnell es seine Nervenzellen gestatteten, durchführte. Er gelangte jedoch zu der Schlußfolgerung, daß das Epitheton in seiner Situation kaum zu begrüßen war, da es ihn zum Schmuseteddy in den Händen dieser unverschämten Person erniedrigte. Also reckte er den Hals, der vom gestärkten Kragen seines anläßlich der akademischen Investitur des Duque de Alba angeschafften Hemdes malträtiert wurde.

«Übrigens, habt ihr Alba gesehen?»

«Er sitzt an dem Tisch dort drüben, Mudarra.»

«Sind die Albós da, die Thunfischfabrikanten?» erkundigte sich Sagazarraz, aber Mudarra schien ihn nicht zu verstehen und sich weiterhin ganz auf seine Frau zu konzentrieren.

«Welchen Tisch meinst du, Dulcinea?»

Seine Frau hob einen Finger aus Rebenholz mit der Intarsie eines bulgarischen Juwels, einem Ergebnis des 1958 in Sofia abgehaltenen Symposiums über die Interpretationen des *Lazarillo de Tormes* im achtzehnten Jahrhundert. Der Finger zeigte auf den Tisch, wo der Duque de Alba die Aufmerksamkeit seiner Tischgenossen mit einem Vortrag fesselte, der sie in Apokalyptiker und Eingeweihte spaltete, wobei die Erstgenannten irritiert waren durch die kontrollierte Pedanterie, die der Duque zur Schau trug, die letzteren hingerissen von der geistigen Collage des Ex-Jesuiten, der imstande war, von den albernsten Familiengeschichten der überlebenden spanischen Aristokratie einen Bogen zur Genealogie der Frankfurter Schule oder Georg Lukács höchstselbst zu schlagen. Unter den Apokalyptikern befanden sich zwei Geschäftspartner von Conesal, der Finanzier Iñaqui Hormazábal – für die Damenwelt von Madrid «die Goldene Glatze», für andere «der Telefonmörder», ein Beiname, den ihm seine Manie eingebracht hatte, Unternehmen per Telefon zu erwerben, zu töten, auszuschlachten und zu verkaufen – sowie Regueiro Souza, Schrotthändler, Besitzer von Mietflugzeugen und Intimus des Regierungschefs, egal wer es war; er wandte diesem sogar den Rücken zu, wenn er mit ihm sprach. Zu den Eingeweihten zählten Beba Leclercq aus dem Hause *Leclercq Bedachungen und Abbrucharbeiten*, eine elastische, herrliche Blondine, verheiratet mit einem Sito Pomares aus der Sherrydynastie Pomares & Ferguson, Jerez – rotblond, eckig, mit Sommersprossen, mehr Ferguson als Pomares. Der Duque de Alba war einst Beba Leclercqs Beichtvater gewesen, als er noch Geistlicher war; sie war hingerissen davon, wie er Deutsch sprach, und hatte ihn sogar einmal gebeten, ihr in deutscher Sprache die Absolution zu erteilen und die Buße aufzugeben. Was ihren Mann betraf, so gefiel ihm alles, was seiner Frau gefiel, nur nicht, daß seine Frau den Männern so gut gefiel.

«Duque», sagte Beba in einem Ton, als wollte sie eigentlich «Padre» sagen.

«Ja, meine Tochter. Wie oft?»

«Nein, also, ich… Ich dachte nur eben daran, daß wir uns das letzte Mal im Haus von Tato Hermosilla, dem Marqués de San Simón, begegnet sind. Du erzähltest uns schon damals von diesem Russen, Lucas. Es war hochinteressant!»

«Das schlimmste an den Marqueses de San Simón ist, daß sie nicht einmal wissen, wo San Simón liegt, und dabei bestenfalls an einen Käse denken, und zwar an einen galicischen, um mehr INRI zu bekommen, und das schlimmste an Lukács – der übrigens, meine Liebe, nicht aus Rußland, sondern aus Ungarn stammte – sind die Anhänger, die sich auf den Ärmsten berufen, einschließlich dieser Agnes Heller, die vor dem roten Terror fliehen mußte und nichts Besseres zu tun hatte, als nach Australien zu gehen und das postmarxistische Känguruh zu spielen! Mudarra!»

Der Duque hatte entdeckt, daß sich das alte Akademiemitglied auf der Flucht vor dem katalanischen *cava* und der Übersetzerin des *Sir Orfeo* mit geschwollenen Füßen mühsam ihrem Tisch näherte, die vergessene Serviette am Gürtel hängend und das Doppelkinn hoch über den Kragen jenes besagten zu engen Hemdes gereckt. Die Hand, die ihm der Duque reichte, verlockte aufgrund ihrer Weichheit zum Handkuß, aber das Mitglied der Königlichen Akademie unterdrückte den Wunsch, sie zu seinen Lippen zu führen, und drückte sie mit einer Begeisterung, die die linke Braue des Duque zu einer mißfälligen Hebung veranlaßte.

«Alba! Mein lieber Alba! Ist Cayetana nicht gekommen?»

«Sie hatte einen heftigen Zwist mit einem unserer Hunde, und ich sagte zu ihr: ‹Cayetana, wenn du in Rage bist, bist du eine dynastische Zeitbombe. Ein Wutanfall von dir könnte den Sturz der Regierung bedeuten und sicherlich die Preisverleihung platzen lassen. Bleib zu Hause!› Ich habe ihr einfach verboten zu kommen!»

Der Duque lachte, hocherfreut, seiner Duquesa etwas verbieten zu können, und der Akademierat lachte, weil ihm alles größtes Vergnügen bereitete, was Jesús Aguirre y Ortiz de Zárate, der angeheiratete Duque de Alba, von sich gab.

«Du ißt nichts, Mudarrito?»

«Still… still… ich komme um vor Hunger, aber mich hat man an einen Tisch verbannt, der mich zum Infarkt treibt, und dazu kam noch, daß phönizisch-katalanischer Sekt gereicht wurde! Was für Tischgenossen! Der real existierende Nobelpreisträger, der Postmarxist Sánchez Bolín, ein volltrunkener Kalamares-Fischer und ein gräßliches Weib, das *Sir Orfeo* übersetzt.»

«Mona, die Süße.»

«Auch du wirfst mit frivolen Attributen um dich?»

«Mona d'Ormesson von den Fresnos aus Ruiseñada. Fällt der Groschen nicht? Die Nichte der Condesa de los Cantos, der Geliebten von Paco Umbral und der Sprengstoff-Union von Riotinto.»

«Diese Exzentrikerin ist eine d'Ormesson?»

«Die leibhaftige Tochter von Pocholo d'Ormesson.»

«Und wie kam sie dazu, sich auf den Orphismus zu kaprizieren?»

«Weil sie sich von ihrem Mann getrennt hat und jetzt durch die Hölle geht wegen eines Schriftstellers, von dem man sagt, er sei der beste englische Autor der spanischen Sprache.»

«Javierito Marías?»

«Kalt, ganz kalt, mein Lieber. Außerdem, man nennt die Sünde, aber nicht den Sünder. Was diesen nicht mehr ganz jungen Sagazarraz angeht, dieser Kalamares-Fischer, wie du ihn nennst, verachte ihn nicht! Sein Vater war der Gründer einer der interessantesten Kulturstiftungen Spaniens.»

«Der Vater von diesem Hanswurst?»

«Die *Fundación Saudade*.»

«Was, die *Saudade* gehört diesem Trunkenbold?»

«Die *saudade*, mein Lieber, verleitet zum Trinken.»

Der Duque lachte über seinen eigenen Scherz, während seinen flinken Augen keine der Huldigungen entging, die von anderen Tischen herüberflogen und von ihm, je nach Grad der Geneigtheit, mit stärkerem oder schwächerem Heben des Glases, der Braue oder der Nase erwidert wurden. Soeben hatte er einen nicht mehr jungen Mann mit einer gehobenen Braue bedacht, den er kannte, aber doch nicht gut genug, um dem Gesicht einen Familiennamen zuzuordnen.

«Hör mal, Mudarrito, ist das nicht Sagalés?»

«Katalane?»

Die angeekelte Grimasse von Platz W 2 der Königlichen Akademie der Sprache genügte als ethnische Grundsatzerklärung.

«Aber was frage ich dich, du bist ja bei Arcipreste stehengeblieben.»

«Bei Arcipreste de Hita und bei Valle-Inclán, jawohl. Nach ihnen das Nichts!»

Mit einer heftigen Handbewegung fegte der Duque die Feststellung des Akademiemitglieds hinweg, klar genug, um die Audienz zu beenden.

«Wir sehen uns in der Akademie, Mudarrito.»

Alba wandte sich wieder seinen Tischgenossen zu. «Wo war ich stehengeblieben?»

«Bei den Marqueses de San Simón.»

«Nein, bei einem gewissen Lucas», widersprach Beba.

«Ich werde mit Lucas, wie du ihn nennst, fortfahren, und dann etwas zu diesem Tölpel von Hermosilla sagen, dem Marqués de San Simón. Auf Lukács waren wir gekommen über das Problem der Erkenntnis und der Unterscheidung von philosophischer und literarischer Erkenntnis, nicht wahr? Ich bin völlig seiner Meinung, nicht immer, wohl aber am heutigen Abend, und zwar in dem Punkt, daß der Geist beschlagnahmt, was sich ihm nicht assimiliert, indem er es sich assimiliert, um es in Besitz zu nehmen.»

Sagalés hatte sich von Alba nicht angemessen beachtet gefühlt. Er fühlte sich ständig nicht angemessen beachtet, und das war viel schlimmer, als wenig oder gar nicht beachtet zu werden. Die Kellner formierten sich zum Einmarsch mit dem zweiten Gang.

«Noch kein einziges Votum», klagte die Gattin des Toilettenherstellers Puig.

«Ich nehme an, sie befolgen ein bestimmtes Ritual, bevor sie den Richterspruch verkünden.»

«Sicher. Aber es hieß, Lázaro Conesal sei bei dieser Sache, wie bei allen andern, eine Dampfwalze. Preisträger wird derjenige, den er bestimmt.»

«Besitzt er ein gutes literarisches Urteil?»

Sagalés hatte Durst auf Rotwein und bestellte ihn, den ironischen Blick seiner Frau ignorierend, bei einem der Kellner. Er stürzte das Glas hinunter, kaum daß es gefüllt war, und entlockte ihm mit dem Finger einen nachschwingenden Ton, damit der Kellner gleich noch einmal einschenkte.

«In Spanien werden Preise immer gegen jemanden verliehen. Man muß nicht fragen, wem der Preis verliehen, sondern stets, wem er weggenommen wurde. Was Conesal angeht, so ist sein literarischer Geschmack sehr gut, wirklich. Er schreibt die besten Verwaltungsbilanzen aller spanischen GmbHs.»

«Besitzt Ihr Vater einen guten literarischen Geschmack?»

Alvarito Conesal neigte sich der Frau Ministerin zu und setzte ein rätselhaftes Lächeln auf.

«Er besitzt die vollständigen Reihen von La Pleiada, Bompiani und Aguilar.»

Die Ministerin lachte.

«Also, das muß man loben, denn ich selbst habe mir schon die Reihe von Aguilar gewünscht und nicht bekommen.»

«Mein Vater wird sie Ihnen ins Ministerium schicken.»

Alvarito notierte sich die Bestellung mit einem Ferrari-Filzschreiber auf der Manschette seines Hemdes.

«Ich weiß nicht, ob ich das annehmen kann! Die Leute von der Tageszeitung *Mundo* werden es als Pflichtverletzung im Amt oder als weiterer Beweis meiner mangelnden formalen und inhaltlichen Eignung zur Ministerin auslegen. Übrigens, mir fiel auf, daß das Hotel *Venice* heißt, und ich glaube nicht, daß die Leuchtreklame fehlerhaft ist. Woher stammt dieser Name?»

«Von Jim Morrison. Es ist eine Hommage an Jim Morrison.»

«Das Hotel gehört Ihrem Vater. Liebt er Jim Morrison?»

«Mein Vater besitzt unerwartete kulturelle Reserven. Es gelang mir, ihn für Jim Morrison zu begeistern, und bei seinen Parisreisen besuchte er jedesmal sein Grab auf dem Friedhof Père-Lachaise. Das Privatflugzeug meines Vaters heißt *Père Lachaise*, eine weitere Hommage an Jim Morrison. Wir besitzen seine gesamten Schallplatten.»

«Morrison fasziniert mich. Jetzt fällt mir sogar der Song ein, in dem ‹Venice› vorkommt.»

Die Frau Ministerin summte, ihre absoluten Lippen am Ohr von Álvaro Conesal:

> *Blood in the streets runs a river of sadness.*
> *Blood in the streets, it's up to my thigh.*
> *The river runs down the legs of the city.*
> *The women are crying red rivers of weeping.*
>
> *She came into town an' then she drove away.*
> *Sunlight in the hair.*
>
> *Indians scattered on dawn's highway bleeding.*
> *Ghosts crowd the young child's fragile eggshell mind.*
> *Blood in the streets of the city of New Heaven.*
> *Blood stains the roofs and the palm trees of Venice.*
> *Blood in my love in the terrible summer.*
> *Blood red sun of Phantastic Los Angeles.*

Während das eine Ohr durch die Ministerin blockiert wurde, lauschte das andere dem Gespräch, das Joaquín Leguina mit Álvaros Mutter führte. Reserviert, doch liebenswürdig ging der amtierende Regierungspräsident der *Comunidad Autónoma de Madrid* auf die Dame mit der ins Violette spielenden dunklen Haut ein, die groß und schlank war selbst in den ovalen Ringen unter den Augen. Er ignorierte ihre Absicht, es ihm nach der Einleitung, sie nehme nicht gern ein Blatt vor den Mund, ordentlich zu geben.

«Also, ich nehme kein Blatt vor den Mund.»

«Sehr gut.»

«Auch, wenn mich mein Mann versteckt, damit ich nicht sage, was ich denke, sage ich es trotzdem!»

«Man soll immer sagen, was man denkt.»

«Ihr kriegt meine Stimme nicht! Wenn ich links wählen würde, dann die richtigen Linken. Die Kommunisten! Und dabei finde ich, die sind auch ein reformistischer Haufen, und Anguita ist ein Säulenheiliger. Ich bin der Meinung…»

«Señora, ich bin ein großer Freund der Kommunisten, und in meiner Jugend habe ich sie links überholt. Während sie als Revisionisten Sklaven der friedlichen Koexistenz und des kalten Krieges waren, wollte ich in die Berge gehen und Revolution machen.»

«Wären Sie mal dabei geblieben! Anstatt als koffeinfreier Sozialdemokrat zu enden, noch dazu als Verlierer. Ein sozialistisches Fliegengewicht, das vom intellektuellen Müll der reaktionären englischen Neoliberalen lebt, vor allem dieses idiotischen Popper. Ich habe bei den Wahlen zur *Comunidad Autónoma* nicht für euch gestimmt, aber auch nicht für diesen jungen Rechten, Ruiz Gallardón, der wie ein kurzsichtiger Polospieler aussieht. Ich war mein Leben lang für Klarheit, und ich sage, was ich denke.»

«Mamá.»

Álvaro schien plötzlich unbedingt seine Mutter sprechen zu müssen und deutete ein Lächeln an, um sich für die Unterbrechung zu entschuldigen.

«Mamá.»

«Du brauchst mir nicht dauernd unsere Verwandtschaft unter die Nase zu reiben. Alvarito. Ich habe dich schon gehört.»

«Ich dachte, du könntest Señor Leguina von deinem Projekt erzählen, dem Manilatücher-Wettbewerb zugunsten der Kinder von Ruanda!»

«Jetzt habe ich wirklich einen Anschlag auf Sie vor, Leguina. Mein Sohn hat recht. Was wissen Sie über Manilatücher? Aber zuerst will ich Ihnen meinen Namen nennen, denn ich habe es nicht gern, wenn man mich Señora Conesal nennt. Ich bin Milagros Jiménez Fresno.»

Hormazábal, die Goldene Glatze, war imstande, mit dem Gesicht am Tisch zu bleiben und Albas Plädoyer für die notwendige, überfällige Wiederentdeckung Walter Benjamins zu lauschen, während sein Geist im Saal auf Entdeckungsreise ging. An sein Ohr drangen die ungeduldigen oder verdrossenen Seufzer Regueiro Souzas, der auf die Gelegenheit wartete, sich in den Monolog Albas einzuschalten, dem Beba Leclercq ab und zu sekundierte, während ihr Mann, Pomares & Ferguson, wie ein Pomares gähnte und dabei die biologisch und sozial saturierte Miene eines Ferguson zur Schau trug. Regueiro Souza schwankte, ob er die Miene eines reichen Schrotthändlers oder eines reichen Flugzeugvermieters aufsetzen sollte, und entschied sich für die Miene eines Reichen, der über die intellektuellen Kapricen eines angeheirateten Duque und einer unglücklich Verheirateten erhaben war. Hormazábal nahm ein Handy aus der Tasche, das sogar den Duque de Alba verstummen ließ und um den Finanzier ein Kreis des Schweigens entstand. Er wollte niemanden anrufen, nur etwas in der Hand fühlen, das ihn mit der Wirklichkeit verband, und er wählte aus all den Blicken, die gespannt oder ironisch auf ihn gerichtet waren, den des Duque als Adressaten.

«Heute abend habe ich nicht die Absicht, jemanden zu ruinieren.»

«Nun, dein Telefon ist ja berühmt…»

«Ich wollte einfach etwas mit den Händen tun. Du hast dir das geschriebene oder gasförmige Wort ausgesucht, um damit die Welt zu beherrschen. Ich brauche ein Werkzeug.»

«Du bist der Handarbeiter des spekulativen Kapitalismus.»

«Ich kaufe und verkaufe am Telefon. Ich verändere die Welt mit dem Telefon. Kannst du dasselbe von der Literatur behaupten?»

«Aber wer wird denn an die Literatur denken, Hormazábal! Was hat diese Versammlung mit Literatur zu tun?»

Hormazábal zuckte die Achseln, nahm das Handy aus dem Futteral, wählte die gewünschte Nummer, und die übrigen Tischgenossen verbargen ihre Neugier auf das nun folgende Gespräch, das der Finanzier in perfekten natürlichen Einsilbern führte. Danach kehrte er rechtzeitig in seine Umgebung zurück, um noch zu bemerken, daß der Duque den Blick nicht von ihm genommen hatte, sich aber nun gezwungen sah, denselben zurückzuziehen, da der Kellner ihm einen Teller vor die Brust stellte. Der von Alba schnupperte und fällte ein pragmatisches Urteil, wobei er sich besonders an Hormazábal wandte: «Der heutige Abend hat weder mit Literatur noch mit Gastronomie zu tun. Lachs! Wie schrecklich! Was für eine Geschmacklosigkeit!»

Der beste schwule Schriftsteller beider Kastilien nahm den zweiten Gang mit Skepsis entgegen. Er brachte die Spitze seiner messerscharfen Nase in gefährliche Nähe des Tellers, legte Ekel in seine Miene und sah die Tischgenossen, die ihn interessierten, herausfordernd an. Doch Ariel Remesal, der Mehrfachgewinner von Provinzpreisen, und Fernández Tutor, der Verleger bibliophiler Ausgaben, entging entweder der Imperativ in seinen Augen, oder sie schauten ihn überhaupt nicht an, denn so sehr er sich auch bemühte, es gelang ihm nicht, wortlos ihre Aufmerksamkeit zu erregen, so daß er sich zu dem Ausruf genötigt sah: «Unerträglich!»

«Meine Rede!»

«Ich lasse mich aber nicht davon abbringen, das richtig zu finden!»

«Was unerträglich ist, bleibt unerträglich, um so mehr in diesem Rahmen und bei diesem Gastgeber!»

«Ich sehe nicht ein, was die verlegerische Politik von Alfaguara mit diesem Rahmen und diesem Gastgeber zu tun haben soll!»

«Ich glaube, wir sprechen von verschiedenen Dingen.»

Fernández Tutor setzte die Miene eines in Leder vom Fötus einer alten Ziege gebundenen Bibliophilen auf, während Ariel Remesal den besten schwulen Dichter aus Cuenca mit Turnierschwertblick durchbohrte, als dieser nicht aufhörte, sie mit Augen und Nase auf den Lachs aufmerksam zu machen, und, da ihm dies nicht gelang, versuchte, seinen begriffsstutzigen Tischgenossen auf die Sprünge zu helfen.

«Ich hasse Zuchttiere, die die Aura von etwas bewahren, was sie schon längst nicht mehr sind.»

Renesal und Fernández Tutor gerieten in ernsthafte Verwirrung.

«Eine postorwellsche Metapher?»

«Steuert der Große Bruder jetzt den universellen Gaumen des weltweiten Supermarktes?»

Da der beste schwule Dichter aber das Interesse seiner verblüfften Zuhörer oder ihre Dekodierfähigkeit als zu gering einstufte, erhob er sich und schleuderte die Serviette demonstrativ auf den Teller mit dem Lachs, ohne deren weißgestärkte Unbeflecktheit zu achten.

«Ich gehe, um Sagalés zu begrüßen.»

«Kennen Sie ihn?»

Er würdigte den Anbiederer Fernández Tutor keines Blickes, der die Entfremdung zwischen ihnen zu überwinden suchte.

«Er interessiert mich. Er ist einer der wenigen Schriftsteller, die mich interessieren.»

Er sauste zwischen den Tischen durch wie der Fahrer einer Rallye, baute sich vor Sagalés auf und wies, ohne sich vorzustellen oder dem anderen Zeit zu lassen, daß er sich auf die neue Situation einstellte, auf den Inhalt des Tellers.

«Lachs! Das Brathähnchen der Postmoderne! Und die Languste wird das Brathähnchen des einundzwanzigsten Jahrhunderts sein, zum Hohn für den Erfinder der Languste ‹Thermidor›. Ist das vielleicht nicht ein Thermidor der Ernährung, was wir hier erleben?

Seit die Sozialisten an der Macht sind, wird bei derlei Volksbelustigungen nichts als Lachs serviert. Dieser Conesal hat das dicke Geld und setzt uns ein Menü vor, das gerade mal gut genug ist für einen Kongreß von jammernden oder sogenannten anspruchsvollen Verlegern, die nichts Besseres als Farmhähnchen und Cola *light* kennen.»

«*Salmón*!» rief Sagalés träumerisch aus und fuhr fort: «Salmon Rushdie, der große verfolgte Schriftsteller!»

Señora Puig räusperte sich.

«Sie meinen Salman. Salman Rushdie?»

«Salman heißt im Spanischen *salmón*. Das weiß ich genau, denn er ist ein Schriftsteller, den ich bewundere.»

«Gefällt Ihnen, was er schreibt?»

«Überhaupt nicht. Er verursacht mir Brechreiz, und vor allem verabscheue ich seinen Roman *Die satanischen Verse*, der nach Planeta-Preis riecht.»

«Richtig, sehr richtig.»

«Und Sie fragen mich nicht, was ich an ihm bewundere, wenn ich ihn doch verabscheue?»

«Als Kämpfer?»

«Als Kämpfer ist er ein Schwachkopf. Dem es einfiel, sich mit dem Koran anzulegen, einem pseudoreligiösen Buch einer ketzerischen Religion.»

«Dann weiß ich es nicht.»

«Ich bewundere ihn, weil er die Leser auszuplündern versteht mit der Geschichte, die islamischen Fundamentalisten seien hinter ihm her. Er hat sogar Margaret Thatcher Geld aus der Tasche gezogen, bei der noch nie von Wohltätigkeit die Rede war, weder persönlich noch als Regierungschefin. Señora Thatcher haßt die Literatur und alle Schriftsteller außer Kipling in seiner imperialen Phase. Wenn man sie gelassen hätte, hätte sie sich nicht gescheut, die Mehrheit der schlechten englischen Schriftsteller unserer Zeit eigenhändig zu foltern, aber nicht, weil sie schlecht, sondern weil sie Schriftsteller sind. Trotzdem sah sie sich genötigt, eine Riesensumme springen zu lassen, um einen Untertanen des Empire zu schützen, der beinahe schwarz ist. Einfach schrecklich!»

«Wirklich, jeder *salmón* ist widerlich, aber der da ist der Widerlichste!»

Der bedeutendste Buchvertreter der westlichen Hemisphäre Spaniens fühlte sich angegriffen, da Manzaneque genau auf den Lachs auf seinem Teller zeigte, den die Gabelspitze bereits angeknabbert hatte.

«Menschenskind, es ist zwar kein Kaviar, aber eßbar. Zu weich gekocht, das ist mein Kritikpunkt, und ich habe ein Stück vom Bauch erwischt, der zwar besser schmeckt, aber zu fett ist: Er schmeckt gebraten wesentlich besser, denn dann haben sich die weißen Fettschichten aufgelöst. Sehen Sie?»

Die Gabelspitze legte klar erkennbare weiße Fettschichten bloß, die sich vom vorherrschenden blassen Lachsrosa abhoben.

«Sie sind eben Pragmatiker. Sagalés, sind Sie derselben Meinung?»

Als Manzaneque solcherart insistiert hatte, bemerkte Sagalés nicht nur, daß der junge Interviewer immer noch vor ihm stand, sondern auch hartnäckig das Interview fortsetzte, und warf ihm einen neugierigen Blick zu.

«Können Sie Ihren Haß auf Lachse rechtfertigen?»

«Alle Farmlachse sind ekelerregend.»

Der junge Romancier schwang sich sogar zu der Kühnheit auf, mit dem Finger auf Sagalés zu zeigen.

«Ich bin ein großer Bewunderer Ihres Werkes!»

«Sag du zu mir, Junge! Ich könnte nicht einmal dein Vater sein!»

«Ich bin eben aus der Provinz.»

«Wie ist dein Wertester?»

«Was für ein Wertester?»

«Dein Name!»

«Andrés Manzaneque, aus Cuenca und stolz darauf!»

«Der Dichter und Romancier, *I suppose*?»

Der Junge aus Cuenca blies alles in seinem Gesicht bis zur Maßlosigkeit auf und stieß aus dieser Verrenkung hervor: «Haben Sie meinen Roman gelesen? Woher wissen Sie, daß ich Dichter und Romancier bin?»

«In deinem Alter muß man, so vermute ich mal, als Sohn der tiefen Weiten unserer ernsthaftesten Provinzen Dichter und Romancier sein, genau in dieser Reihenfolge. Denn wo sich die Poesie niederläßt, muß der Roman weichen. Ich habe dich gelesen. Ich lese meine Feinde, im Gegensatz zu diesem wollüstigen Nobelpreisträger, der alles Neue verachtet. Dein Roman ist in den ersten drei Vierteln sehr gut, aber dann verlierst du den Mut…»

Die Stimme der Señora Sagalés übertönte die ihres Gatten, um den Satz zu beenden.

«…und du schließt nicht mit dem großen kosmischen Versprechen, das jeder Roman geben muß.»

«Du nimmst mir das Wort aus dem Mund!»

«Ich nehme es ihm immer aus dem Mund, damit er sich nicht überanstrengt, denn er sagt es allen angehenden Schriftstellern, zumindest denen aus Cuenca.»

«Schreiben Sie weiter, bleiben Sie in Cuenca, aber vor allem bleiben Sie ledig!» empfahl Sagalés dem immer wütender werdenden Manzaneque und ließ ihn an seiner Seite stehen, während er seine Aufmerksamkeit wieder den Tischen der finanziellen, kulturellen und politischen Macht zuwandte. Ein perfekt gestylter Kahlkopf führte am Tisch des Duque de Alba ein Telefongespräch. Dann betrachtete er wieder mitleidig den gedemütigten Romancier.

«Wenn wir älter sind, setzen sie uns an Tische, wo man kein Recht hat, zornig zu sein, wo keiner bereit ist, für einen brillanten Satz seinen Vater umzubringen, und wo uns die besten Stücke vom *salmón* vorgesetzt werden, von Salmón Rushdie!»

«Als was firmierst du in der Literatur, mein Lieber? Man könnte meinen, du wärst García Márquez.»

Der beste schwule Schriftsteller beider Kastilien sah aus, als sei er den Tränen nahe, während Sagalés zu lachen schien.

«Schrecklich! Dieser Bestsellerfabrikant! Den liest ja jeder!»

Manzaneque ließ seine blasse, schmale Hand wie mit Tragflächen versehen über das Weinglas fliegen, faßte es mit Pinzettenfingern, ließ es von seinem weißen Flugfeld aufsteigen, packte es mit der Faust, als wolle er es zwischen den leidenschaftlichen Fingern zerbrechen, und schleuderte den Inhalt gegen Sagalés, jedoch so kraftlos, daß die Flüssigkeit auf halbem Weg im tiefgespaltenen Dekolleté der Señora Puig landete.

«*Collons*», fluchte Señor Puig auf katalanisch, schleuderte die Serviette auf den Tisch und machte Anstalten, sich zu erheben, rechnete allerdings fest damit, daß ihn seine Frau zurückhalten würde.

«Pepitu, misch dich nicht ein! Es sind Schriftsteller. Das kennt man doch.»

«Schriftsteller... Schriftsteller... unverschämte Lümmel!»

Der Lichtkegel eines Kamerascheinwerfers brachte sie zum Verstummen, sie gaben sich wieder so, wie sie am liebsten gesehen werden wollten, erfüllt von dem Bewußtsein, für eine ganze Galaxis vor der Kamera zu stehen. Der Lichtkegel richtete sich auf Sagalés, und die Señora Puig bemerkte leise: «Ich glaube, sie haben ihn erkannt!»

Der Lichtkegel wanderte jedoch weiter zu einem anderen Tisch und ließ die Gruppe entblößt und müde zurück in dem Bewußtsein der Notwendigkeit, die Kohabitation wiederaufzunehmen. Die Gattin von Puig GmbH entdeckte mit ehrlicher Aufregung, daß ein schwarzer Kellner mit Conesals Gattin sprach.

«Schau mal, wie originell! Ein schwarzer Kellner. Erinnere mich daran, Quimet, daß ich zum diesjährigen Ziegenlammessen in Llavaneras schwarze Kellner einstelle!»

Señora Sagalés erkundigte sich bei einem weißen Kellner nach der Möglichkeit, eine Flasche Whisky zu bekommen.

«Ohne Whisky schaffe ich den Lachs nicht!»

Sagalés und Señora Puig brachen zu den Toiletten auf, um ihre Flecken zu entfernen, und trennten ihre Wege nach einem Lächeln heterosexueller Komplizenschaft. Der Schriftsteller erwog den semiologischen Vorschlag eines präraffaelitischen Engels, der in postmariscalistischer Neuinterpretion mit einem Pferdepenis ausgestattet war – und hatte nicht unrecht. Auf der Männertoilette überraschte er einen frisch gebackenen Verlagsmanager der Marke «Terminator», wie er beim Urinieren den Penis waagerecht hielt, um mit seinem Strahl jenes Pimmelchen zu treffen, das als Lichtquelle diente. Neben ihm urinierte mühsam ein rot angelaufener Mann, der aus einem Flachmann Whisky trank. Der Angesäuselte vertuschte seinen Zustand nicht, wollte sich aber rechtfertigen.

«Jorge Justo Sagazarraz, Reeder. Vor allem Fangschiffe für Kalamar. Mein Whisky hier ist wesentlich besser als der, den sie hier servieren. Eine Menge Luxus und *beautiful people*, aber etwas Besseres als JB kriegt man nicht, und das ist schon ziemlich gewöhnlich. Den trank sogar Ceaușescu, und die Arbeitslosen trinken ihn auch. Alle Arbeiter, die ich entlasse, trinken JB, denn zur Entlassung schenke ich ihnen eine Kiste. Bezahlt aus eigener Tasche. Ich bin Unternehmer, ein ehemals vielversprechender Unternehmer, und es macht mich krank, Arbeiter zu entlassen.»

Am Waschbecken wusch sich «Terminator» Belmazán nicht die Hände, sondern holte aus seiner Jackentasche ein Kärtchen und überreichte es Sagazarraz.

«Wie ich sehe, haben Sie Probleme mit dem Urinieren und der Unternehmensrationalisierung. Mein Name ist Ginés Belmazán, und ich bin darauf spezialisiert, Unternehmen und ihre Angehörigen für das nächste Jahrtausend vorzubereiten.»

Die Toilettentür ging auf, und der «Terminator» kreuzte beim Hinausgehen den Weg eines Mannes, dessen Ausdruck zwischen angeborener Nüchternheit und historischer Ernüchterung lag. Der Ernüchterte wusch sich die Hände, während er mit einem Ohr der Fortsetzung von Sagazarraz' Vortrag über Whisky und Unternehmertum lauschte.

«Nicht mal der liebe Gott bringt mich dazu, etwas anders zu machen. Was bildet sich dieser Typ eigentlich ein? Ich habe gerade einen Single Malt von den Orkneys entdeckt, *Scapa* heißt die Marke, und damit fülle ich meine Flachmänner. Wollen Sie probieren? Ich habe drei Flachmänner dabei.»

Sagalés akzeptierte das silberne Fläschchen, nahm einen Schluck, und als er seinen Kommentar abgeben wollte, bat ihn der Neuankömmling um die Flasche.

«Gestatten Sie?»

Sagalés hob die Braue, um das Einverständnis des Eigentümers einzuholen, der mit tausend Freuden die Möglichkeit begrüßte, einen Komplizen seines Lasters zu gewinnen. Der Mann trank und bestätigte mit jedem Schluck die Qualität des Getränkes.

«Er hat Aroma und einen nachhaltigen Geschmack. Aber machen Sie sich keine Illusionen über die Raffinesse dieses Single Malt, *amigo*!»

Der Kommentar ließ den betrunkenen Sagazarraz aufhorchen, der überdies festgestellt hatte, daß sein Hosenschlitz offenstand, und nicht wagte, den Fauxpas zu korrigieren, um ihn nicht noch offensichtlicher zu machen.

«*Scapa* ist der Lieblingswhisky der *Royal Navy*, weil sie einen Stützpunkt auf der Insel Scapa unterhält.»

«Und woher wissen Sie das?»

«Ich bin James Bond.»

«Ich habe Sie doch schon irgendwo gesehen.»

«Am Tresen einer Bar, Señor.»

Der Fremde verließ die Toilette, und Sagalés folgte ihm, da er das Gespräch mit dieser augenscheinlich dem Schwarzen Roman entsprungenen Gestalt fortführen wollte. Vor der Schwingtür empfingen ihn Trubel und Stimmengewirr, aber er sah keine Spur von dem Whiskyexperten, so oft er sich auch im Saal umsah. Wie aus Sympathie erhob sich Alvarito Conesal am Präsidiumstisch, um sich ebenfalls überall im Saal umzusehen. Er schaute auf die Uhr, ging zwischen den Tischen hindurch und wurde von Marga Segurolas Hand aufgehalten, die im Vorbeigehen seinen Arm faßte.

«Alvarito, gibt es heute keinen Preisträger?»

«Ich wollte gerade nachsehen. Es wundert mich, daß noch kein Resultat bekanntgegeben wurde.»

Marga Segurola verlangte ihrem fast inexistenten Hals das Äußerste ab, um Altamirano mit einer Kopfbewegung auf Alvaritos Weggehen hinzuweisen.

«Man merkt die mangelnde Erfahrung im Showbusiness. Eine Preisverleihung improvisiert man nicht, vor allem nicht ohne einen Verlag im Rücken.»

«Conesal hat in alle Verlage Geld investiert.»

«Das ist nicht dasselbe. Siehst du hier irgendeinen der klassischen Verlagsmanager hinter den Kulissen seine Drähte spannen? Welche wirklich großen Tiere der Verlagswelt sind heute abend anwesend? Nicht einmal Carmen Balcells ist gekommen, die literarische Superagentin mit *licence to kill*. Für die ist Conesal nichts weiter als ein Emporkömmling, und außerdem kursiert das Gerücht, er sei im Begriff, politisch in Ungnade zu fallen. Es sieht aus, als verleihe Conesal den Preis ohne jegliche Rückendeckung, freihändig, wie ein Kind, das sich beim Radfahren besonders hervortun will.»

«Ein Preis mehr, was soll's?»

«Immerhin der höchstdotierte. Hundert Millionen, doppelt so viel wie der Planeta.»

«Peanuts, wenn man das Vermögen von Conesal bedenkt. Ich wiederhole: Was bedeutet ein Preis mehr?»

«Ich könnte ebenso puristisch sein wie du und neunundneunzig Prozent dessen, was geschrieben und gedruckt wird, ignorieren, aber dir ist die Rolle des Puristen auf den Leib geschrieben, und mir die der Zynikerin.»

«Ja, ich bin wirklich ein Purist. Ich glaube an nichts anderes als die Literatur.»

«Wohl bekomm's!»

Altamirano hob die Brauen höher als üblich, um die rinnenden Schweißtropfen aufzuhalten, aber auch, um die Bedeutung seiner Feststellungen zu unterstreichen.

«Laß bitte diese billige Ironie, Marga! Ein Kritiker muß ironisch sein, aber was den Hang der elenden Literatur unserer Zeit angeht, die Ironie zu übertreiben, so hat mein Lehrmeister Northrop Frye…»

«Meiner genauso! Bilde dir bloß nichts ein!»

«…so hat mein Lehrmeister Northrop Frye in dieser Frage das letzte Wort gesprochen. Ein Beweis dafür, daß wir uns in einer ironischen Literaturepoche befinden, ist beispielsweise die Verbreitung des Kriminalromans. Frye schreibt wörtlich, die eintönigsten und banalsten Trivialitäten des Alltags würden zu Elementen eines geheimnisvollen und schicksalhaften Inhalts. Alles läuft auf ein Ritual hinaus, in dem Verdächtige wegen einer Leiche verhört werden. Das Nonplusultra der Literatur als Enthüllung eines Mysteriums. Eine Schändung der literarischen Logik.»

«Und uns verkauft man sie als der Gipfel der Literatur der neokapitalistischen Neuzeit!»

«Genau das ist das ideologistische Alibi von Sánchez Bolín und Konsorten.»

«Wobei sie in einen krassen Widerspruch geraten, denn, wenn du dich erinnerst, und du erinnerst dich ja anscheinend fast wortwörtlich, Frye wirft dem Kriminalroman vor, die Avantgarde-Propaganda des Polizeistaates zu sein, weil er die Akzeptanz von Gewalt fördere.»

«Fryes Diagnose wäre um die eines weiteren unvermeidlichen Puristen zu ergänzen.»

«Steiner?»

«Marga, zwischen uns besteht eine telepathische Verbindung! Du nimmst mir das Wort aus dem Munde.»

«Alles, was hier gesagt wurde, führt mich zu dem Schluß, daß der Kriminalroman *per se* pervers ist!» warf jemand ein, der neu an den Tisch gekommen war. Ein rothaariger Mensch mit eigener Jacht, wie Marga Segurola aus seinem wettergegerbten Gesicht schloß.

«Gehören Sie zu uns?»

«Wie meinen Sie das ?»

«Sie sind neu an diesem Tisch.»

«Ich wollte meinen Freunden guten Tag sagen.»

Dabei zeigte er auf die beiden ziemlich jungen Paare, die wie erschlagen den pausenlosen Ballwechsel von Altamirano und Segurola verfolgt hatten. «Ferguson, Pomares & Ferguson», stellte sich der Neue vor. «Sherry…», teilte Altamirano dem Ohr von Marga mit.

«Ich verwahre mich dagegen, etwas als *per se* pervers zu betrachten. Das klingt mir nach *Opus Dei*.»

Altamirano gab ihr unter dem Tisch einen Tritt, woraus Marga schloß, daß sie mit einem Mitglied der sherryproduzierenden Fraktion des *Opus* sprach.

«Obwohl ich nichts gegen das *Opus Dei* als solches habe. Nein, aber der Kriminalroman ist nicht *per se* pervers, wenn auch nicht notwendigerweise so erhaben, wie Ernest Mandel behauptet, ein Trotzkist, der meint, der Kriminalroman sei die einzige Romanform von ethischem Wert. Ich halte den *terminus major* für falsch, obwohl ich vom Trotzkismus ziemlich angetan bin.»

Nichts verband sie mit den anderen Paaren, und doch waren sie für die Segurola Gold wert, eine Grundlage für die Zukunft nach dem Machtwechsel. Sie versprach sich amüsante Ratschläge, auf deren Grundlage sie despotisch, aber aufgeklärt, ihre Auswahl treffen würde: dieses Buch ja, jenes nein, diesen Schriftsteller nicht, jenen aber auch nicht. Die anderen wußten oder ahnten zumindest, daß sie nicht nur unter die Tutorenschaft privilegierter Leser, sondern auch an den Tisch der literarischen Machthaber geraten waren: Die Frau brachte die Schriftsteller ihrer Wahl ins Fernsehen und in die Literaturbeilagen, während der Mann in der Literatur die Böcke von den Lämmern schied und jedes Jahr zum Tag des Buches die Nationalmannschaften der Autoren reifen Alters und der vielversprechenden Talente unter einundzwanzig bekanntgab.

Wenn nun dieser Sherryproduzent aus Jerez – oder Winzer oder was auch immer – ein Vermögen und auch nur einen Funken vorgetäuschter Halbbildung besaß, konnte er einen wundervollen Mäzen abgeben. Marga fühlte sich verpflichtet, eine Brücke zu schlagen.

«Es ist nicht *per se* pervers, wenn es sich bei dem Kriminalroman um *Schuld und Sühne* handelt.»

«Oder um Faulkners ‹Freistatt›», sekundierte Altamirano.

Regueiro Souza hatte die weitschweifigen Erörterungen des Duque mit der Miene eines Experten für Aristokratie und Frankfurter Schule verfolgt, zwischendurch jedoch, auf der Suche nach Komplizen, den Laien unter den Tischgenossen zugezwinkert. Nur Pomares & Ferguson erwiderte, bevor er wegging, das Zwinkern, was Regueiro aber nicht als Unterstützung verbuchte, sondern als Zeichen der Bedeutungslosigkeit dieses schweigsamen, zum Schweigen gebrachten und wenig gebildeten Tischgenossen. Hormazábal dagegen hatte nicht auf sein Zwinkern reagiert.

«Dich sehe ich zum ersten Mal bei der Verleihung eines Literaturpreises.»

«Logisch. Es ist auch das erste Mal, daß ich zu so was gehe.»

«Die Literatur ist nicht deine Sache.»

«Ein heimliches Laster, wie das Wählen.»

«Was, du gehst zur Wahl?»

«Ich sag's noch mal. Ein heimliches Laster.»

Regueiro nutzte die Zehntelsekunde, die der Duque pausierte und seine Lippen mit *cava* benetzte, um einen Fuß ins verbale Territorium von Beba Leclercq zu setzen und mit mehr Boshaftigkeit im Blick als in der Stimme zu fragen: «Beba, wo ist dein Mann?»

«Soll ich meines Herren Hüter sein?»

«Wie biblisch, meine Liebe! Man merkt sofort, daß ihr jeden Abend im *Camino*, der ‹Bibel› des Opus Dei, lest! Aber wenn er hofft, mit Lázaro sprechen zu können, täuscht er sich. Ich habe es eben versucht, und er wurde sehr ärgerlich.»

«Warum sollte er mit Lázaro reden wollen?»

«Das fragst du mich wirklich?»

«Das frage ich dich wirklich.»

Beba erhob sich in einem übertriebenen Ausdruck des Unbehagens und griff nach ihrer Tasche – ein klares Signal, daß sie sich einer Retouche unterziehen wollte. Dem Duque war das Duell der lächelnden Augen nicht entgangen.

«Mann und Frau sind wohl bloß zur Toilette gegangen, meine Lieben.»

Alle drei richteten den Blick auf die Tür zu den riesigen Bedürfnisanstalten des *Venice*. Unterwegs blieben die kurzsichtigen Augen des Duque allerdings scharfsichtig bei dem Tête-à-tête von Beba Leclercq und Alvarito hängen, um dann die Gestalt von Sagalés zu umspielen, der etwas oder jemanden zu suchen schien. Der Romancier suchte tatsächlich immer noch den Whiskykenner und entdeckte ihn schließlich in der Tür, die den Saal mit den übrigen Räumen des Hotels verband. Dort stand er, in den Türrahmen gelehnt, und betrachtete die Menge mit verhaltenem Verdruß. Er ging auf ihn zu, wurde aber von Señora Puig abgefangen, die aus der Damentoilette auftauchte. «Was für ein Zufall! Sie müssen magnetische Kräfte besitzen!»

«Ich trinke täglich mein Gläschen magnetisiertes Wasser.»

«Etwas Magnetisches haben Sie wirklich!»

Die Dame trat näher.

«In der Öffentlichkeit nehme ich keine unsittlichen Anträge entgegen.»

Die Dame trat noch näher. «Und privat?»

Die beringten Finger bewegten sich, und ein gefaltetes Zettelchen kam zum Vorschein, das in Sagalés' Hand landete. Er steckte es in seine Jackentasche und ging im Kielwasser der Frau zum gemeinsamen Tisch. Sie besaß einen ziemlich gut erhaltenen Hintern. Aber der Hintern der Señora Puig wurde abgelöst von der Leidensmiene Manzaneques, der noch immer an Sagalés' Tisch stand. Wie ein ketzerischer Pilger, der der päpstlichen Absolution harrt, erwartete er die Auflösung ihrer unglücklichen Begegnung, Tränen in den Augen, erschöpft atmend, mit der ganzen Tristesse eines kurzen, aber von Mißerfolg erfüllten Lebens, das nach einem leuchtenden Wort des strafenden Gottes dürstete.

«Du bist immer noch vom Lachs traumatisiert.»

«Ich kann Lachs nicht ausstehen», bekannte der junge Mann aus Cuenca und zeigte, um sich mit Sagalés zu versöhnen, zu einem bestimmten Tisch.

«Aber diesen Kerl und diese Frau finde ich genauso unerträglich.»

Altamirano und Segurola, dachte Sagalés und sagte: «Sie kochen auch nur mit Wasser, aber wer in Spanien könnte es in Literaturkritik und kultureller Vetternwirtschaft mit ihnen aufnehmen?»

«Das sagst du nur, weil Altamirano dein Buch *Lucernario en Lu-*

cerna lobend erwähnt hat, aber mich hat das Schwein nicht mal in die Liste der vielversprechenden Nachwuchstalente aufgenommen.»

«Ist das denn so wichtig?» warf Señora Puig ein.

«Auf Leben und Tod! Wie bei den Einstufungen für die Schule, die einen lebenslang verfolgen. Man wird gezeichnet. Dabei sagt er jedesmal, wenn er mich sieht: ‹Ich behalte dich im Auge, Manzaneque, ich beobachte dich! Du wirst sehr gut plaziert sein, wenn das Jahr 2000 kommt.›»

«Das hat er mir schon 1984 prophezeit.»

«Weil du damals an der Reihe warst. Aber in diesem beschissenen Literatursystem gewinnst du entweder einen saftigen Preis und eroberst den Markt, oder du wirst ein literarischer Einsiedler und wartest, bis Altamirano und Konsorten dir ein paar Zeilen widmen.»

Señora Sagalés, die Seele und Körper in drei Gläsern Whisky gebadet hatte, schenkte dem besten schwulen Schriftsteller aus Cuenca einen mütterlichen Blick.

«Setz dich, mein Junge! Bleib nicht stehen! Sagalés wird das nicht honorieren. In ein paar Jahren, wenn mein Gatte schon zu den Sechzigjährigen gehört und es satt hat, hinter Ruhm, Geld und der Literatur herzujagen, bist du ein vielversprechender Fünfziger, und die Karten sind anders verteilt. Bitte ihn doch, sich zu setzen, Oriol! Investiere in die Zukunft! Denk daran, daß dieser Junge länger leben wird als du! Er kann dich einmal in seinen Memoiren schlechtmachen und dir sogar den Cervantes-Preis oder einen Platz im Heim für gealterte Schriftsteller verweigern. Die jungen Talente aus der Provinz erreichen normalerweise, was sie sich vorgenommen haben, sie finden immer irgendwo eine Bresche im schlechten Gewissen der Schriftsteller von Barcelona oder Madrid, und die nutzen sie. Das ganze Leben ist eine Frage der Zeit und der Beförderungsliste. Alles kostet Wartezeit. Zum Beispiel, man beantragt einen Telefonanschluß. Weißt du noch, wie lange wir warten mußten, bis unser Telefon angeschlossen war?»

Sagalés nickte, aber der Tisch des Duque de Alba beanspruchte seine volle Aufmerksamkeit. Er sah, daß der sonnengebräunte und sehr vermögende Kahlkopf etwas verärgert war, während

Alba auf lässige, ironische Weise weiterplauderte wie eine Gestalt von Huxley, etwa aus *Kontrapunkt des Lebens*. Einen Moment lang glaubte er, Alba habe ihn unter allen anderen erkannt, und hob den Arm, um den Empfang des herzoglichen Interesses zu bestätigen. Aber der Eindruck war falsch gewesen, die Geste wurde nicht erwidert. Sagalés setzte ein ironisches Grinsen auf und sah nach, ob jemand am Tisch sein vergebliches Winken bemerkt hatte. Sie. Sie hatte es wohl bemerkt und demütigte ihn mit ihrem Blick, der sagte: Du bist eine Null, hinter deiner ganzen Arroganz bist du ein Nichts und würdest dir den Arsch aufreißen, nur um von irgendeinem Mandarin wohlwollend erwähnt zu werden. Im selben Augenblick beteuerte Altamirano seine volle Übereinstimmung mit George Steiner, ohne damit bei Marga Segurola mehr zu erreichen als eine zweifelnde Miene.

«Ich glaube, der Tod des Wortes ist unvermeidlich. Denk an das Beispiel, das Steiner in *Sprache und Schweigen* nennt: Der musikalische Ton und die Reproduktionen von Kunst nehmen in der gebildeten Gesellschaft den Platz ein, der früher dem Wort gehörte.»

«Steiner. Steiner. Immer so negativ. Ich würde diesen Pessimismus auf den Kopf stellen. Die übergroße Minderheit der Halbgebildeten hat der ernsthaften Kultur großen Schaden zugefügt, und je früher die Ratten dem Rattenfänger von Hameln mit seiner Musik und seinen Reproduktionen folgen, desto schneller werden wir die Kultur für uns haben.»

«Deine Instinkte sind aristokratisch und verbrecherisch.»

«Niemand verstand so zu morden wie die Aristokratie! Aber es hätte mir gerade noch gefehlt, zur Heldin eines Kriminalromans erhoben zu werden. Was dieses Genre angeht, so schließe ich mich mehr oder weniger der These an, daß es sich dabei um die Transposition der Mythologie des Labyrinths handelt: die Großstadt als das moderne Labyrinth. Erinnerst du dich an die romantische Version des Labyrinthismus in Horace Walpoles *Die Burg von Otranto*?»

«Bei Gott, laß mir meine Vorstellung vom Labyrinthischen! Auch wenn sie dem Zeitgeist entsprechen, paktiere ich noch lange nicht mit den Pappmachélabyrinthen des Kriminalromans. Ich bleibe bei den Labyrinthen eines Kafka, Beckett und sogar Perec, wenn es sein muß!»

«Warum sollte es sein müssen? Perec gefällt dir doch gar nicht.»

«Ich liebe ihn, und das Pariser Labyrinth in *Ein Mann, der schläft* ist großartig.»

«Nur daß es von Ratten wimmelt…»

«Patricia Highsmith hat uns gezeigt, daß Ratten besser sind als Menschen.»

«Sie zeigte lediglich, daß sie besser sind als Kinder. Aber sind Kinder überhaupt Menschen? Schau mal, wie niedlich! Schau dir diese Turteltäubchen an!»

Altamirano folgte Margas Blick und beobachtete den hitzigen Dialog von Beba Leclercq und Álvaro Conesal, den diese erwischt hatte, als er eben aus dem Saal schlüpfen wollte. Sie beschimpfte ihn impulsiv, und er versuchte, sie abzuschütteln, doch als es ihm gelungen war und er den Ausgang erreichte, kam ihm ein Schwarzer entgegen, der ihn gegen seinen Willen aufhielt. Seine Haltung änderte sich schlagartig, er fuhr sich mit der Hand über das Gesicht, während sein ganzer Körper zum angespannten Fragezeichen wurde, das dem Überbringer der Information galt. Sie mußten irgend etwas laut gesagt haben, denn sofort bildete sich ein kleiner Menschenauflauf am Eingang.

«Vielleicht beginnt jetzt die Abstimmung», mutmaßte Altamirano, aber etwas ließ ihn stutzen, etwas in der Maßlosigkeit der Körpersprache, die einem Literaturpreis nicht angemessen war, mochte er noch so hoch dotiert sein. Alvarito Conesal stand erstarrt, wie gelähmt, vor den Kopf geschlagen, neben einem traurig blickenden Schwarzen im Türrahmen. Immer größer wurde die Aufregung, und nun tauchten auch noch die Kamerateams der gesamten Fernsehanstalten auf. Scheinwerfer führten die kollektiven Fernsehsubjekte an, die sich wie Dickhäuter auf die aufgeregt durcheinanderflatternden Personen zubewegten, während Fragen überall wie Pilze aus dem Boden schossen:

«Was ist los?»

«Ist etwas passiert?»

Die unbeantworteten Fragen pflanzten sich von Tisch zu Tisch fort, bis sie den Präsidiumstisch erreichten, wo sich Lázaro Conesals Gattin eben erheben wollte, während sie die Miene ihres Sohnes in der Ferne studierte, der bereits vom televisiven Rampenlicht erfaßt war.

«Was ist los? Beginnt jetzt die Preisverleihung?»

Álvaro erhob sich auf Zehenspitzen, um über die Köpfe der Umstehenden und die Scheinwerfer hinweg nach seiner Mutter zu schauen, und sagte schließlich etwas ins Ohr des offensichtlich geheimen Agenten, der ihm nicht von der Seite wich. Dieser sollte zu seiner Mutter gehen und ihr Bescheid sagen, aber die Dame hatte sich bereits erhoben und eilte fast im Laufschritt zu der Saaltür, wo ihr Sohn stand, umringt von erhitzten Leibwächtern und Leuten, deren Funktion sie nicht bestimmen konnte. Was ihr gar nicht gefiel, war der beunruhigte und niedergeschlagene Blick des Mannes, der sie im Auto hierher begleitet hatte und dessen Namen ihr nicht sofort einfiel. Sie erinnerte sich aber, als sie ihn erreichte und hörte, wie er von dem Schriftsteller Sánchez Bolín gefragt wurde: «Nanu, Carvalho! Können Sie mir erklären, was hier los ist und was Sie hier suchen?»

Carvalho las noch einmal den Satz: «Es lag in der Natur der Sache, daß der Tango im Freudenhaus entstand, und es ist richtig, was Lugones verächtlich feststellt: er ist ein Produkt der Prostitution.»

«Gegen Ende des Jahrhunderts», schreibt Sábato, «war Buenos Aires eine gigantische Ansammlung alleinstehender Männer, ein Heerlager improvisierter Werkstätten und Mietskasernen…», und das soziale Leben dieser massenhaften Ansammlung spielte sich «in den billigen Kneipen und Freudenhäusern» ab. Er schlug das Buch zu und warf noch einen Blick auf Titel und Namen des Verfassers: *Las Ciudades – Buenos Aires* von Horacio Vázquez Rial. Schon wollte er es mit einer seiner routiniertesten Bewegungen ins Kaminfeuer schleudern, als ihm einfiel, daß es vielleicht notwendig war, sich noch etwas mehr über Buenos Aires zu informieren, bevor er im Auftrag eines Klienten dort hinfuhr. Was weißt du schon von

Buenos Aires? Tango, die «Verschwundenen», Maradona... Perón, Eva Duarte de Perón, Nacha Guevara, *Don't cry for me, Argentina*, das Tiefkühlfleisch der Nachkriegszeit, Zully Moreno, Mirta Legrand, Luis Sandrini, El Zorro... *zorro... zorrito... para mayores y pequeñitos*... Auch Namen von Schriftstellern, die er vielleicht gelesen hatte, sogar der Satz eines Mannes, dessen Familienname wie eine bekannte Olivenölmarke klang. Borges oder so ähnlich. Der Mond über dem Bosporus ist derselbe wie der... Er konnte den Satz nicht vollenden, vielleicht hatte er nicht einmal so begonnen, jedenfalls ging es dabei um die Metapher vom Mond, dem seine irdische Konkretion gleichgültig war. Borges. Kein Zweifel. Borges war der Name des Autors, dessen Satz er teilweise vergessen hatte, und deshalb war es wohl besser, den Autor gleich mit zu vergessen, von dem er bereits *Der schwarze Spiegel* verbrannt hatte. Ein Auftrag in Argentinien, die Suche nach einem Vetter ersten Grades, der es vorgezogen hatte zu verschwinden, ein «Verschwundener» zehn Jahre nach dem Sturz der Militärjunta, die selbst schon versucht hatte, ihn verschwinden zu lassen, aber ohne Erfolg. Vielleicht die argentinische Version des Stockholm-Syndroms, der Drang, ein «Verschwundener» zu werden in einer Zeit, in der es keine «Verschwundenen» mehr gibt. Er dachte daran, wie ihm sein Onkel den Auftrag erteilt hatte: Der Alte saß in einem Sessel wie in *Emanuelle*, in einem Penthouse des Olympischen Dorfes, zusammengeschrumpelt mit den Jahren – er war über achtzig –, als hätte jedes Jahr etwas von seinem Volumen mitgenommen; er war endgültig geschrumpft, fast aufgezehrt vom Zahn der Zeit, alt, ätzend, dolchartige Blicke zu den Fenstern, aus denen ihn alte und habgierige Nichten verstohlen beobachteten. «Meine Nichten haben mich in der Hand... ich will nicht, daß diese Geier sich das holen, was meinem Sohn gehört... Wer weiß, wo er sich herumtreibt. Ich hatte geglaubt, er sei über den Tod seiner Frau Berta und das Verschwinden seiner Tochter hinweggekommen... Es war in den harten Guerilla-Jahren... Seitdem ist er zerstört. Auch er war in Haft. Ich schrieb damals an den König, ich, ein Republikaner mein Leben lang... ich habe ihn nach Spanien geholt... die Zeit, die Zeit heilt alle Wunden, heißt es... die Zeit heilt gar nichts. Du, du kannst ihn finden! Du weißt doch, wie man das macht, du bist doch Polizist, nicht?»

«Privatdetektiv», antwortete Carvalho und hörte sich sogar versuchen, dem Alten den Unterschied zwischen einem Polizisten und einem Privatdetektiv, zwischen «öffentlich» und «privat» klarzumachen. Wurde nicht in der heutigen Zeit sowieso alles privatisiert?

«Stellen Sie sich vor, Onkel, sogar die Polizisten sind Private, die den Innenminister bewachen, den obersten Chef der Polizei! Der Staat traut sich selbst nicht mehr über den Weg.» Aber der letzte noch lebende Bruder seines Vaters – der Onkel aus Amerika, wie ihn Carvalho immer voller Respekt genannt hatte, bis er erwachsen wurde und an der Existenz von Onkeln aus Amerika zweifelte – hatte nicht mehr den Wunsch, neue Kenntnisse aufzunehmen. Sein Gehirn bot kaum noch Platz für die alten.

Er begnadigte das Buch über Buenos Aires und versuchte sich die Reise vorzustellen, die Ankunft, das Wiedersehen mit einer Stadt, in der er sich nur ein paar Stunden aufgehalten hatte, um über die Sicherheit von Foster Dulles – oder war es Dean Rusk? – zu wachen, während eines seiner Treffen mit dem Präsidenten Frondizi, bei denen er stets frustriert gewesen war, daß er nicht nach Corrientes fahren konnte... «Corrientes drei vier acht, zweite Etage, Lift, kein Portier und keine Nachbarn...» Ein Tango. Ein Tango über Sexnester mit Hunden aus Porzellan, damit sie... «bei der Liebe nicht bellen». Jedesmal wenn das Wort «Liebe» an der Decke seines unordentlichen, heruntergekommenen Wohnzimmers erschien, überfiel ihn die Vorstellung einer Lampe mit verrosteten Scharnieren, die es satt hatte, Licht zu geben. Charos Abwesenheit erlaubte ihm, dem fortschreitenden Verfall um ihn herum ohne Gewissensbisse zuzusehen. «Pepe, Häuser muß man in Schuß halten, sonst fallen sie über einem zusammen!» Er tastete mit der Linken nach der Rotweinflasche – Rioja Alta 904 – schenkte sich ein Glas ein, das in der Helligkeit des Kaminfeuers aufblitzte, und trank durstig, als hätte er seit Wochen keinen Rioja Alta 904 mehr bekommen. Die Nacht erschwert die Einsamkeit. Murmelte er und blieb sitzen, auf das Aufsteigen von Ideen oder Erinnerungen wartend, doch nur das Telefon schrillte, und es war nur Biscuter. Nur Biscuter.

«Chef, da war ein Anruf für Sie aus Madrid. Auf dem Flughafen von El Prat wartet ein Privatjet, und hören Sie mal, zu welchen Konditionen!»

«Wovon redest du eigentlich, Biscuter?»

«Echt, Chef! Man schickt Ihnen ein Privatflugzeug nach El Prat, und erst mal bekommen Sie zweihunderttausend, nur damit Sie sich die Mühe machen, nach Madrid zu fliegen und wieder zurück. Hier ist der Name des Klienten: Álvaro Conesal, und das Flugzeug heißt…»

Er trennte die Silben sorgfältig, da es ein ausländischer Name war.

«…Pe-re-la-schees.»

«Hast du nicht mal Französisch gelernt, als du in Andorra Autos geknackt hast, oder in Paris, bei deinem Kochkurs für Suppen?»

«Klar, Chef, ich buchstabiere es doch nur wegen Ihnen!»

«Álvaro Conesal. Was ist das für einer?»

«Der Sohn seines Vaters.»

«Das soll vorkommen.»

«Lesen Sie denn keine Zeitungen?»

«Ich verbrenne sie nicht mal.»

«Echt, Chef. Sie leben ja wirklich auf dem Mond. Dieser Conesal ist der Sohn von dem bekannten Conesal, dem *Millionär aus Edelstahl*!»

«Es gibt gefährlichere Metalle.»

«Der Typ hat mehr Geld als die ganzen anderen Millionäre zusammen, und alles in zehn Jahren zusammengerafft. Zweihunderttausend Peseten für den Hin- und Rückweg nach Madrid! Dort sollen Sie an einem Essen teilnehmen, bei dem ein Literaturpreis verliehen wird. Wenn Sie dort sind und den Auftrag annehmen, gibt es die richtig dicke Kohle!»

«Wird das Essen auch bezahlt?»

«Also echt, Chef. Ist doch klar!»

«Und das Menü?»

Aber nein, es lohnte nicht, sich nach dem Menü zu erkundigen, bei dem ein Literaturpreis überreicht wurde. Bei derlei Anlässen war die Gastronomie das geringste, und es wäre eine Geschmacklosigkeit, wenn das Essen das preisgekrönte Werk übertreffen würde.

«Also dann dreihunderttausend, aber nicht unter zweihundertfünfzigtausend! Nicht mal, wenn sie dir versprechen, daß das Essen bei *Horcher*, *Zalacaín* oder *Jockey* stattfindet!»

«Es ist in einem Hotel, Chef.»

«Das hatte ich befürchtet. Außerdem will ich die Garantie, daß ich nicht verpflichtet bin, das preisgekrönte Buch zu lesen!»

Zwei Stunden später erreichte er den Flughafen von El Prat und wurde von einem Kleintransporter zu den Rollbahnen der Privatflugzeuge gefahren, wo ihn eine Maschine erwartete, die tatsächlich *Père Lachaise* hieß. Sie hatte nichts gemein mit jenen Privatflugzeugen, die er manchmal in Südamerika für Kurzstrecken benutzt hatte. Er erinnerte sich an eine Reise von Santo Domingo nach Sosúa, in der Zeit, als er damit beschäftigt war, Bosch zugunsten von Balaguer zu stürzen, obwohl er Bosch flüchtig von einem Kongreß der Roten kannte, auf den ihn die CIA eingeschleust hatte. Bosch rühmte sich, ein Beinahe-Katalane zu sein. «Ich habe eine *tieta* namens Maria, in Vilanova i La Geltrú.» Der Mann war in Ordnung, in dieser Hinsicht und auch in seinen politischen Vorstellungen, aber die Amerikaner stürzten ihn mit Hilfe von Carvalho, der sich immerhin geweigert hatte, zum Zeitpunkt des Sturzes anwesend zu sein, was die Augen nicht sehen, fühlt das Herz nicht, und schließlich und endlich bewies sich die Intelligenz jedes südamerikanischen Revolutionärs darin, daß er sich mit der Tatsache abfand, zum Verlieren verdammt zu sein. Die Rechten waren immer die Intelligenteren. Bei dem Flugzeug, das ihn hier erwartete, handelte es sich um einen kleinen Jet namens *Père Lachaise*, wie der Friedhof, und das war, obwohl es sich um einen literarischen Friedhof handelte, durchaus überraschend für eine Maschine, die sich zum Himmel aufschwang.

Weder glich diese Maschine jenem jämmerlichen Artefakt, das die Insel von Süden nach Norden überquert hatte, wie von einem asthmatischen Modellbauer bewegt, noch besaß der Pilot irgendeine Ähnlichkeit mit jenem Putschistenoffizier aus Santo Domingo, der aus Tarnungsgründen Zivil getragen hatte. Carvalho bestieg eine gut ausgestattete Interkontinental-Douglas, der nur noch ein überdachter Swimmingpool fehlte, und ihr Pilot wirkte wie ein Doktor der Exakten Flugwissenschaften, obwohl er sprach wie ein Iberia-Pilot, der sich beruflich verbessert hatte.

«Wo Sie jetzt sitzen, haben schon Staatsoberhäupter gesessen.»

«Fliegt der Chef die spazieren?»

«Er macht mit denen, was er will.»

«Hat er noch nie einen ohne Fallschirm rausgeworfen?»

«Die lassen sich nicht rauswerfen.»

«Und mit Fallschirm?»

«Auch nicht.»

Dann hob der Vogel ab wie von einer Piste aus Satin und flog mit himmlischen Stoßdämpfern, vielleicht schien es auch nur so, denn Carvalho trank einen ausgezeichneten Malt Whisky, den er nicht kannte, *Scapa*, so gut und leicht, daß er aus dem Jenseits zu stammen schien. Wie er auf dem Etikett las, handelte es sich um den bevorzugten Whisky der Royal Navy, die auf der Hebrideninsel Scapa einen Stützpunkt unterhielt. Die Canapés waren mit iranischem Kaviar oder Jabugo-Schinken belegt, und auf der Flasche Moutton-Cadet war vermerkt, daß es sich um ein Geschenk von Chaban Delmas, dem Bürgermeister von Bordeaux, handelte. Der Wein wurde in Kristallgläsern mit dem Wappen der Garonne-Stadt kredenzt, und der Namenszug Lázaro Conesal schwebte wie ein urbanes Motto über der Skyline von Bordeaux. Bordeaux? Eine Stadt? Ein Wein? Nicht mehr? Auch der Roman einer Schriftstellerin, an deren Namen er sich nur vage erinnerte. Soledad, aber wie weiter? Er erinnerte sich an ihr Gesicht, das sich hervorragend eignete für Interviews hinter den Fenstern eines Landes mit nordischem Licht. Soledad Puértolas hieß die Ermordete. Er hatte eine Weile gebraucht, um den Namen wiederzufinden, gerade als hätte sich die Schriftstellerin dagegen gewehrt, das Schicksal ihres Buches zu teilen, das in Carvalhos Kamin in Flammen aufgegangen war, während ihr Gesicht einer Renaissancedame von den bläulichen Flammenspitzen umspielt wurde. Er schenkte sich noch einen *Scapa* ein und genoß ihn zufrieden. Alles war, wie es sein sollte. Endlich hatte er einen Reichen gefunden, der seinen Reichtum nicht verbarg, sondern ihn mit Privatdetektiven teilte. Die beiden Stewardessen schienen eher aus Ozeanien als aus Asien zu stammen, obwohl Carvalho die taktlose Frage auf der Zunge lag, ob sie von den Philippinen oder aus einem anderen Polynesien kämen. Zwei tragbare Kostbarkeiten, deren Sprache klang wie das Schnurren obstipierter Katzen.

Verwöhnt von so vielen Köstlichkeiten, wurde ihm die Reise nicht lang, und er ließ sich zwar nicht herab, seine Begeisterung zu äußern, richtete jedoch das Wort an den Piloten, der Haltung annahm wie einer der besten englischen Butler, die von Sir John Gielgud an aufwärts gespielt wurden.

«Dann bis zum Rückflug? Ich reise mit großem Vergnügen in diesem Zeppelin!»

Der Pilot, der Anweisung hatte, gegenüber armen Privatdetektiven tolerant zu sein, antwortete mit dem Lächeln eines effeminierten Militärs, der einzigen Art, wie er eine liebenswürdige Miene zustande brachte. Das Flugzeug rollte zu seinem Standplatz auf der Piste von Barajas, und am Fuß der Gangway wartete ein glänzender Jaguar mit einem Chauffeur in der Livree eines Admirals der Schweizer Marine, der behauptete, er heiße einfach José. Als der Detektiv auf dem breiten, mit hellem Leder bezogenen Sitz im Fond Platz genommen hatte, sprang ihm die eingebaute, mit kristallenen Gläsern bestückte Bar in die Augen, in deren Mitte eine Flasche Springbank prangte, zwölf Jahre alt, der beste Single Malt dieser Welt. Die Eiswürfel waren Skulpturen eines namhaften Designers und überdies frisch vom teureren der beiden Pole eingeflogen, sicherlich dem Südpol. Carvalho nahm einen langen Schluck, mit geschlossenen Augen und einer inneren Ekstase, die ihn den Tränen nahe brachte. So ähnlich mußte es sein, wenn man im Himmel war. Eine Fahrt ohne Landschaften, die man gutheißen mußte, in einem Jaguar, dazu ein Single Malt wie dieser, in einem Kristallglas, das Luxusblitze, fast Scheinwerferstrahlen aussandte.

Er widerstand der Versuchung, die Flasche an sich zu nehmen, als der Chauffeur angehalten hatte, ihm den Schlag öffnete und ihn bat, auf einem Abschnitt der Castellana auszusteigen, der nicht in seinem Gedächtnis gespeichert war: Er hatte sich manhattanartig verändert, ein Wald verglaster Wolkenkratzer in der Art der kristallinen Makroformationen des Kryptons eines Superman aus der Mancha. Zahllose Hausmeister, Hostessen, Butler und Sekretärinnen öffneten ihm Türen im Inneren dieses morgendlichen Turmbaus von Babel, bis er sich in einem Büro wiederfand, wo er sofort ein Golfloch vermißte, denn der junge Mann, der ihn erwartete, schien eher für ein Spiel auf der grünen Auslegware seines Büros als für die Begrüßung von Privatdetektiven eingekleidet. Vielleicht hatte man ihm das Loch, die Schläger und den Ball gestohlen, und Carvalho sollte nun alles wieder beschaffen. Der hochgewachsene junge Mann gab sich sportlich, obwohl etwas in seinem Kochenbau verriet, daß er nicht allzuviel Sport trieb, aber vielleicht wurde diese Sportferne auch durch die poetischen Gesichtszüge signalisiert, die sozusagen schwerelose Kaschmirweste, die das Zuviel an klimatisierter Luft mit Juni-Programm ausglich, und ein Paar sorgfältig verschmutzter Jeans. Ganz bestimmt schrieb er Verse bis zum Anbruch der Nacht und half im Winter seinem Vater, die Konkurrenz zu ruinieren. Er äußerte keine Banalitäten wie: Sie werden sich fragen, warum ich Sie habe kommen lassen, sondern forderte ihn mit einer Handbewegung auf, in einem Sessel Platz zu nehmen, während er selbst seinen schmalen Hintern gegen eine Tischkante aus sündhaft teurem Holz lehnte. Carvalho studierte die Titel einiger Bücher, die zwischen den üblichen Bürolexika steckten: *Butamalón* von Eduardo Labarcz, *Unter Hooligans* von Bill Buford, *Von der Liebe und anderen Dämonen* von García Márquez, *Cambio de Bandera* von Félix de Azúa, eine komplette Reihe von *Ajoblanco*, eine weitere von *El Europeo* sowie Bücher von Autoren, die Carvalho unbekannter waren als die anderen, aber zweifellos ebensogut brannten: Mañas, Loriga, Gopegui, Belén Gopegui. Ich muß ein Buch von diesem Mädchen verbrennen, dachte Carvalho, schon beim bloßen Wohllaut der Vor- und Familiennamen ganz der erregte Pyromane. Die Bücher sahen gelesen aus, aber jetzt sprach der golfspielende und belesene junge Mann mit ihm.

«Ich brauche für morgen abend einen Privatdetektiv. Der von meinem Vater gestiftete Literaturpreis ‹Venice – Stiftung Lázaro Conesal› soll verliehen werden, und wir haben anonyme Drohungen bekommen, die sicherlich bedeutungslos sind. Aber wir brauchen jemanden, der allgegenwärtig ist, observiert und vorbeugt, ohne dabei direkt einzugreifen, denn wir verfügen bereits über einen privaten Sicherheitsdienst, der dafür sorgt, daß sich niemand meinem Vater mit bösen Absichten nähert. Mein Vater ist einer der meistgehaßten Männer Spaniens. Zweihundertfünfzigtausend Peseten dafür, daß Sie gekommen sind und sich mein Angebot angehört haben, und eine Million, wenn Sie annehmen.»

Carvalho schlug die Beine übereinander und betrachtete vielsagend eine fabelhafte Bergkristallkaraffe, die auf einem silbernen Tablett glänzte.

«Bedienen Sie sich!»

Er tat es. Reichlich. Er hielt das volle Glas in der Luft, wie um seinen Gastgeber zum Mittrinken aufzufordern.

«Ich trinke praktisch nie Alkohol.»

Carvalho setzte sich wieder. Probierte den Whisky. Es war nicht der aus dem Flugzeug, aber ebensowenig eine Billigmarke.

«Zwölfjähriger JB?»

«Ich bin ein vollkommener Laie in der Kunst des Trinkens und Essens. José sorgt dafür, daß alle Flaschen in diesem Hause gefüllt sind. Er ist für die alltägliche Logistik zuständig.»

Ein bedauernswerter junger Mann. Nach einem langen Schluck studierte Carvalho die psychologische Distanz, die zwischen Trinker und Nicht-Trinker entstanden war. Der Abstinenzler schien tolerant. Er lächelte ihm wohlwollend zu, als freue er sich über seinen Genuß. Ein guter Junge.

«Ich nehme an, Ihr Vater ist ständig von Leibwächtern umgeben. Was ist meine Rolle? Hat er kein Vertrauen zur Polizei?»

«Die Polizei besitzt eine Computerkartei, die mich in diesem Fall nicht interessiert.»

«Interessiert Sie meine Akte?»

«Sie verbrennen Bücher und sind angeblich pubertär antikapitalistisch eingestellt. Außerdem sind Sie vom Fach. Sie sind der richtige Mann, um eine Versammlung der Haie des Kapitalismus und der Literatur zu überwachen und so meinen Vater zu schützen, von dem Sie eine sehr schlechte Meinung haben müssen.»

«Ich hatte zunächst überhaupt keine Meinung von Ihrem Vater. Meine guten oder schlechten Meinungen sind Privatsache. Aber seit ich in Ihrem Flugzeug geflogen bin und Ihren Whisky probieren konnte, habe ich die allerbeste Meinung von Ihrem Vater. Er versteht zu leben. Mir gefallen die Reichen, die es bis zur letzten Konsequenz sind. Bis zum elektrischen Stuhl. Und Sie, schreiben Sie oder machen Sie Geld?»

«Geld habe ich bereits, und ich schreibe.»

«Bewerben Sie sich um den Preis?»

«Der Preis ist eine Idee meines Vaters. Ich schlug ihm vor, ein bereits erschienenes Werk zu prämieren, aber er meinte, er entdecke lieber etwas Neues. Außerdem lesen die Menschen in diesem Lande nur Preisgekröntes.»

«Und die Jury?»

«Geheim. Aber die Namen sind in der Stiftungsurkunde niedergelegt, die das Ministerium für Kultur erhalten hat.»

«Ich nehme unter einer Bedingung an.»

«Jetzt ist der richtige Moment für Bedingungen.»

«Ich will genau so zurückfahren, wie ich hergebracht wurde. Dieselbe Limousine, dasselbe Flugzeug, derselbe Whisky.»

«Das geht in Ordnung.»

Er rundete den guten Eindruck, den er auf Carvalho gemacht hatte, mit einem Umschlag ab, den er ihm in die vom Whiskyglas freie Hand drückte.

«Für Ihre Spesen in Madrid. Etwas Taschengeld. Es wird nicht von der Gesamtsumme abgezogen, die ich Ihnen in Aussicht gestellt habe. Für heute abend ist ein Zimmer im *Palace* für Sie reserviert, es sei denn, Sie sind anderswo Stammgast.»

«Ist es ein sehr teures Hotel?»

«Ich glaube, eins der teuersten. Soll ich Ihnen dieselbe Limousine für Ihre Fahrten in Madrid reservieren?»

«Nein. Es ist ein Wagen für den Auftakt und den Schlußakt. Nicht, um ein paar Gläschen zu trinken oder etwas essen zu gehen.»

«Jetzt sollten Sie sich etwas erholen. Seien Sie um elf wieder hier, um meinen Vater kennenzulernen und einige Details über den geplanten Verlauf des Abends und die Gäste zu erfahren. Danach wäre es wünschenswert, wenn Sie sich den Ort der Preisverleihung ansähen und sich mit den richtigen Polizisten unterhielten.»

Immer noch vollkommene ideologische Verwirrung. Für diesen jungen Mann, einen Vertreter der neuen Oligarchie, waren die richtigen Polizisten immer noch die im öffentlichen Dienst, aber er wandte sich an einen Privatdetektiv. Die ewige spanische Uneindeutigkeit, dachte Carvalho seufzend.

«Die Preisverleihung wird im Hotel *Venice* stattfinden. Es befindet sich in unserem Besitz.»

«Und wo ist es?»

«Man wird Sie in Ihrem Hotel abholen, im *Palace*.»

«Nein. Ich werde bis zu dem Termin bei Ihrem Vater unterwegs sein.»

«Jeder Taxifahrer kann Sie zum *Venice* bringen. Sie können aber auch jederzeit anrufen, und wir lassen Sie abholen, wo immer Sie sind.»

Das *Palace*, privilegierte Aussichtsterrasse auf den Cortes-Palast, war um diese Zeit seiner selbst entleert, jeder bedeutsamen und banalen Begegnung beraubt. In einem Innenhof zwischen Neoklassizismus und Kitsch, überdacht von einer Kuppel mit vielfarbigen Glasfenstern, schien die Zeit stehengeblieben zu sein und darauf zu warten, daß das Piano wieder zum Leben erwachte, um das Essen vom Büffet oder kommerzielle und politische Konspirationen zu begleiten. Das ganze Hotel schien zwei verkaterten Venezolanern überlassen, und nur die Veranstaltungstafel erinnerte sich der Ereignisse, die in seinen Salons stattgefunden hatten: ein Kongreß der Nissan, ein Treffen der Verkäufer von Margaret Astor, ein Symposium über die liberale Jugend der *Comunidad Autónoma de Madrid* und eine Degustation von Schneckenkaviar mit Kolloquium, im Hemingway-Salon, ausgerechnet im Hemingway-Salon. Der Detektiv stellte fest, daß es drei Uhr morgens war, als er sich in das fast vierfache Bett fallen ließ, in einer beruhigenden Suite, die mindestens eines Erbprinzen von San Marino würdig war, in diesem Hotel, das dem spanischen Parlament gegenüberlag und der ideale Ort war, um früher als jeder andere zu erfahren, wenn geputscht wurde. Er begann sich auszumalen, was er abgesehen von den Kontakten, die Álvaro Conesal vorgesehen hatte, in den Stunden bis zur Preisverleihung von Madrid erwarten konnte. Mit wem sollte er beispielsweise essen gehen? Seine letzte Verbindung zu Madrid war Carmela, die Begleiterin, die ihm die PCE vor fünfzehn Jahren zur Verfügung gestellt hatte, als er den Mord im Zentralkomitee untersuchte. Carmela, fünfzehn Jahre danach. Carmela mit vierzig Jahren. Wahrscheinlich war sie noch älter. Das zarte Mädchen mit den Mandelaugen und den hübschen Beinen, die als Einheimische den Subkulturjargon der siebziger Jahre sprach. Diktatur des Proletariats im Argot: Die Roten lassen die Großkotze Staub fressen, bis sich von dem Parteiendurcheinander keiner mehr verscheißern läßt und die Malocher den Laden selber schmeißen. Die Szene-Leninisten scheuten sich nicht, Lenins *Was tun?* mit *Was törnt uns an?* zu übersetzen. Carmela. Nachdem er den Namen mehrmals wiederholt hatte, schlief er ein, und als er mit einem Gefühl der Fremdheit von Bett, Zimmer, Stadt, Land und seiner selbst erwachte, war der erste sichere Bezugspunkt

Carmelas Name und ihre Silhouette, die aus der Vorstellungswelt seines Gedächtnisses auferstand. Sie war die hauptberufliche PCE-Funktionärin, die für sechsunddreißigtausend Peseten den ganzen Tag «...und einige Nächte» schuftete und bei Demonstrationen sogar ihr Kind zur Verfügung stellte, gratis: «Der Kleine macht alles mit, egal, ob für Ehescheidung und freie Abtreibung oder gegen Bocadillos mit Kalamares demonstriert wird. Er mag nämlich nur die mit Würstchen.» Carmela trug damals weißliche Strümpfe, wie sie in dem Jahr Mode waren, vielleicht um die gerade noch schlank zu nennenden Beine etwas voller erscheinen zu lassen oder um die blauen Adern zu verbergen. Das verriet die durchscheinende Haut, die über den Wangenknochen spannte, wie um Platz zu schaffen für ein Paar schwarzer, gut geschminkter Augen, die der Nase den Raum streitig machten. Diese war gezwungenermaßen zu klein, ebenso die Wangen, die beim Lächeln den Mund um Erlaubnis bitten mußten, so daß sich dort eine zarte Falte bildete, gespannt wie ein Bogen, wo sich die Lippen trafen, die von ihrer kleinen Zunge ständig feucht gehalten wurden... Warum tauchte das Gesicht dieser braunen Gazelle so hartnäckig vor seinem inneren Auge auf? Vielleicht, weil er sich selbst nicht eingestehen konnte, daß er sie begehrt hatte, damals, während seiner Irrfahrten durch das Madrid von 1980 und der Suche nach dem Mörder des Generalsekretärs der Kommunistischen Partei Spaniens. Wie gut er sich an sie erinnerte, beim Abschied auf dem Flughafen: «Komm mal wieder nach Madrid, wenn du den Widerspruch zwischen dem abstrakten und dem konkreten Arsch der Genossinnen gelöst hast!» Worauf ihr Carvalho antwortete, an einem Kloß würgend, den die Begierde in seiner Kehle formte: «Bis dahin mußt du fünf Kilo zunehmen! Mein Gewissen verbietet mir, mit Frauen unter fünfzig Kilogramm zu schlafen.» «Aber ich wiege doch dreiundfünfzig!» «Wie schade! Warum hast du mir das nicht gleich gesagt?» Aber ihre Diagnose war richtig gewesen. Wenn er den Widerspruch zwischen dem abstrakten und dem konkreten Arsch der Genossinnen gelöst hätte... Sie hatte ihn an eine andere Geschichte erinnert, aus dem Untergrund, in Paris, als der Generalsekretär ein junges kommunistisches Paar zurechtgewiesen hatte, das man in flagranti bei unzüchtigen Handlungen ertappt hatte: «Es wäre nicht recht, wenn du dich zum Dank für diesen ganzen organisatorischen Aufwand damit ablenkst, den Arsch der Genossin zu betrachten!» Wie war sie auf den Witz gekommen? Woher kannte Carmela die begriffliche Unterscheidung abstrakter und konkreter Ärsche?

Er hatte von mehr oder weniger erkennbaren Hinterteilen geträumt. Dem von Muriel, seiner Frau während der langen sensiblen Jünglingsjahre, die zu Ende waren, als er sich mit der Unsicherheit Kennedys beschäftigte. Der Arsch der Chilenin, die mit seinen Begierden gespielt hatte. Und nach diesen beiden erkennbaren, konkreten Hintern ein Karussell von Ärschen, deren Familiennamen er vergessen hatte, und so weiter bis zum Aufwachen mit Augen, die selbst zwei zusammengekniffene und in sich selbst versunkene After geworden waren. Abstrakte Ärsche? Konkrete? Früher war er ein ausgezeichneter Hinternexperte gewesen, hingezogen zur Summe von Geborgenheit, Umarmung, Kuß und Zärtlichkeit, die ein weiblicher Hintern verspricht. Niemals dagegen dachte er an Charos Hintern. Sie hatte wie eine Amateurin mit ihm geschlafen, passiv und von vorn, um ihn vergessen zu lassen, daß sie für andere eine Nutte war. Warum hatte er den Arsch von Charo vergessen?

Er sammelte noch schlimmere Fragen ohne Antwort und schickte sich an, vor dem Treffen mit Conesal ein wenig durch die Straßen zu schlendern, aber zunächst frühstückte er am Büffet des *Palace* in Gesellschaft irgendwelcher Geschäftsleute und Japaner, allesamt Kurzzeit-Immigranten, die sich mit einem Vorrat an Proteinen und Kalorien versorgten, bevor sie sich in den Dschungel von Madrid stürzten, um zu kaufen oder zu verkaufen. Unter der verglasten Kuppel der Hotelhalle, wo ein Großteil des politischen Süppchens für den nahen Cortes-Palast gekocht und wieder aufgewärmt wurde, ging der leere, sozusagen eben erwachte Raum verstohlen seiner Berufung zur Kuppelei nach. Madrid ist eine Stadt, in der allzu offensichtlich dauernd irgend etwas ge- oder verkauft wird, und das *Palace* ist einer ihrer besten Flohmärkte. Madrid war nach dem Bürgerkrieg eine Stadt mit einer Million Leichen, wie ein Dichter sagte. Carvalho erschien sie als die Stadt mit einer Million Westen, damals, während des Übergangs zur Demokratie unter der Leitung junger Übergangsfunktionäre, die Westen trugen, um sich straffer und effizienter zu fühlen. Dann zogen die Sozialisten die Westen aus, und die, die nun die Macht ausübten, entdeckten die Markenhemden. Heute konnte man die Rückkehr einiger Westen beobachten. Bald würden die Rechten wieder an die Macht kommen. Madrid war eine Stadt mit einer Million Dossiers geworden, in der jeder mit dem handelte, was er über fremde Kloaken wußte.

Es war lange her, daß er die Raffinessen eines Büffets oder eines Brunch genossen hatte, und das des *Palace* rangierte zwischen der verlockenden Üppigkeit von Luxushotels in unterentwickelten Ländern und der selbstauferlegten Kalorienbeschränkung der besten Hotels der Schweiz. Ausgewogen. Er gönnte sich zwei Gläser katalanischen *cava* mit Orangensaft, als Hommage an das heterogene Frühstück von Winston Churchill, der die morgendliche Begegnung von Vitamin C und in Wein gelöstem Kohlendioxid geschätzt hatte. Obwohl er übertriebene Mengen von leichtem Käse und gekochtem Hinterschinken daraufhäufte, mußte er einsehen, daß er zuviel des Guten getan hatte, als er ganz unverhofft die Energie in sich verspürte, die ganze Stadt zu erobern. Um elf Uhr war er mit den Conesals in ihrer Hochburg verabredet, und seine Schritte führten ihn zur sanierten Geographie des Stadtteils Huertas. Obwohl er den Namen der Straße nicht mehr genau wußte, in der Carmela wohnte, war er sicher, daß er sie finden würde. Er ging die Calle del Prado hinauf, deren Antiquitätengeschäfte und Galerien noch geschlossen hatten, und gelangte in die melancholische Unbestimmtheit der Plaza de Santa Ana mit ihren vielen Bierkneipen und der exotischen Note einer polynesischen Bar im Schatten des Art-déco-Riesenhauptes des Hotels *Victoria*. Er ging ein Stück zurück, um in die Echegaray einzubiegen und nachzusehen, ob es das Restaurant *Bodeguita del Caco* mit seinen kubanischen und kanarischen Gerichten noch gab, und als er sich an den Weg jenes Abends erinnerte, an dem er bei ihr zu Hause gekocht hatte, dämmerte ihm, daß Carmelas Straße «Espoz y Mina» hieß. Ihren Familiennamen hatte er ebenfalls vergessen, weshalb er, einen Notfall vorschützend, ein annäherndes Bild der gesuchten Person entwarf und damit durch die Geschäfte zog, von denen er annahm, daß Carmela dort Kundin sei.

«Das kann niemand anderes sein als Doña Carmen. Die Mutter von Gott sei uns'rer Seele gnädig.»

Da die Besitzerin des Schreibwarengeschäfts, dessen Schaufenster versprengte Neuerscheinungen des Planeta-Verlags, aktuelle Essays der Neuen Rechten und nützliche Bücher für Pubertierende mit Akne zierten, nicht danach aussah, als sei sie zu Scherzen aufgelegt oder eine Schwätzerin, mußte ‹Gott sei uns'rer Seele gnädig› etwas Bestimmtes zu bedeuten haben.

«Was macht denn der Junge von Doña Carmen?»

«Was heißt hier Junge? Der Kerl wird bald achtzehn und ist Sänger bei einer Rockband, die sich ‹Gott sei uns'rer Seele gnädig› nennt.»

Daß Carmela einen achtzehnjährigen Sohn hatte, war zu erwarten gewesen, aber daß dabei ein Rocksänger herausgekommen war, fand Carvalho unpassend. Dennoch stieg er hinauf zu ihrer Wohnung, über eine für diese Madrider Viertel typische Treppe aus breiten, ausgetretenen Holzbohlen, und klingelte mehrmals. Niemand reagierte, aber er glaubte aus der Wohnung den Lärm von Musik zu hören, daher wiederholte er seine Klingelsalven, bis die Schelle glühte.

«Is ja gut, is ja gut, verdammt! Das haut einem ja die Lauscher von der Birne!»

Gott sei uns'rer Seele gnädig, dachte Carvalho, und tatsächlich, die Tür ging auf, um einem jungen Gesicht mit übellauniger Akne unter einem kurzgeschorenen Kopf zu weichen, aus dem eine riesige beringte Nase ragte. Ein weiterer Ring durchlöcherte die linke Braue. Die Augen des Jungen waren hell und weniger zornig als seine Stimme und Miene. Er sah wie ein Hardrocksänger aus.

«Ich habe weitergeklingelt, weil ich Musik hörte.»

«Ohne Musik kann ich nicht leben, nicht mal schlafen.»

«Ich suche Señora Carmen.»

«Meine Mutter. Sie ist seit acht Uhr auf der Maloche. Die Alte fährt auf Arbeit ab, daß es kracht.»

«Tut mir leid. Ich bin heute und morgen in Madrid, werde aber so bald wie möglich nach Barcelona zurückfliegen.»

«Ein Pollacke.»

«Ich bin nicht aus Polen.»

«Die Katalanen sind Pollacken. Haben Sie nicht gehört, was die für ein Kauderwelsch sprechen?»

«Sagen Sie ihr, Pepe Carvalho sei hiergewesen, der Galicier aus

Barcelona, den sie von der Geschichte mit dem Mord im Zentralkomitee her kennt.»

«Also auch so 'ne rote Socke.»

«Ist Ihre Mutter immer noch Kommunistin?»

«Sie behauptet, sie wär's nicht, aber sie schwärmt für Anguita, als wär er Michael Jackson, und Anguita hat was von dem, es ist ein gebleichter Roter oder ein rotgefärbter Weißer. Meine Mutter ist auf alle Geheimgesellschaften der roten Socken abonniert: SOS Rassismus, Menschenrechte, Hände weg von Chiapas...»

Er hatte nicht verhindert, daß die Tür aufging, und stand da, ein schmerzhaft beringter Schlaks in Pyjamahose und mit nacktem Oberkörper voller Tätowierungen, unter denen die riesige Inschrift auffiel: *Erzähl mir nicht, deine Kindheit sei ein Patio in Sevilla gewesen!* Eine kurze Rückblende der Erinnerung überfiel Carvalho, als er mit zwei Schritten im Flur stand. Carmelas Sohn war blond, kamillenblond, wie alle blonden Madrider Kinder zu Beginn der achtziger Jahre, und er hatte seine Mutter gefragt, warum Hühner so wenig fliegen.

«Von wem weißt du das, Herzchen?»

«Von der Señorita. Deshalb hält man sie nicht im Käfig wie die kleinen Papageien. Mutti, wer ist der Mann da?»

Jetzt ging der Post-Rocker mit dem dünnen, lila gesträhnten Blondhaar barfuß über seinen eigenen Flur und suchte mit fahrigen Händen nach Papier und Bleistift, um Carvalhos Anschrift zu notieren. Er fand sie in einer Schublade des Wandtischchens, und als er sich nach dem Fremden umdrehte, damit dieser ihm seine Daten wiederholte, sah er, wie dieser fasziniert ein Plakat an der Flurwand am Eingang betrachtete.

> *Großes Konzert der Sieger von Alconbendas:*
> *«Gott sei uns'rer Seele gnädig»*
> *«Hühner fliegen wenig»*
> *«Präsentation der neuen CD in der Sporthalle von*
> *Getafe: Hommage für García Madrid.»*

«Hühner fliegen wenig», murmelte Carvalho.

«Deshalb hält man sie nicht in Käfigen. Sagen Sie mir jetzt, wie Sie heißen und wo Sie hier wohnen, falls meine Mutter Sie kennt.»

Carvalho wiederholte seinen Namen und sagte, er sei bis zum frühen Abend im *Palace* und dann im *Venice*. Als er das Wort «Venice» sagte, bekam der Junge Kinderaugen, die in eine verlockende Märchenwelt hinausschauten.

«Im *Venice*? Da waren Sie schon mal?»

«Nein. Das ist bloß ein Hotel. Was ist daran Besonderes?»

«Das ist das Abgefahrenste, was es in Madrid gibt, designmäßig der absolute Hammer, hören Sie mal, das Jahr dreitausend, aber irgendwie, ich weiß nicht, soft, nicht so brutal wie *Robocop* oder so was, wie ein Traum, jedenfalls irgendwie oberaffentittengeil.»

Carvalhos metaphorisches Fassungsvermögen war endgültig überfordert, und er verließ die Wohnung, von der heißen Neugier des Jungen verfolgt.

«Vielleicht komme ich ja mit meiner Mutter zu Ihnen ins *Venice*.»

«Passen Sie auf, daß man Ihnen kein Ohr abreißt, die haben dort Metalldetektoren.»

«Meine Lauscher sind versichert. Aber ich möchte dieses Traumschiff verdammt gerne von innen sehen, und der Besitzer, der Alte da, Conesal, ist super. Versteht sogar was von Wirtschaft, der schlaue Hund. Haben Sie den Werbespot gesehen, wo ein Junge sagt: ‹Wenn ich groß bin, will ich Lázaro Conesal werden›? Ein echter Winner. Auf Winner fahre ich ab, denn Looser holen mir den Eiter aus dem After.»

«Was hält denn Ihre Mutter von Lázaro Conesal und dem Eiter aus Ihrem After?»

«Von Conesal sagt sie bla bla bla, Buy-and-Sell-Mentalität, wilder Kapitalismus und so weiter und so weiter, und das mit dem Eiter aus dem After sage ich nicht zu ihr, weil, ich hab mal nicht aufgepaßt und geschrien ‹Ich kratz mir den Schmand mit dem Messer von der Eichel›, und da fing sie an zu heulen.»

Verfolgt von dem Bild einer belegten Eichel, die mit dem Messer abgeschabt wird, floh der Detektiv vor dem Beweis der Tatsache, daß Kinder den Fotografien der Erinnerung zum Trotz erwachsen werden, sogar den Fotografien zum Trotz, die in Alben nachschlagbar sind. Er verweilte vor einstigen Kolonialwarenläden, die sich zu Schaufenstern der Armeleutekost Innerspaniens gemausert hatten – Chorizo, Blutwurst, gepökeltes Schweinefleisch, vor allem eine leguminose Grundsatzerklärung: Linsen aus Frankreich und aus Salamanca, violette Bohnen aus El Barco de Ávila und aus Tolosa, *carillas, arrocinas,* Saubohnen, Wicklinsen, dicke Bohnen aus Asturien, Jungfrauen-Brechbohnen, große weiße Bohnen aus La Granja und ein Nonplusultra von Kichererbsen aus Arévalo sowie Kichererbsen aus Pedrosillas, schwarze Bohnen, *pintas* aus León, junge Bohnenkerne und Platterbsenmehl. Dahinter Turmbauten aus Dosen mit Makrelen, Kutteln, Herzmuscheln, dehydrierten lehmartigen Süßigkeiten, auch *polvorrones* genannt, weißem Nugat, Marzipan und Futterdosen für die Hunde und Katzen des Viertels, ausschließlich dieses Viertels, die so undankbar waren, daß sie in alle Fugen und Ritzen des Ladens dieses Señor Cabello gepißt hatten. Der Anblick war eine Herausforderung für den diätetischen Konservatismus eines Reisenden, der von inneren, durch gefährliche Mahlzeiten gemästeten Feinden eingeschüchtert war. Nichts von alledem durfte man essen, abgesehen von den Hülsenfrüchten und auch diese nur in Maßen, als könne man Hülsenfrüchte in Maßen essen. Man kann nicht in Maßen essen. Man darf nicht in Maßen essen. Wenn man nicht essen darf, läßt man es bleiben, und damit basta. Carvalho kultivierte seine geheime Empörung bis in die Calle del Prado, und sein Augenwinkel verhakte sich an einem Möbelstück im Schaufenster eines Antiquitätenhändlers namens Moore – wie die fliegenden Mittelstürmer von Manchester United und ein Löcher modellierender Bildhauer. Das Möbelstück, an dem sich Carvalhos Blick verfing, war ein altertümlicher runder Tisch mit zwei Ebenen: Oben standen kristallene Dekanter aus La Granja, und auf der unteren Ebene war das Rund von Ringen gesäumt, an denen Gläser hingen. Er wußte sofort, dies war das Möbel seines Lebens, und er blieb in diesem Glauben, bis eine Dame, die kostümiert war, um Antiquitäten in voller Jugendblüte zu verkaufen, ihm verkündete, der Preis dieser englischen *wine-table* aus dem XVIII. Jahrhundert sei eine Million und sechshundert Peseten.

«Gläser inklusive?» fragte Carvalho, ohne es sich rechtzeitig verkneifen zu können, so daß er sich ein ironisches Lächeln der Dame einhandelte, die plötzlich sicher war, daß dieser Tisch seinen Käufer doch noch nicht gefunden hatte. Carvalho fühlte sich lächerlich, als er, wieder auf der Straße, das schlaue Grinsen verlor, mit dem er dem Preis des Tisches seines Lebens begegnet war. Der

Flug im Privatjet ist dir zu Kopf gestiegen, sagte er sich, während er sich an die *wine-table* im Schaufenster wandte. Eines Tages komme ich zurück und leere aus deinen Gläsern zwei Flaschen Rioja von meinem Jahrgang aus meinem Keller. Ich trinke sie auf meine Gesundheit an dem Tag, an dem ich sterbe. Er nahm die Straße wieder unter die Füße, zur Plaza de las Cortes und seinem Hotel hinunter, noch blieb ihm aber eine Dreiviertelstunde bis zur Verabredung mit Conesal. Er durchquerte eine erstarrte Demonstration von Medizinstudenten, die gegen ihre kommende Arbeitslosigkeit protestierten, von bedrohlichen Polizisten und Grüppchen von Abgeordneten umgeben, die sich noch nicht in den Cortes-Palast begeben hatten, entweder weil sie sich von der Undankbarkeit der Jugend gegenüber ihren legislativen Maßnahmen überzeugen wollten oder sich nach den Zeiten zurücksehnten, in denen sie selbst gegen die Diktatur demonstriert hatten. Sie taten es aber auch für die Gemeinschaft der parlamentarisch demokratischen Heiligen, die so viel Unverständnis seitens einer Jugend nicht verdiente, die dies demokratische Leibchen nicht gestrickt hatte. Die Iß-und-trink-Industrie im Dienste der Herren Parlamentarier machte sich in den Gäßchen breit, die das Parlament umgaben, und wartete zu dieser Stunde mit zäh gewordenen Tortillas und Lendenbrötchen auf, die bewiesen, wie sehr das Schwein seit der Ankunft der Demokratie an Geschmack eingebüßt hatte. Wahrscheinlich war der Gaumen der Herren Abgeordneten nicht allzu anspruchsvoll, und die Gastro-Industriellen hatten dies erkannt, von der Tatsache ausgehend, daß Politik ein selbstgenügsamer Genuß ist, der selten der Gesellschaft bedarf.

«Carvalho?»

Im Mund noch den Geschmack einer verschlankten Version der Tortilla, der das saftige Innere von weichgekochtem Ei fehlte, und eines Rioja für die Laufkundschaft direkt aus der Pipeline, fiel es ihm schwer, Stimmen aus der Erinnerung mit den zugehörigen Gesichtern zu verbinden. Er brauchte drei Minuten und einige Gedankenwege, um zu erraten, daß sich hinter diesem abgewrackten Körper unter der weißhaarigen Glatze Leveder verbarg, jener außerplanmäßige Professor der PCE, der auch inmitten der Tragödie des Mordes an seinem Generalsekretär den Sinn für Humor bewahrt hatte... Leveder, dieser «...organische Intellektuelle einer defätistischen Führung», wie ihn die außerhalb der PCE stehenden Kommunisten, die radikalsten Kommunisten, betitelt hatten.

«Erinnern Sie sich an die Geschichte mit dem organischen Intellektuellen einer defätistischen Führung? Heute nur noch Vergangenheit. Aber wahrscheinlich wissen Sie nicht, daß sich derjenige, der mich so beschuldigte, in den Apparat der sozialistischen Partei einklinkte, und heute ist das, was er hat, nicht mit tausend Millionen bezahlt.»

«Sind Sie noch in der PCE?»

«Nein. Ich trat der PSOE bei, dem sogenannten Gemeinsamen Haus, aber ich hatte nicht soviel Glück wie die Antikommunisten der extremen Linken. Uns hielt man an der kurzen Leine. Im tiefsten Grunde war die gesamte spanische Linke antikommunistisch, alle bis auf die PCE. Obwohl es auch in der PCE von Antikommunisten wimmelte, wie meine Wenigkeit. Haben Sie sich mal gefragt, warum so viele Antikommunisten in der PCE waren? Ist es für Sie nicht auch ein metaphysisches Mysterium, daß es selbst in den ehemals sozialistischen Ländern anscheinend keine Kommunisten mehr gab, als die Berliner Mauer eingerissen wurde? Eine Bande von Abenteurern. Und dann, in der sogenannten freien Welt, Carvalho, haben diese kleinen Gauner von der extremen Linken, die ebenfalls Abenteurer waren, alles überschwemmt. Sogar diejenigen, die scheinbar kommunistischer waren als die PCE, waren Antikommunisten. Hören Sie! Finden Sie es nicht auch obsolet, von Kommunismus und Antikommunismus zu reden? Glauben Sie, jemand würde für dieses Gespräch einen Pfifferling geben?»

«Darf ich Ihnen eine politische Frage stellen?»

«*Tu quoque*, Carvalho?»

«Was halten Sie von Lázaro Conesal?»

«Ich? Dasselbe wie die Partei.»

«Was meint die Partei?»

«Riecht nach Aas.»

«Die Partei oder Conesal?»

«Beide. Wahrscheinlich wird einer den anderen umbringen oder umgekehrt. Sie können nicht in ein und demselben Machtgefüge zusammenleben, vor allem, seit die Partei begonnen hat, sich von den Sünden der Korruption zu reinigen. Sie überraschen mich. Was haben Sie mit Conesal zu tun? Untersuchen Sie seine Ermordung, oder versuchen Sie, diese zu verhindern? Sie bringen um, was Sie berühren. Was mich wirklich ankotzt, ist die Sache mit den GAL, die Tatsache, Komplize einer Regierung zu sein, die sozialdemokratische Tschekas geduldet hat. Aber ich muß mich bei Abstimmungen der Parteidisziplin unterwerfen. Das Ziel rechtfertigt die Mittel. Carvalho? Mir geht es darum, weiterhin in der Politik mitzumischen. Gibt es eine Möglichkeit, Sie zu treffen? Ich komme zu spät zur Sitzung der Justizkommission. Ich bin Abgeordneter.»

«Wir werden uns nicht wiedersehen. Ich reise morgen nach Barcelona zurück.»

Leveder wurde zum menschlichen Andreaskreuz, um allerzerknirschte Ohnmacht auszudrücken, und wandte sich bereits zum Gehen, als ihn Carvalhos Frage zurückhielt: «Mit wieviel wäre das bezahlt, was Sie besitzen?»

«Treiben Sie mir nicht die Tränen in die Augen! Und selbst?»

«Das würde Ihnen wirklich die Tränen in die Augen treiben.»

Er verfolgte die Gespenster von 1980, und die Gespenster von 1980 verfolgten ihn. Er sah Leveder vor sich, fast zu Tätlichkeiten gereizt, nachdem der Apostel der reinen Lehre, Cerdán, eine Buchpräsentation genutzt hatte, um den gerade ermordeten Generalsekretär der PCE herabzuwürdigen: «Ich muß schon sagen, dein Sermon heute abend war beschissen, eine absolute Schweinerei. Es war die Predigt eines Geiers, du hast auf Garridos Kadaver herumgehackt und dich daran gemästet, ebenso am Kadaver der Politik im allgemeinen. *Chin-chin*!» Leveder, der sogenannte Führer der ‹Frivolen Fraktion›, war Anarcho-Marxist, der aus Gründen der historischen Effizienz der Kommunistischen Partei beigetreten war. Er erreichte den Paseo del Prado in Höhe des Villahermosa-Palastes, den der Sonderbotschafter von Thyssen okkupiert hatte, und ging den Gehweg hinauf, um zu Fuß den fernen Horizont der Castellana zu erreichen, die sich in Manhattan verwandelt hatte. Madrid verwirrte sein Gefühl für Entfernungen; sein Orientierungssinn saß in Barcelona gefangen, weshalb er, als die Minuten vergingen, ohne daß das ferne Manhattan näher kam, überlegte, ob er ein Taxi nehmen oder lieber den jungen Conesal anrufen und ihn bitten sollte, ihn im väterlichen Jaguar abholen zu lassen. Er ging in ein Café, um zu telefonieren, und bemerkte nicht, daß es sich um das *Gijón* handelte, bis er in der Falle saß.

«Señor Álvaro Conesal, bitte!»

«Wer ist da?»

«Pepe Carvalho, der Privatdetektiv.»

«Können Sie mir den Grund Ihres Anrufs nennen?»

«Ich soll mich mit Señor Conesal um elf Uhr treffen und sehe keine Möglichkeit, rechtzeitig da zu sein. Könnten Sie mir einen Wagen schicken?»

«Finden Sie kein Taxi?»

«Don Álvaro Conesal hat mir für meine Fahrten in Madrid den Jaguar zugesagt.»

«Señor Álvaro Conesal verfügt über drei Jaguars. Also welchen der drei?»

«Schicken Sie mir den Schönsten. Ich glaube, er war grün.»

«Wo sind Sie jetzt?»

«Ich spreche im Café *Gijón*.»

«Für die paar Schritte sollen wir Ihnen den Daimler Jaguar schicken?»

«Señora! Überschreiten Sie Ihre Befugnisse nicht! Sprechen Sie mit Don Álvaro und sagen Sie ihm nichts weiter als: Carvalho erwartet den Jaguar im Café Gijón!»

Um diese morgendliche Stunde beherbergte das Café nur Leute, die zum *cortado* eine schlaffe *porra* verzehrten, die ihre ursprüngliche Festigkeit eingebüßt hatte. Als Verbeugung vor dem Urbild der *porra* bestellte Carvalho eine davon und kaute sie in der Hoffnung, sie würde sich ins Surrogat einer Proustschen Madeleine verwandeln und ihn an bessere Zeiten und *porras* erinnern. Sein sonnenbeschienener Tisch stand fast direkt neben einem anderen, an dem sich zwei Männer um die Vierzig unterhielten. Der eine trug ein schmutziges Hemd, weiß wie das Haar über dem blassen Gesicht mit Tränensäcken, die der anderen Seite der Erde zuzustreben schienen. Er stieß Sätze aus, die Verse waren, dabei war sein Mund blockiert durch Steine, die ihm Schmerzen bereiteten. Der andere besaß die gepflegte Eleganz eines unverheirateten italienischen Geigers mit einem Touch von *latin lover*, und seine allzu beweglichen Hände verbargen einiges von der Anspannung, mit der er der Klagelitanei seines abgerissenen Gegenübers lauschte.

«Ich glaubte, die Literatur würde mir erlauben, an die schleimige Tristesse der Welt zu rühren, den seiner Illusionen beraubten Rand eines absurden Sumpfes, in meinen Händen ein monströses Tier, wild wie das schwarze Loch jenes Leibes, der mich ins Träumen bringt.»

Er war nicht betrunken, aber ebensowenig auf der Wellenlänge des *Gijón* oder seines unangenehm berührten Gesprächspartners, der ihm in nicht kongruierenden Sätzen antwortete.

«Ich setze mich in einen Schrank und gehe mit mir zu Rate, während mich draußen lederzähe Großmütter erwarten. Neulich sagte ich zu einem patriotischen Taxifahrer: Kolumbus war kein Spanier, Kolumbus stammte aus Genua.»

«Alle Akademiker haben eine Seele voller roter Ameisen, bis auf Pedro Gimferrer, der nicht einmal Ameisen in der Seele hat.»

«Vom Schrank aus sah ich, wie sich diese Frau die Haare entfernte. Nur ein Bein. Sie wissen, wie unangenehm mir alles Asymmetrische ist.»

«Man muß die intransigenteste Stufe der Verzweiflung erreichen. Pedro Gimferrer trägt die Perücke eines Pagen der kulturellen Machthaber. Ich möchte eine Rothaut sein.»

«Das andere Bein wird sie nicht enthaaren, bis ich mich umbringe.»

«Ich habe viel gelesen und erinnere mich an nichts.»

«Dabei beunruhigt mich die Tatsache, daß ich mich vom vielen Sitzen im Schrank in zwei Personen gespalten habe, und die eine kann die andere nicht ausstehen. Das Schreckliche ist, daß ich nicht weiß, ob ich es bin, der die andere nicht ausstehen kann, oder ob es die andere ist, die mich nicht ausstehen kann!»

«Was für ein Irrtum, unter dem Mond zu leben!»

«Will Ihr Freund nichts trinken?»

Der Mann aus dem Schrank hob den Blick zu dem unerbittlichen Kellner, der einen alten Groll gegen den schmutzigen und wirrhaarigen Mann zu hegen schien. Er versuchte überzeugend zu wirken, indem er eine Hand flattern ließ, um damit entweder den Kellner zu bewegen, den Abflug zu machen, oder auszudrücken, daß sein Gegenüber abgehoben habe. Aber der Mann, der sich als Irrtum unter dem Mond betrachtete, hatte die Unsicherheit im Blick verloren und ließ ihn konzentriert zwischen dem Kellner und seinem von Schränken faszinierten Gesprächspartner hin und hergleiten. Als er mit der erzeugten Spannung zufrieden war, bestellte er mit äußerster Härte: «Drei Liter Coca-Cola!»

«Wer hat den Jaguar bestellt?»

Alle Gesichter drehten sich zu dem Schuhputzer, der an der Tür einen Jaguar feilhielt, und Carvalho legte die Münzen für seinen Verzehr auf den Teller, um sich dann zu dem Mann aus dem Schrank zu beugen.

«Fahren wir? Wir werden abgeholt.»

Wilde Panik ergriff Augen und Haltung des Mannes mit den welken Augenringen.

«Du gehst doch nicht weg, ohne mir etwas Kohle dazulassen?»

Denn der andere hatte sich erhoben, angesteckt von Carvalhos Eile.

«Natürlich nicht.»

Auf dem Tisch zurück blieb ein ausgefranster, errötender Zweitausender, und die gezähnte Hand des Mannes, der angsterfüllt unter dem Monde lebte, bemächtigte sich seiner mit langen, gesplitterten Fingernägeln, die Trauer trugen. Jetzt suchten seine Augen die von Carvalho.

«Und du?»

«Ich habe meine tägliche gute Tat bereits hinter mir.»

Carvalho ging zur Tür und hörte hinter sich den überstürzten Aufbruch desjenigen der beiden, der mit einer asymmetrisch behaarten Frau liiert war. Kaum war er aus der Tür des *Gijón*, schloß dieser zu ihm auf.

«Ich kenne Sie nirgendwoher, stimmt’s?»

«Richtig. Ich dachte, ich sollte Sie aus diesem Unwetter erretten.»

«Er ist ein großer Dichter, aber er steht in den Ruinen seiner konventionellen Intelligenz. Seine andere Intelligenz ist intakt, aber er ist nicht kommunikationsfähig. Meine Intelligenz ist konventionell, und obwohl ich mir die größte Mühe gebe, verstehen wir uns nicht. Sein logisches System bringt meines zum Zusammenbruch, und mir bleibt kein anderer Ausweg, als ihm ein ebenso absurdes System entgegenzusetzen. Es ist wie der Dialog zwischen Jazzinstrumenten.»

«Wenn Sie weiter weg fliehen wollen, steigen Sie ein! Ich kann Sie bringen, wohin Sie wollen.»

Der als Schweizer Marineadmiral kostümierte Chauffeur hielt ihnen den Schlag des Jaguar auf, und während Carvalho mit frisch erworbener Selbstverständlichkeit einstieg, tat es der andere zögernd wie ein Aschenputtel, das sich unsicher anschickt, die Kalesche des Prinzen zu besteigen. Als er eingestiegen war, wanderte sein Blick von der Politur der Limousine zu der Feststellung, daß Carvalho nicht der Prinz war, obwohl er sich aus dem golden schimmernden Einbauschränkchen einen üppigen Whisky servierte und ihm ebenfalls einen aufnötigte. Der Gast ließ sich nicht lange bitten und schwang sich zu einem spontanen Trinkspruch auf, als ihre halb gefüllten Gläser im religiösen Halbdunkel des Daimler Jaguar aneinanderstießen.

«Auf unsere Jugend, in der wir voller Unruh' Glauben hatten und den Wunsch zu siegen.»

Carvalho schloß sich dem Trinkspruch an und nahm einen kurzen, aber heftigen Schluck von diesem großartigen Whisky.

«Sie haben eben aus einem englischen Kneipenlied zitiert, das Mary Hopkins gesungen hat.»

«Welche Sensibilität für einen Jaguarbesitzer!»

«Der Jaguar gehört nicht mir. Sie und ich sind Gäste eines superreichen Gauners namens Lázaro Conesal. Ein Reicher, wie es wenige gibt, von der Sorte, die ihre Privatjets und Jaguars zur Schau stellen. Wer war der Partner ihrer literarischen Orgie?»

«Sein Name würde Ihnen nichts sagen. Sein Gehirn ist nichts als Brei und wird nur noch dann zu einem starken Muskel, wenn er seine Gedichte schreibt, die immer flüssiger werden. Die eine Hälfte seines Lebens verbringt er in Sanatorien, die andere Hälfte mit der Demonstration seiner Sensibilität eines *poète maudit*, eine einzige Anklage für uns alle, die wir integriert sind, weil wir Miete bezahlen und unseren Kindern CDs kaufen müssen.»

«Sie sind auch Schriftsteller.»

«Ich lese bis zum Anbruch der Nacht, und im Winter arbeite ich bei Iberia.»

Carvalho war träumerisch geworden, und plötzlich rezitierte er unvermittelt etwas, das wie ein Vers klang.

«Immer wartet man auf einen Sommer, der besser ist und geeignet, zu tun, was noch nie getan wurde…»

Sein Gegenüber unterdrückte ein Anzeichen von Panik und zog sich hinter seine defensive literarische Struktur zurück.

«Ich verlasse meinen Schrank nur, um zu fragen, wieviel man immer noch nicht weiß.»

Carvalho stimmte mit einem blitzartigen Augenschließen zu.

«Ihre Reflexe sind gut trainiert. Keine Angst! Sie werden alle Begegnungen mit dem verflüssigten Dichter überstehen. Ich fürchte, mir steht ein schrecklich literarischer Tag bevor. Madrid ist eine sehr literarische Stadt, wie ich sehe. Heute abend muß ich zur Verleihung des Venice-Preises der Stiftung Lázaro Conesal gehen, ein Literaturpreis natürlich. Es muß ein sehr guter Preis sein, denn er ist mit hundert Millionen Peseten dotiert.»

«Sie liegen ganz richtig. Wenn es der teuerste ist, ist er auch der beste. Conesal ist das Flaggschiff der neuen Reichen des neuen demokratischen Regimes. Der Selfmademan, der mit dem besten Insiderwissen spekuliert. Er verblüfft die Haie, indem er vorgibt, die Sprache der Delphine zu sprechen, und die Delphine, indem er sie beißt wie ein Hai.»

«Wer könnte ihn umbringen wollen?»

«Alle Leichen, die er nicht hinreichend umgebracht hat. Außerdem hat er gedroht, seine Beziehungen zur Regierung in die Waagschale zu werfen, wenn sich Staatsbank und Fiskus in seine Geschäfte und sein Finanzgebaren einmischen.»

«Wie haben Sie das alles in Erfahrung gebracht?»

«Ich höre Radiodiskussionen: Sie nicht?»

«Ich stelle gerade fest, daß ich nicht einmal ein Radio besitze.»

Der Wagen hatte am Fuß des Conesal-Hochhauses angehalten. Das höchste Prisma aller kristallinen Bauten des Krypton aus der Mancha, mit Scheiben aus dunklem Glas, als respektiere es die iberische Tradition, alles zu verdunkeln, was sowieso schon obskur ist. Das Gebäude hatte etwas luxuriös Unheimliches, und Carvalho sprang auf den Gehweg hinaus, gefolgt von seinem Reisegefährten, der sich mit hingerissenem Blick von dem luxuriösen Jaguar verabschiedete. Dann wandte er sich an den Chauffeur.

«Darf ich das Tierchen anfassen?»

Sein Finger zeigte auf den vergoldeten Jaguar, der vorn auf der Kühlerhaube, zum Sprung geduckt, erstarrt war.

«Also, der ist aus echtem Gold.»

«Ich weiß, wie man Gold anfaßt, ohne es schmutzig zu machen.»

«Fassen Sie ihn ruhig an!» bestärkte ihn Carvalho, ohne die Warnung des Chauffeurs zu respektieren, und das tat der armariophile Schriftsteller, bis seine Miene den Ausdruck höchsten Genusses und genügender innerer Befreiung erreicht hatte und er Carvalho zum Abschied die Hand reichen konnte.

«Ich kehre in meinen Schrank zurück, und wenn ich Ihnen einmal bei einem Stau im Flugverkehr einen Gefallen tun kann, fragen Sie nach Juan José Millás, und ich werde dafür sorgen, daß Sie den Sitz des Kopiloten bekommen.»

Die Freude des Schriftstellers war der Verdruß des Chauffeurs mit der Admiralsmütze, der versuchte, mit dem Ärmel den goldenen Jaguar zu polieren oder vielleicht die Fingerabdrücke des Unverschämten abzuwischen, und in wohlbekannter Weise schimpfte: «Wer hinterher den Ärger kriegt, das bin doch bloß ich.» Carvalho betrat das Hochhaus und ging zu den schwindelerregenden Aufzügen. Die erste Beobachtung, die den morgendlichen Eindruck bestätigte, war, daß es in den Aufzügen kein Barschränkchen gab. Vielleicht fehlte es am Willen, alles zur Schau zu stellen, was die Conesals besaßen – als sei der Aufzug nicht der richtige Ort für die Inszenierung des Überflusses –, vielleicht lag es auch an der Geschwindigkeit des Aufzugs, der weder Zeit ließ, einen Whisky zu trinken, noch, den Details Beachtung zu schenken, so golden sie auch glänzten – selbst wenn man, wie Carvalho, bis über das zwanzigste Stockwerk hinausfuhr. Ganz anders dafür die endlose Eingangshalle voller schwindelerregender Hostessen, die frischgebackene Absolventinnen von McDonald's Hostessenuniversität sein mußten, um nach den proteinreichen Vorzügen der Mädchen zu urteilen – festestes Hackfleisch, vollkommene Muskelbeherrschung, elastische Körper, die mit überzeugender Zartheit den Raum seiner selbst beraubten. Carvalhos Augen wurden nichtsdestoweniger von einem optischen Mißton angezogen: eine der strahlendsten Hostessen weinte an der Tür eines Aufzugs still vor sich hin, während sie die gedämpfte Gardinenpredigt einer eckigen Frau über sich ergehen ließ, die nicht ganz zur künstlichen Jugendfrische paßte. Aber er konnte sich nicht intensiv für den Zwischenfall interessieren. Carvalho wurde in einen Salon geführt, in dem der Teppich sogar die großen offenen Fenster auszukleiden schien, denn das Madrid-Manhattan wirkte nicht anders als ein postmoderner Gobelin: über den kühnen Kanten lag ein Dunstschleier, dessen bläulicher Ton fast identisch war mit dem Blau des Teppichs, so daß man darin ein Stück urbaner Realität in einem Goldfischglas zu erkennen glaubte. Hier gab es allerdings mehr als einen Barschrank, eine richtige Bar, und dahinter stand ein professioneller Barkeeper, dessen Physiognomie dem Detektiv vertraut erschien, vielleicht, weil er das Kostüm eines Barmanns der vierziger Jahre und ein Toupet trug wie die mexikanischen Gitarristen in nordamerikanischen Low-budget-Filmen. Er hatte graugrüne Augen und faltige Tränensäcke, flößte jedoch Vertrauen ein, schien er doch zu jener Rasse von Barkeepern zu gehören, die sich die ganze Lebensgeschichte des Gastes anhören, wenn dieser vier Cocktails bestellt, die ihm erlauben, seine Qualitäten als Mixer ins rechte Licht zu rücken: Dry Martini, Singapur Sling, Gimlet und Manhattan, die beliebtesten literarischen Cocktails. Um elf Uhr früh einen Dry Martini zu nehmen, ist wie ein Hammerschlag aufs Gehirn – was um acht Uhr abends indiziert sein mag, aber nicht zu einer Tageszeit, in der sich das Gehirn in der Pubertätsphase befindet und noch nicht mitbekommen hat, daß alles beim alten geblieben ist. Er einigte sich mit dem Barmann auf einen Singapur Sling und Komplizenschaft, was die mythischen Ursprünge des Trankes betraf, doch der Mann, der Somerset Maugham nicht kannte, nie in Singapur und daher auch nie im *Raffles* gewesen war, wo dieser Cocktail seinen Ursprung hatte, ja, nicht einmal Saint Jacks gelesen oder im Kino gesehen hatte, war bereit und willens, seinen Bildungshorizont zu erweitern.

«Singapur Sling: ⅓ Gin, ⅓ Brandy, ½ Zitrone. Ich begrüße es sehr, wenn Gäste mich aufklären. Bei Cocktails reicht es nicht, ein guter Techniker zu sein, was ich bin – obwohl mir dies zu sagen schlecht zu Gesicht steht. Aber das Wissen um den Ursprung der Genüsse erhöht die Möglichkeit, sie zu genießen.»

Nein, der Barkeeper war kein Dichter, wohl aber Hispanist mit Staatsexamen und Spezialist für die Geheimnisse von *Lazarillo de Tormes*, die noch der Enthüllung harrten, obwohl sich schon fünftausend Spezialisten darum bemüht hatten, von denen er einige dem entwaffneten und entmutigten Carvalho zitierte, welcher nur die Namen behielt, die leicht zu behalten waren, wie Rico oder Gullón.

«Wie ist Ihr Name?»

«Einfach José.»

«Kommt mir bekannt vor. Waren Sie nicht der Chauffeur, der mich vom Flughafen abholte? Und mich soeben vom Café *Gijón* hierherbrachte?»

«Genau. Don Lázaro sieht mich gerne ständig in anderen Funktionen. Ich stamme aus demselben Dorf wie Don Lázaro, und er zeichnet mich mit seinem Vertrauen aus. Ich wollte Hispanist oder Schauspieler werden. So wahr ich hier stehe, kaufe ich alles, was Don Lázaro tagtäglich innerhalb dieses Hochhauses oder des *Venice* benötigt, von der Zahnpasta bis zu den einfachen Arzneimitteln oder den Getränken, die hier serviert werden. Eigentlich hat mich die Señora Conesal eingestellt, Doña Milagros Jiménez Fresno. Sie ist die Patin meiner kleinen Schwester María, die hier als Hostess arbeitet. Meine Mutter gehörte zum Personal im Sommerhaus der Jiménez Fresnos und kannte Doña Milagros von Kindheit an.»

«Und was macht ein Hispanist wie Sie hinter der Bar dieses Goldfischglases?»

«Meine Schwester hat Biologie studiert und arbeitet hier als Hostess.»

«Ist sie blond?»

«Wie alle. Hier gibt es nur blonde Hostessen. Meine Schwester ist blond. Ich sagte Ihnen schon, sie heißt María und arbeitet hier als Hostess.»

«Eine echte oder gefärbte Blondine? Gefärbte Blondinen sind wie Cocktails, eine Methode, eine neue Natur zu schaffen. Welche Cocktails sind für Sie die wichtigsten?»

«Ohne damit Ihre eigene Werthierarchie in Frage stellen zu wollen, würde ich sagen, die grundlegenden und klassischen Cocktails sind für mich Alexander, Alaska, Bloody Mary, Americano, Bronx, Claridge, Daiquiri, Manhattan, Dry Martini und Old Fashioned. Ist Ihnen die Poesie der Namen aufgefallen?»

«Für mich gibt es keine andere Poesie als die des Gaumens. Cocktails sind nicht einmal wert, daß man daran riecht. Ganz wenige, wie der Dry Martini, besitzen ein mysteriöses, bastardisiertes Gin-Aroma, das durch das kalte Gespenst des verschwundenen Wermuts samtig wirkt. Ich kenne in Barcelona eine weiße Barkeeperin namens Dolors, die mir einen Dry Martini mit Nouilly Prat mixt, nicht mit Martini. Das ist etwas ganz anderes!»

«Härter, vermute ich mal.»

«Härter und besser maskiert. Cocktails sind Masken. Bevorzugen Sie einen bestimmten?»

«Ich bin abstinent. Gezwungenermaßen. Die Ärzte!»

Eine der Türen zu anderen Räumen wurde von innen aufgerissen, und im Rahmen erschien die Silhouette der prachtvollen Rückseite einer Frau, mit Kurven, wie sie sein sollten, griffigen Waden und schlankem, geradem Rücken, dabei mit einer Stimme, die einem durch und durch ging, vor allem wegen dem, was sie sagte und wie sie es in das verlassene Zimmer hineinschleuderte.

«Álvaro! Du bist ein Dreckschwein.»

«Einfach José» verdrückte sich in die Kochecke hinter der Bar, und Carvalho blieb nichts anderes übrig, als die Hinteransicht der Frau zu betrachten und der Dinge zu harren, die da kommen sollten und nicht auf sich warten ließen. Álvaro Conesal kam aus dem Büro, stürzte sich auf die Dame, packte sie am Arm, zerrte sie mit einem jähen Ruck zurück ins Zimmer und schloß die Tür mit derselben Aggressivität, mit der er sein Recht auf Intimsphäre gegenüber dem alarmierten und etwas ironischen Blick von Carvalho bekräftigte, dem er eine Sekunde lang herausfordernd standhielt. Allein mit seinem Singapur Sling, wandte sich Carvalho wieder dem Barmann zu. «Einfach José», soeben von seiner kurzen Flucht zurückgekehrt, war dabei, schweigend und geschickt die Spuren des Gemixten und Servierten zu beseitigen.

«Ist das so üblich?»

«Wie meinen Sie das?»

«Ich glaube beobachtet zu haben, daß der Erbprinz dieses Imperiums in unserer Gegenwart schwerstens beleidigt wurde.»

«Ich habe die Worte nicht genau gehört.»

«Er wurde als Schwein bezeichnet.»

Der Barkeeper seufzte, um die Spannung zu lösen, und deutete mit einer Hand in einen Winkel des Zimmers, während er einen Finger der anderen Hand benutzte, um Carvalho zu Vorsicht oder Schweigen zu mahnen. Dann schrieb er auf eine der runden Papierunterlagen für die Gläser: *Hier sind überall Mikrofone.* Carvalho versuchte in den gelben Augen des abstinenten Barmanns den Grund für soviel Vertrauen zu lesen und erkannte nur die komplizenhafte Nostalgie eines von den Ärzten kastrierten Trinkers. Er nahm ihm den Stift aus der Hand und schrieb unter die Botschaft des Barmanns: *Wie heißt die schimpfende Dame?* Der andere war bereit, die Korrespondenz fortzuführen: *Beba Leclercq, Señora de Pomares & Ferguson.* Carvalho seinerseits: *Geschäfte? Sex?* «Einfach

José» zuckte nicht mit der Wimper und antwortete: *Geschäfte und Sex*. Dies war der richtige Zeitpunkt für die Frage: *Ist sie die Geliebte von Álvaro Conesal?* Und für die Antwort: *Seines Vaters*.

«Und wie sind Sie von der Hispanistik zum Cocktailmixen gekommen?»

«Beschleunigte Berufsausbildung. Ich fand keine Arbeit als Lehrer, nicht einmal in der Vorschule – ich, der ich meine Promotion mit einem hervorragenden *cum laude* abgeschlossen habe, vor einem Gremium unter Vorsitz von Don Francisco Rico, Mitglied der Königlichen Akademie der Wissenschaften. Es war eine umfassende Arbeit zur Neuordnung der Studien über den *Lazarillo*, sehr gerühmt von den berühmtesten Lazarillo-Forschern, von Víctor García de la Concha bis zu Don Claudio Guillén, meinem Lehrer in Vergleichender Literaturwissenschaft. Nichts von Lazarillo war mir fremd, und er gilt als Meilenstein in der Entwicklung des Romans, so wie ihn Francisco Rico und Miguel Requena interpretierten und verbreiteten. Zu diesem Anlaß sagt Plinius, es gebe kein Buch, so schlecht es auch sei, das nicht etwas Gutes enthalte, insbesondere, weil die Geschmäcker verschieden seien, vor allem bei dem, was man nicht esse. Ein anderer ist begeistert davon, und so sehen wir Dinge, die von den einen mißachtet werden, von anderen wiederum nicht.»

Carvalho wußte nicht, was den Barmann gebissen hatte, aber irgendeine literarische Verrücktheit mußte sein Gehirn verzehrt haben.

«Wie finden Sie das? Ich kann aus dem Stand von der allgemeinverständlichen Sprache zur Syntax von Lazarillo übergehen. Ich bitte Ihro Gnaden untertänigst, empfangen Sie nichtswürdigen Dienst von der Hand eines, der Sie reich machen wird; wenn Ihro Macht und Begier sich bescheiden wollen...»

«Könnten sie mir auch eine Caipirinha mixen?»

«Cachaça, Limone, Zucker, Eis. Die Cachaça gehört zu den Zuckerrohrbränden, die man mit Limone kombiniert.»

«Die Cachaça ist etwas mehr als ein Zuckerrohrschnaps. Sie ist die Seele eines Mestizenvolkes. Sie sind doch beruflich Mestize. Sind Sie es auch genetisch?»

«Meine Geburt vollzog sich inmitten des Río Tormes, aus welchem Grund ich diesen Übernamen annahm, und es geschah auf solche Art: Mein Vater, dem Gott vergebe, hatte den Auftrag, eine Mühle mit einem Mühldamm auszustatten...»

Aus dem *Lazarillo* zitierend, mixte er die Caipirinha und wurde dabei von der aufgerissenen Tür und dem Auftauchen Álvaro Conesals überrascht. Dieser trug zur Lederhose eine Weste aus Kaschmir über dem karierten Rodeochampionhemd. Er zeigte auf die Caipirinha, um kundzutun, daß er dasselbe wolle, und wartete, bis er davon gekostet hatte, bevor er mit Carvalho verbalen Kontakt aufnahm, der die Ellbogen auf die Teakbar aufgestützt hatte, das Glas wie einen Hostienkelch mit beiden Händen hochielt, und den Blick über die Etiketten der Flaschen hinter dem Hispanisten wandern ließ. Álvaro trank und meditierte, um schließlich, mit einer Geste, die keinen Widerspruch duldete, der Geste eines echten Meisters der Körpersprache, Carvalho zum Mitkommen aufzufordern, als er mit dem Glas Caipirinha in beiden Händen den Rückzug in sein Büro antrat. Das Büro und der Detektiv waren alte Bekannte, aber um diese Mittagsstunde überraschte ihn alles Überraschende weniger, wohl aber die Gesprächseröffnung von Álvaro.

«Geschichten wie die, die Sie miterlebt haben, müssen wir heute abend verhindern. Eine Frau, die unverschämt wird. Ein Typ von der Konkurrenz, der meinen Vater in der Öffentlichkeit beleidigt. Das Image meines Vaters steckt in der Krise. Es besteht die Möglichkeit, daß die Regierung bei seinen Geschäften interveniert, besonders bei den direkten Finanzgeschäften oder den industriellen Portefeuilles, die mit den Finanzgeschäften verbunden sind. Wir stehen am Ende einer turbulenten Epoche, und die Regierungspartei wird nicht abtreten, ohne daß Köpfe rollen.»

«Muß man die Frau, die ich gesehen habe, fürchten?»

«Sie wohl nicht. Ihren Mann dafür sehr. Er ist ein Fleischklops, der getauft und gefirmt wurde in den Kirchen des *Opus Dei*, ein Sherrybaron, der zum *Opus Dei* gehört, zum reichsten, aber auch dümmsten Sektor des *Opus Dei*. Sehr leicht zu beeinflussen. Mein Vater steht sich nicht sehr gut mit denen vom *Opus* und sie werden wieder gefährlich. Mein Vater sagt, nach zwanzig Jahren historischer Erholung nach dem Tod Francos, ihres großen Kupplers, gehen sie wieder zum Angriff über.»

«Vielleicht wäre es nützlich, Sie würden mir ein Verzeichnis potentieller Gefahren erstellen. Man muß die Gäste überprüfen.»

«Wir wissen, wen wir eingeladen haben und warum, aber da sind etwa zwanzig Leute, die von vornherein Probleme schaffen könnten. Hier, lesen Sie!»

Er gab ihm eine Zeitschrift für Marktwirtschaft. Die Schlagzeile war vielversprechend und prangte über der riesigen Fotografie einer Büste von Lázaro Conesal, die, schrägstehend, den fragenden Blick auf einen Ort der Welt gerichtet hatte, der hinter der Zeitschrift lag.

«Ali Baba und die vierzig Räuber.

Lárazo Conesal verteidigt sich aus seiner Höhle heraus.

Die Geschichte des *Banco Conesal* hat die grundsätzlichen Probleme des spanischen Kapitalismus klargemacht – ein Aspekt, der wichtiger ist, als die 800 000 Millionen Peseten, die benötigt werden, um die finanziellen Wunden zu kurieren, die von Conesal und seinen wichtigsten Komplizen Regueiro Souza und Iñaki Hormazábal geschlagen wurden, die zwar immer weiter von ihrem Anführer abrücken, aber genau wie er in den Schlamassel verstrickt sind. Hormazábal hat bereits mit der Entflechtung der gemeinsamen Interessen in diversen Gesellschaften die Distanzierung von seinem Sozius eingeleitet. Anscheinend wird die Staatsbank von der antibürgerlichen Haltung abrücken, die sie in bezug auf Conesals Geschäfte eingenommen hat, einem Mann, den die sozialistische Regierung in Anbetracht der vielen Dinge, die er über die internen Finanzen der PSOE weiß, in hohem Grade fürchtet. Zum gegenwärtigen Zeitpunkt verfolgt Conesal einen Kurs der Annäherung zur Staatsbank; im Gegenzug wird er das Gedächtnis verlieren und davon absehen, eine Studie über seine Beziehungen zur Regierungspartei in Umlauf zu bringen. Trotz der zur Schau getragenen Arroganz des Finanziers wird seit geraumer Zeit über die schwarzen Löcher in seiner Wirtschaftsführung spekuliert, die mit dem Geschick vertuscht wurden, mit dem Conesal schon immer Löcher in Berge zu verwandeln und Niederlagen in Siege umzumünzen verstand. Nach Schätzung der Staatsbank beläuft sich das Deckungsdefizit für das Kreditportefeuille des *Banco Conesal* auf 300 000 Millionen Peseten…» Carvalho irritierten diese exzessiven

Ziffern, und er gab dem erwartungsvollen Erben die Zeitschrift zurück.

«Ich sehe schon, die Sache steht sehr schlecht.»

«Haben Sie darauf geachtet, wer diesen Artikel unterzeichnet hat?»

«Nein. Aber der Name hätte mir auch nichts gesagt. Ich bin nicht auf Zeitschriften abonniert, in denen so viel Geld steckt.»

«Es ist Barcenas, die *deep throat* der Valls Taberner, und wenn man mich fragt, auch der ganzen Großbanken, die vom Leiter der spanischen Staatsbank angeführt und ferngesteuert werden.»

Er sagte empörende Dinge, ohne jedoch empört zu wirken, und ereiferte sich nicht einmal, als er seinen Vater beschrieb.

«Sie wollen das Neue nicht akzeptieren. Mein Vater ist das Neue. Sie sind die ewige alte Oligarchie, die schon immer da war.»

«Ich versichere Ihnen, daß meine Meßlatte für Geldmengen in Hunderttausender-Einheiten eingeteilt ist, von einem Hunderttausenderschritt zum nächsten.»

«Geld existiert nicht», murmelte Álvaro und versank in Gedanken, um sich kurz darauf wieder Carvalho zuzuwenden, als wolle er noch einmal überprüfen, ob er sich nicht in der Person geirrt hatte.

«Mein Vater will mit Ihnen sprechen, aber zuvor gibt er zwei Wirtschaftsstudentinnen, die ihm ans Leder wollen, ein Interview. Sie müssen bei einem sozialistischen oder postkommunistischen Professor studieren, der ihnen gesagt hat: Nehmt euch Conesal vor, er ist der Verantwortliche für die Buy-and-Sell-Mentalität, für den spekulativen Kapitalismus. Aus welchem Restaurant soll ich die Speisekarte kommen lassen?» fragte er dann und blätterte in einem Gourmetführer, dessen Ledereinband so teuer war wie die Tischplatte, der Teppich, die schallgedämpften Kristallgläser und die Ebenmäßigkeit der Zähne, die das Lächeln des Erben zeigte. «Wir können unser Essen im besten Restaurant Madrids bestellen.»

«Könnten wir nicht hingehen? Ich lerne gerne neue *maîtres* kennen.»

«Mein Vater betritt Restaurants nur, um mit ausländischen Ministern Verträge abzuschließen. Unter einem ausländischen Minister tut er's nicht. Er sagt, der Rest versteht nicht zu essen oder hat es vergessen, aus Angst vor dem Cholesterol und den Verführungs-künsten der Madrider Gastronomie.»

«Paris ist auch nicht schlecht.»

Etwas skeptisch murmelte der junge Mann «Robuchon und der-gleichen...», aber ihm lag es mehr, im Gourmetführer zu blättern und Vorschläge zu deklamieren:

«*Jockey*: Riesenkrabben mit Kaviar beispielsweise, und ein Brioche mit Rindermark und Foie Gras, daß einem die Luft wegbleibt. *Zalacaín*: wie wär's mit Entenkeule an Schmorge-müse? *Club 31*: ich rate zu warmem Kartoffelsalat mit Enten-leber. *El Amparo*: Ochsenschwanz in Rotwein. *El Bodegón*: ein Gericht mit Schnecken ohne Haus und einer Sauce von Brun-nenkresse. *Príncipe de Viana*: Entenkeule an Linsen. *Arce*: Rot-barben mit Knoblauchsprossen und Tomatenvinaigrette. *Cabo Mayor*: Pasta-Salat und *carabineros*. *Prado-Pavillon*: Confit von Entenkeule...»

«Zuviel Ente. Wer diesen Führer gemacht hat, ist ein Enten-narr.»

«Mögen Sie Ente nicht?»

«Ich bin selbst ein Entennarr, und so wahr ich hier sitze, habe ich schon *caneton à la Tour d'Argent* gegessen in dem Restaurant, nach dem sie benannt ist.»

«Wenn es Ihnen lieber ist, bestellen wir ein Wildragout bei *Hor-cher*.»

«Das muß wohl Wild mit Krawatte sein, weil bei *Horcher* kein lebendes oder totes Wesen ohne Krawatte herein- oder heraus-kommt. Ich lasse Ihnen freie Hand bei der Wahl des Menüs.»

«So frei auch wieder nicht. Sie muß die Billigung meines Vaters finden.»

Ein Gespräch per Haustelefon kündigte die Ankunft von jeman-dem an, den Álvaro Conesal als die beiden Interviewerinnen identi-fizierte. Er lachte.

«Die beiden Mädchen wissen nicht, worauf sie sich eingelassen haben. Mein Vater fordert von jedem ein Dossier an, der ihn inter-viewen will, auch wenn es sich um Anfänger handelt, wie diese bei-den Studentinnen der Wirtschaftswissenschaften, die die Machen-schaften des Großen Haifischs anprangern wollen.»

«Was besagen die Dossiers?»

«Zwei Mädchen aus unterschiedlichen, aber eher gut situierten Familien. Beide sind Mitglieder in allen ONG, die es gibt, also *Organizaciones No Gubernamentales*. Das sind die Roten der Gegenwart, die keine Zukunft haben. Gestatten Sie?»

Álvaro ließ Carvalho allein im Büro und ging in die blaue Empfangshalle hinaus, wo sich der Detektiv mit dem Barkeeper angefreundet hatte. Carvalho trat an den Spalt, den die nicht ganz geschlossene Tür ließ, und sah sie, eine Blonde und eine Brünette, zart wie Gazellen, aber angespannt wie Pantherinnen, die dem legendärsten Finanzier Spaniens an den Hals springen wollten. Sie wirkten wie junge Mädchen, die für ihr Alter zu sexy waren, vielleicht sahen sie aber auch einfach zu mädchenhaft aus für die sexuellen Vibrationen, die von ihnen ausgingen, vor allem von der Blonden. Sie trugen entspannte Munterkeit zur Schau und hofften, daß daraus die Haltung erwuchs, die notwendig war, um dem Interviewpartner entgegenzutreten. Aber als sich eine bis dahin kaum bemerkte Tür öffnete und der Fünfzigjährige auftrat, braungebrannt, blondes, ins Silberne spielendes Haar als Krönung einer Architektur von Bronze – der Haut – und Gold – der Rolex –, drängten sich die Mädchen schutzsuchend aneinander und stießen erstickte Schreie aus, als Lázaro sich ihre Hände nahm und küßte, als könne er sie nicht richtig sehen. Die Mädchen überstürzten die Ereignisse, indem sie Blöcke, Rekorder, Kugelschreiber, Dossiers und Hektik herausholten, und Carvalho hielt die Stunde für gekommen, den Hai mit den beiden verzehrfertigen Jungfischen, die sich bereits nervös in den eigenen Schwanz bissen, allein zu lassen. Aber Álvaro hielt ihn mit einer der gekonntesten Gesten eines Doktors der Gestik zurück und flüsterte: «Hiergeblieben! Mein Vater möchte das Schauspiel uns widmen.»

Altamirano benahm sich wie ein verärgerter Autofahrer, der im Stau steht, legte die Serviette auf den Tisch und erhob sich, um endlich in Erfahrung zu bringen, was der Anlaß für das ganze Durcheinander und die Worte war, die wie Pistolenschüsse von Tisch zu

Tisch flogen und die Tafelgäste ihrer gelangweilten Erwartungshaltung entrissen. Marga kam ihm jedoch zuvor und aktivierte ihre kurzen Beine mit solcher Geschwindigkeit, daß sie eher einem Reptil als einer kubischen Frau glich, die der Wahrheit entgegenstrebt.

«Es soll einen Toten gegeben haben.»

«Einen was?»

«Einen Toten.»

«Das hatte ich befürchtet. Keine Woche ohne Nachruf. Bestimmt ist jemand absichtlich gestorben, nur um von mir den Nachruf zu kriegen!»

Mehr noch als der Zynismus lockte Oriol Sagalés der Versuch, die Ursache des Geschehenen in Erfahrung zu bringen, wobei seine Wünsche und Bewegungen mit denen der Señora Puig synchron gingen, die, eine Hand auf die Lippen gelegt, mit kleinen Schrittchen vom Tisch weg und auf die bereits hemmungslos zusammenströmenden Gäste zustöckelte, ohne auf ihren Mann zu achten, der steif aufgerichtet zurückblieb, der Tatsache eingedenk, daß in tausend Gefahren gestählte Schiffs- und Industriekapitäne – auch die aus der Sanitärbranche – bei kritischen Situationen niemals den Quadratmeter verlassen dürfen, über den sie ihre Identität beziehen. Laura Sagalés harrte an seiner Seite aus, die Hände um ihr Whiskyglas gelegt, als fürchte sie den Zugriff eines Gelegenheitsdiebes, und mischte Spott in die Verachtung, mit der sie den Abgang ihres Mannes verfolgte, der Seite an Seite mit dem besten Buchvertreter der westliche Hemisphäre Spaniens davonschritt.

«Ich habe Worte gehört, die mir gar nicht gefallen», bemerkte der Vertreter mit zusammengepreßten Lippen und zum Horizont gerichtetem Blick.

«Immer mit der Ruhe, Watson. Wenn hier einem etwas zugestoßen ist, dann am ehesten unserem Gastgeber.»

Erstaunt blieb der Vertreter stehen und verlangte mit dem Blick eine Erklärung von Sagalés, der ihm die Ehre erwies, Brillanz und Sarkasmus für eine Weile beiseite zu lassen und ihm einen Vortrag in logischer Induktion zu halten.

«Das gehört doch zum Grundwissen, mein lieber Watson. Der Bleichste aller Hauptdarsteller des Wirrwarrs an der Tür, die den Saal mit dem Rest des *Venice* verbindet, ist kein geringerer als Alvarito Conesal, Conesal junior, der bekannte Mäzen der Madrider post-*movida*, und jene Frau, die, von Tragik umwittert, ihrem Sohn zustrebt – geschüttelt von Schluchzen und Atemnot, die von einer tiefinneren Angst herrührt, nicht von dem Hüftgürtel, der sie anscheinend im Interesse der Relation ihres Körpers zum umgebenden Raum einzudämmen versucht – das ist Señora Conesal.»

Der Vertreter nickte überzeugt und bewundernd und betrachtete das Schauspiel der plötzlich ganz von ihrer Bedeutung durchdrungenen Leibwächter, die schützende Kreise um den Präsidenten der *Comunidad Autónoma de Madrid* und die Kulturministerin, deren Lächeln auf Halbmast stand, bildeten. Der Kreis der Polizisten, die kaum noch geheim, wenn auch nicht in öffentliche und private zu unterteilen waren, rief seinerseits die Fernsehkameras auf den Plan, die mit ihren Scheinwerfern die Szene zu einem heroischen Kampf der umzingelten Prominenz gegen ein milchiges Licht machten, das sie wie Raubtiere ortete und festnagelte, zugleich jedoch einen Trupp anrückender Gäste abwehrte, die ihre Informationen lieber von den politischen und kulturellen als den familiären Machthabern (dem Sohn und der Ehefrau des angeblichen Opfers) beziehen wollten. Die Radiokommentatoren begannen, nach Sendern gruppiert, den Text des nächsten Morgens vorzubereiten, und in der aufmüpfigen Gruppe, die die Würdenträger belagerte, machten Ariel Remesal und Fernández Tutor ihrer Empörung über die Rücksichtslosigkeit der Leibwächter Luft.

«Leguina! Leguina!» rief Fernández Tutor und machte dabei kleine Luftsprünge.

Ariel Remesal hatte sich für den Ruf «Carmen! Carmen!» entschieden, um auf sein Gesicht aufmerksam zu machen, das zwischen zwei riesigen Polizisten steckte, ohne daß ihn Leguina oder die Ministerin sehen konnten oder wollten, beschäftigt wie sie waren, einander Erklärungen und Hinweise zu geben.

«War es die ETA?»

«Ich habe nichts davon gehört, daß Kugeln aus einer 9-mm-Parabellum gefunden wurden», entgegnete Leguina und erkannte, während er sich selbst reden hörte, daß es trotz seines Widerwillens gegen sein Präsidentenamt und des Wunsches, nach Hause zu gehen und einen Roman über die gegenwärtigen Ereignisse zu schreiben, völlig unangebracht war, nicht auf dem laufenden zu sein. Daß eine

Kulturministerin nicht Bescheid wußte, mochte noch angehen, aber wenn der Präsident der *Comunidad Autónoma de Madrid* von nichts wußte, würde er am nächsten Tag Anlaß zu Schlagzeilen in der Tageszeitung *Mundo* und einem weiteren Triumph ihres Herausgebers, des verhaßten Pedro J. Ramírez, geben. Also warf Leguina die Serviette zur Seite, erhob sich und befahl: «Lassen Sie mich durch!»

Er sagte es mit gebieterischer Stimme, aber die Polizisten, die wohl die vertrauteren Stimmen ihrer natürlichen Anführer erwartet hatten, ignorierten den Befehl des Herrn amtierenden Präsidenten der *Comunidad Autónoma de Madrid*, weshalb Joaquín Leguina energisch werden mußte und einem der ihn umzingelnden Polizisten die Hand auf die Schulter legte, um ihm die Finger in diese muskelbepackte Ecke seines Körpers und den Befehl «Aus dem Weg!» ins Ohr zu bohren.

Die Frau Ministerin, die die Absichten ihres Mitinhabers der Macht erkannte, folgte ihm auf dem Fuß und sekundierte mit dunkler, rauchiger Bolerostimme: «Bilden Sie eine Gasse! Wir müssen zum Tatort!»

Dieser Befehl mußte die Zenturionen durch korrekte Terminologie erfreut haben, denn wie auf Knopfdruck stellten sie ihre Neigung zur Bildung eines kollektiven Subjekts unter Beweis, indem sie den Kreis zu einer Gasse aus Fleisch und Blut öffneten, die Leguina durchschritt, während er mit Mühe die Brauen über den weit auseinanderliegenden, hellen Augen zusammenzog und mit den Fingern an den Manschetten zupfte. Die Ministerin an seiner Seite lief zur Hochform einer Vertreterin der Regierung auf, war sie doch das einzige Regierungsmitglied im Saal, obwohl die Vorstellung einige Leute schon immer sehr befremdete, daß die Welt der Kultur mit Regierungsverantwortung zu tun haben sollte oder gar Vertreter einer wie immer beschaffenen Regierung stellte. Die Prominenten durchschritten den Raum, der ihnen nun dank der Gasse ihrer Beschützer offenstand, nicht allein, sondern als Helden einer sich im Krebsgang bewegenden Kamera von *TV España*, die große Übung im vorwärtsgewandten Rückzug zu besitzen schien. Dem Gefolge hatten sich außerdem Ariel Remesal und Fernández Tutor angeschlossen, wobei der Verleger ständig den Schritt wechseln mußte, nicht weil er sonst zurückgeblieben wäre, sondern um abwechselnd am Ohr von Leguina und der Señora Alborch aufzutauchen und zu beteuern: «Ihr wißt, daß Ihr auf mich zählen könnt!»

Der Präsident und die Ministerin waren anscheinend nicht geneigt, auf Fernández Tutor zu zählen, sondern schienen ihn sogar als Störfaktor zu empfinden, der ihren Weg zur Übernahme der Verantwortung für die Situation und – warum nicht? – für die Weltgeschichte behinderte. Weshalb Leguina abrupt anhielt, sich dem notablen Gewinner von fünfzig unwichtigen Preisen sowie dem Herausgeber seltener Bücher zuwandte, der auch als der «Bibliophile der *transición*» bekannt war, und ihnen entgegenschleuderte: «Das ist nicht der Moment! Jetzt hat jeder an seinem Platz zu sein!»

Ganz am ihr zustehenden Platz fühlte sich Alma Pondal, die beste schreibende Hausfrau Spaniens, und dies sollte auch für ihren Mann gelten, weshalb sie seinen spontanen Ansatz, ebenfalls dort hinzugehen, wo die andern hingingen, mit einem Blick vereitelte und die honigsüße Stimme einer Hausfrau annahm, die bereit ist, in dieser Nacht das Bad der Spermien zu empfangen, um ihren Ruf als fruchtbare Schriftstellerin und Mutter zu stärken, hatte sie es doch in zehn Jahren auf sechs Romane und vier Kinder gebracht, die augenscheinlich demselben Geschlecht angehörten.

«Was geht das dich und mich an! Ich wollte sowieso endlich ein wenig Intimität mit dir haben. Mein Got, was gibt es doch im Literaturbereich für Großmäuler!»

«Du hast wirklich recht, Mercedes…»

«Ich hab dir schon tausendmal gesagt, du sollst mich in der Öffentlichkeit nicht Mercedes nennen!»

«Verzeih, Alma! Aber ich wiederhole, du hast wirklich recht mit deiner Erklärung gegenüber dem *Adelantado* aus Segovia, daß Schriftstellertreffen verfassungsmäßig verboten sein sollten.»

«Erinnerst du dich an den Antwortartikel von Riquelme, dem Schwager der Apothekerin? Er fühlte sich als Schriftsteller angegriffen!»

«Der und Schriftsteller?»

«Er hat doch die *Glosse vom iberischen Eichelschwein auf dem Pilgerpfad nach Santiago* verfaßt.»

«Aber daß wir unsere Intimität haben, enthebt uns nicht der Pflicht, daß wir herausfinden müssen, was dort los ist.»

«Vermutlich wieder einer, der zu tief ins Glas geguckt hat. Oder sich geprügelt.»

«Ich meine, ich hätte das Wort ‹Tod› gehört.»

In diesem Moment kam Mona d'Ormesson an dem Tisch vorbei, wo das reife und fruchtbare Paar standhaft ausharrte, und rief, als sie das Wort «Tod» hörte, aus: *Stat sua cuique dies.*»

Angesichts der Überraschung, die sich auf den runden Gesichtern des intimen Paares malte, übersetzte sie: «Für jeden kommt einmal der Tag.»

«Aber heute? Ausgerechnet heute?»

«Ich vermute, daß alles von Lázaro Conesal arrangiert wurde, um eine Antipreisverleihung zu inszenieren.»

Altamirano fand Margas Vermutung wenig plausibel. «Ich glaube nicht, daß Lázaro ein Anhänger der Happeningkultur ist. Als Happenings Mode waren, hatte Lázaro Conesal keine Zeit für so etwas. Er ergatterte damals die ersten Importgenehmigungen für sowjetische Produkte. Zu Francos Zeiten!»

Marga Segurola und Altamirano hatten beschlossen, durch den Speisesaal voller leerer Tische zu promenieren, ebenso gemächlich, wie sie durch die Hauptstraße eines Dorf geschritten wären, in dem nie etwas passiert, und der Nobelpreisträger für Literatur schätzte diese Fähigkeit zum Kontrapunkt, obwohl er das spleenige Paar zutiefst verachtete – zwei Aasgeier, die seinen Nobelpreis nicht respektierten. Er strich sich mit bedächtiger Hand über die Orographie seines Unterleibs, und seine Augen schwangen sich zu einer Mißbilligung des vielen Umherrennens und Gestikulierens im Saale auf.

«Man merkt, was für eine Geschmacklosigkeit dieser Preis ist, schauen Sie nur, was für ein Aufstand, und sicher gibt es keinen anderen Grund dafür, als daß der Kapitular irgendeiner Kathedrale beim Toilettensex mit einer Sinologin erwischt wurde, Umstände, wie sie auf Veranstaltungen üblich sind, die die Leidenschaften erst literarisch aufarbeiten, dann mit Wein begießen und schließlich auf dem Klosett in einem Durcheinander von Anhängseln enden, bei dem man die Technik der besten Kontorsionisten benötigt.»

Der Verlagsmanager vom Typ «Terminator», Balmazán, belachte den Witz des großen Meisters, wohl wissend, daß Nobelpreisträger, obwohl dieses Subjekt die Fünfunddreißig, ja sogar die Siebzig überschritten hatte, alterslos und über jeden Verdacht der Arteriosklerose erhaben waren.

«Sie sprechen, wie Sie schreiben, unglaublich!»

«Belmazán! Wie ich hörte, widmen Sie sich der Aufgabe, Schriftsteller in die Armenhäuser zu bringen, und ich freue mich! So werden wir die ganzen tuntenhaften Verrückten los.»

Die angeheiratete Angehörige der Königlichen Akademie gestikulierte, als würde sie schamrot, obwohl es in ihrem Alter unmöglich ist, dies durch das Gesicht nach außen dringen zu lassen, und Mudarra plusterte sich angesichts der Worte auf, die er im Beisein von Frauen als Zote betrachtete. «Mäßige dich, Nobel, mäßige dich!»

«Betrachtest du etwas als Unmäßigkeit, was nur Beobachtungsgabe ist, sowie die Fähigkeit zu schildern, wie erotisierend diese Akte unterhalb der Gürtellinie sind? Mudarra, laß ab von deiner Suche nach femininen Diminutiven des siebzehnten, oder sonst eines Jahrhunderts, und betrachte diese Ebene sitzender menschlicher Gestalten mit verborgenen Schamteilen, untergegangen im ruhigen Meer der linnenen Tischtücher mit den Initialen L. C., die, wie ich annehme, Lázaro Conesal heißen sollen – ein Gauner, der demnächst einem anderen Gauner den Preis verleihen wird, sobald sich die von dem Kapitelherrn und der Sinologin aufgewühlten Wellen gelegt haben.»

«Nobel, weißt du sicher, daß es sich darum handelt? Und wenn dir dieser Festakt so unangenehm ist, warum kommst du dann? Du hast dich doch nicht etwa selbst um den Preis beworben?»

«Und du?»

Mudarra geriet in solche Verwirrung, daß er vorgeben mußte, durch diese unverschämte Unterstellung tödlich beleidigt zu sein, während seine Frau mit einem ohnmächtigen Händchen versuchte, den ihrer Meinung nach unbezähmbaren Zorn des Mannes zu zähmen, der so sehr zu Wutausbrüchen und Attacken neigte. Der Nobelpreisträger hingegen war überhaupt nicht verwirrt und erklärte, verschanzt hinter einer Brille, die groß genug war, um die Wut seines Blickes zu konzentrieren: «Ich bin gekommen, weil Conesal mir das Stundenhonorar bezahlte, das ich für die Anwesenheit bei wichtigen Preisverleihungen verlange, genau wie ich ein Honorar verlange, wenn ich Busbahnhöfe auf der kastilischen Hochebene einweihe oder zur Taufe des Kindes eines x-beliebigen und vermeintlich gebildeten Kapauns komme. Ich bin wie ein Fußballstar, Mudarra. Nehmen wir an, ich lasse mich bezahlen für die Fußtritte, mit denen ich Sememe und Lexeme traktiere, und außerdem für die Bildrechte.»

Sánchez Bolín hatte den Wettstreit der Akademiemitglieder lustlos verfolgt und eilte Mudarra nicht zu Hilfe, als ihn dieser mit dem Blick eines von der Mutterbrust verstoßenen Kindes zum Zeugen seiner Beleidigung anrief oder zum Komplizen geistiger Sensibilität machen wollte. Auch «Terminator» Belmazán war nicht «der Heilige seiner Verehrung», lag er doch mit ihm wegen eines exzessiv detaillierten Vertrages, in dem der Manager die Zahl der zu schreibenden Seiten und das Gewicht des endgültigen Buches festgelegt hatte, im Rechtsstreit. Um sich keiner der möglichen Situationen auszusetzen, setzte sich Sánchez Bolín in Marsch und über die Probleme hinweg, die ihm die Rotation seines rechten Hüftgelenks bereitete, wo sich eine irreversible Arthrose eingenistet hatte und seine Knochen mit hyperbolischen und gezähnten Auswüchsen nach Selbstzerstörung trachteten. Als er aber auf die gemeinsame Route der vor der Ungewißheit Fliehenden einschwenkte, stellte er fest, daß Alba allein an seinem Tisch zurückgeblieben war, nachdenklich, auf uneindeutige Weise nachdenklich, denn seiner Miene zufolge konnte er ebensogut die Eklipse der Vernunft in Horkheimerscher Sichtweise wie die unerträgliche Leichtigkeit der heutigen Duquesas reflektieren. Er entschied sich aber, als er Sánchez Bolín nahen sah, für die Frankfurter Schule, um die Demonstration seiner Losgelöstheit von den aktuellen Vorgängen auf die Spitze zu treiben.

«Sánchez Bolín, du bist doch Marxist!»

«Postmarxist, Pater Aguirre, Postmarxist.»

«*Tu quoque*, Sánchez Bolín? Auch du verläßt das Schiff der tragischsten Narren dieses Jahrhunderts?»

«Ich drücke mich lediglich korrekt aus. Postmarxisten sind wir alle.»

«Ich dachte gerade darüber nach, was den erlauchten Horkheimer, den geistigen Vater so vieler Revolutionäre, am Ende seiner Tage zu dem Eingeständnis bewog, daß ein Leben im kapitalistischen Deutschland dem im kommunistischen vorzuziehen sei. Ich habe ihn einmal kennengelernt, irgendwann in den sechziger Jahren, und er brachte mich, ausgerechnet mich, der ich damals noch Jesuit war, aus der Fassung, indem er sagte: Der Geist kann nur in den Rissen der Demokratie überleben, wie auch nur hier Phantasie und Religion eine Zuflucht finden können. Stell dir vor, du Postmarxist, stell dir das vor, der große kritische Theoretiker akzeptierte den Geist, die Phantasie und die Religion als einzige Tröster, denn Panik erfüllte ihn angesichts der, wie er es ausdrückte, irreversiblen Tendenz des technischen Fortschritts, eine Welt zu schaffen, deren rationale Struktur nur um den Preis des Verschwindens der individuellen Freiheit und des Geistigen zu erlangen sei.»

«Entschuldigen Sie, daß ich heute abend nicht für die Frankfurter Schule zu haben bin, Aguirre!»

«Alba, bitte, mein Lieber!»

«Aber ich kenne dich doch aus der Zeit, als du noch ein roter Jesuitenbengel warst, und ich lebe im Reich meiner Erinnerung, Aguirre. Entreiße mich ihnen nicht!»

«Also gut. Weil du es bist. Aber du mußt wissen, daß ich mehr als einem das Wort und sogar den Blick verweigere, nur weil er den Fehler beging, mich unbeabsichtigt, ich wiederhole, unbeabsichtigt Aguirre zu nennen, was meine Vergangenheit ist, und nicht Duque de Alba, was DIE Vergangenheit ist.»

«Dein aristokratischer Stand in Ehren – kannst du mir sagen, was passiert ist?»

«Ich höre das Gerücht vom Tod.»

«Mach mich nicht fertig, Aguirre, ein Toter?»

«Schreibst du nicht Kriminalromane?»

«Etwas in der Art.»

«Also, das Verbrechen verfolgt dich, und alle werden fragen: Señor Sánchez Bolín, Sie als Kriminalautor, wen halten Sie für den Mörder?»

«In Kriminalromanen, Aguirre, ist der Mörder immer der Autor.»

Mona d'Ormesson war ebenso neugierig auf das, was bei der Begegnung des Duque mit Sánchez Bolín ausgebrütet wurde, wie auf den Grund des Menschenauflaufs an der Saaltür. Die beiden Männer waren allerdings näher, außerdem fühlte sie sich durch das Nicken von Sánchez Bolín eingeladen.

«Ist der Autor immer der Mörder?»

«Das habe ich nicht gesagt.»

«Aber im weiteren Sinne», beharrte Mona, und Sánchez Bolín zuckte die Achseln. «Wenn Sie so wollen...»

«Wie denkst du darüber, Duque?»

«Denken, *ma chère*? Ich denke gar nichts. Honecker, der nicht mit Horkheimer zu verwechseln ist, sagt in *Das Denken*, es sei eine innere, auf die Gegenstände gerichtete und zu ihrem Be-Greifen tendierende Tätigkeit. Nichts sagt Honecker über Autoren von Kriminalromanen, und bitte verlange von mir keinen klassischen Denkbegriff im Sinne ontologischer Neutralität! Ich glaube nicht an ontologische Neutralitäten.»

«Duque, nur ein Monstrum wie du ist imstande, von Honecker zu sprechen, während ein paar Meter weiter ein Rätsel – ich nehme doch an, für euch beide ist es immer noch ein Rätsel, was da vor sich geht...»

Alba schüttelte energisch den Kopf.

«Etwas Schlimmes ist unserem Gastgeber zugestoßen. Das schließe ich aus der Tatsache, daß seine Gattin den Raum verließ, zu Boden gedrückt von dem offensichtlich tröstenden Arm, den ihr ihr Sohn auf die Schultern gelegt hatte. Du bist doch Schriftsteller, Sánchez, und daher genießt du das Aas – welchen Eindruck erweckt bei dir die Geste, einen tröstenden Arm auf die Schultern leidender Personen zu legen?»

«Beklagenswert. Ich würde mir keinen auflegen lassen.»

«Es ist eine zugleich beschützende und vernichtende Geste, denn sie nötigt einen, das Gewicht dessen zu tragen, der einen beschützt, und drückt einen körperlich und seelisch zu Boden.»

Sánchez Bolín verschwand hinter Mona d'Ormesson und gab dem Duque von dort aus mit Gesten zu verstehen, wie unausstehlich er die Dame fand, aber er übertrieb den stummen Diskurs, denn als Mona sich suchend nach dem plötzlich Verschwundenen umsah, ertappte sie ihn bei Gesten des Überdrusses und stummen Wutschnaubens.

«Was ist denn mit Ihnen los?»

Der Schriftsteller wußte keine schlagfertige Antwort und beschloß, mit der Strömung zu schwimmen, indem er vorgab, dringend wissen zu wollen, was los war, doch die Gruppe bröckelte bereits unter den kategorischen Anweisungen der Ministerin, die das Kommando am Platz ergriffen hatte, der durch den wunderbaren Strahl der TV-Scheinwerfer weiß erleuchtet war. Auf einem Stuhl von furchterregendem Design, montiert auf der Basis einer absolut demontierenswerten Metaphysik, dirigierte sie die Operation «Rückkehr zur Normalität» mit braunhäutigen und karminroten Gesten, die den erstarrten Leguina zu einem politischen Albino mit einem farblichen Minderwertigkeitskomplex machte.

«Kehrt an eure Tische zurück! Eure Neugier wird bald befriedigt werden, aber niemand verläßt den Saal!»

Weder die Ministerin noch Leguina konnten verhindern, daß Sagazarraz einen anderen Stuhl bestieg, der genau dem glich, auf dem die Ministerin stand, und ihr sekundierte, indem er große Kooperationsbereitschaft demonstrierte.

«Kehrt an eure heimischen Herde zurück! Laßt die Schiffe im bekannten Kielwasser weiterfahren und mit der Folgsamkeit einer Feder, die man der Strömung anvertraut, zu ihren Ursprungshäfen zurückkehren.»

Angesichts eines so subversiven Mitstreiters sprang die Ministerin vom Stuhl und breitete die in indische Gazeschals gehüllten Arme aus, um dem Befehl zum Rückzug Nachdruck zu verleihen, und alle leisteten ihr Folge bis auf Sagazarraz, der die Arie des Tenors aus *Marina* zu singen begann:

> *Costas las de Levante,*
> *playas las de Lloret.*
> *Dichosos los ojos*
> *que os vuelven a ver.*

In Anbetracht der sängerischen Qualitäten, die der Schiffsreeder bot, ging der Rückzug beschleunigt vonstatten, und Sánchez Bolín begegnete Regueiro Souza und Hormazábal, die sich beim Gehen stritten, wobei sie zwischen sich eine merkwürdige Pufferzone aufrechterhielten, als fürchteten sie, einander zu nahe zu kommen, zu nahe für ihre unterschwellige Gewaltbereitschaft. Sie gingen in dem Moment an dem Schriftsteller vorbei, als Regueiro Souza schrie: «Ich sage dir, gib mir das Telefon!»

Hormazábal antwortete nicht, und es war die vom Rückzug der

Neugierigen aufgehaltene Mona d'Ormesson, die ihn am Arm festhielt und dadurch Regueiro ebenfalls zum Stehen brachte.

«Um welches Telefon geht es?»

«Er hätte ja sein eigenes mitbringen können!»

«Ich gehöre nicht zu diesen Neureichen, die überall ihr Handy im Hosenlatz spazierentragen. Ich überlasse mein Handy dem Chauffeur.»

«Dann wartest du eben. Ich als Neureicher leihe dir meins jedenfalls nicht!»

Er fühlte sich Mona gegenüber zu einer Erklärung verpflichtet. «Man hat uns untersagt, Kontakt mit der Außenwelt aufzunehmen, und jetzt will er mein Handy, um den Regierungschef oder den König anzurufen.»

«Oder den Papst, wenn nötig!» rief Regueiro Souza jetzt mit dem Wunsch nach Publikum, während ihm sämtliche Adern im Gesicht und am Hals anschwollen. «Ich dulde es nicht, daß man uns wie Kinder behandelt! Im Zeitalter von Satellitenfernsehen und Datenautobahnen sagt man uns nicht, was los ist, und isoliert uns von der Außenwelt! Ich will den Präsidenten anrufen und ihm die Meinung sagen, klipp und klar…»

Mittlerweile hatte sich um Regueiro ein Chor gebildet.

«…klipp und klar die Meinung sagen. Wenn das die Neuzeit sein soll, die du uns versprochen hast, mein lieber Präsident, kannst du sie dir in den Arsch stecken!»

Es gab keine ausdrücklichen Proteste, wohl aber einige Pfiffe von Ehemännern, die immer noch Anstoß nahmen, wenn ihre Frauen ordinäre Ausdrücke hören könnten, und sie reagierten eher aufgebracht als beleidigt, als Regueiro, mitgerissen von der Maßlosigkeit der Worte und seines Mundes, den anstößigen Begriff wiederholte und zum metaphysischen Staatsprinzip erhob.

«Und wenn der Präsident nicht auf mich hört, wird der König höchstpersönlich meinen Vorschlag zu hören bekommen, daß er sich die Neuzeit in den Arsch stecken soll, wenn das alles ist, was sie zu bieten hat!»

Als er nun die Ungeheuerlichkeit des Saales und der Situation mit den Armen umfaßte, blieben seine Beine die letzte Verbindung zur Erde, weshalb ihn die Ohrfeige von Sito Pomares & Ferguson so unerwartet zu Boden streckte, daß alle viere in der Luft blieben, während sein Rücken und Hinterteil auf einem Fußbodenbelag landeten, auf dem die Kronkorken von Erfrischungsgetränken aller Epochen ihre Abdrücke hinterlassen hatten, seit Kronkorken und Erfrischungsgetränke industriell produziert wurden. In dieser Lage ließ er zunächst sprachlos die Standpauke von Pomares & Ferguson über sich ergehen.

«Deine Obszönitäten beleidigen die Frauen, aber vor allem Seine Majestät den König, und im weiteren Sinne auch Ihre Majestät die Königin. Das dulde ich nicht!»

Behende und wutschnaubend erhob sich der Schrottgroßhändler, um sich auf den Sherrybaron zu stürzen, der ihn in der Haltung eines Toreros mit Schwarzgurt erwartete, als Hormazábal ihn am Arm nahm und ihm sein Telefon in die Hand drückte.

«Da, nimm und ruf den Papst an!»

«Mit dem Namen des Papstes wird in meiner Gegenwart kein Schindluder getrieben!»

Pomares & Ferguson pflanzte sich kampflustig vor den beiden Finanzmagnaten auf, und es war seine Frau, Beba Leclercq, die ihn veranlaßte, von seinem Verhalten Abstand zu nehmen, indem sie ihn scharf ermahnte: «Sito, benimm dich nicht wie ein Hanswurst!»

Der rotblonde Pomares wurde zahm, und Hormazábal nahm Regueiro Souza mit sich, der für Augenblicke seine Haltung wiederfand. «Geh doch nach Jerez, Filzläuse kastrieren, Kleiner!»

Zuviel Geschrei, als daß dem besänftigten Pomares & Ferguson der Kamm noch einmal geschwollen wäre, und Regueiro plazierte seinen Hintern wieder auf dem ursprünglichen Stuhl, Atem holend wie ein Jogi, der die Kontrolle seiner selbst erlangen will. Marga Segurola und Altamirano waren ebenfalls wieder im Heimathafen eingelaufen. Sie trug eine zutiefst angewiderte Miene zur Schau und verstand nicht, warum sich Altamirano unter dem Tisch die Hände rieb und von einer unerklärlichen Begeisterung gepackt schien, die nur auf ihre Aufforderung wartete, um sich zu erklären.

«Was freut dich denn so?»

«Der gute Wilde, Marga, wird zum bösen Wilden, sobald die Situation ihn unterdrückt und seiner Identität beraubt. Stell dir das Spektakel vor, das Regueiro geboten hat, ein Mann von Welt, der mehr Geld hat, als er oder ich in tausend Leben ausgeben könnten! Er wird zum grotesken, pöbelnden Flegel, weil sein Status als persönlicher Freund des Regierungschefs nicht respektiert wird. Schau! Er ruft schon wieder jemanden an. Bedauernswert!»

Regueiro sprach ins Telefon von Hormazábal, aber wer immer ihm am anderen Ende der Leitung antwortete, zeigte kein allzu großes Entgegenkommen, was ihn veranlaßte, rot anzulaufen und mit den Fingern auf das Tischtuch zu trommeln, als wolle er ihm die Partitur seiner Empörung einhämmern. Regueiro buchstabierte seinen Familiennamen Re...gue...i...ro So...u...za... ein ums andere Mal, erhielt aber nie die erhoffte Antwort, weshalb er die Lippen zu blasphemischen Äußerungen schürzte, das Gespräch abbrach, das Telefon seinem Eigentümer zurückgab, sich erhob und unter vollem Dampf auf die Tische zustürmte, wo die Journalisten über die Situation und das gute Geschäft debattierten.

«Ich habe eine dringende Erklärung abzugeben.»

Die meisten Literaturkommentatoren waren jung und schüchtern, und Regueiros Bild war ihnen irgendwie bekannt, ohne daß sie genau einschätzen konnten, wie wichtig er sich selbst fühlte. Regueiro erkannte seine absurde Lage – ein mächtiger Finanzier, den keiner kennt – und wollte keine weitere Zeit verlieren.

«Ich bin Celso Regueiro Souza, ihr wißt schon, *beautiful people* und so weiter, und ich will mir ja keine Orden umhängen, aber wer von euch sein Metier kennt, wird wissen, daß ich nur mit dem Finger zu schnippen brauche, und die Regierung öffnet mir Tür und Tor. Aufgrund dieser allgemein bekannten Tatsachen, die ich ohne falsche Bescheidenheit darlege, darf ich euch jetzt bekanntgeben, daß hier heute abend auf die Demokratie und die Neuzeit ein schwerer Anschlag verübt wurde.»

Einige der jungen Aushilfsberichterstatter, von prekären Arbeitsverträgen auf Diät gesetzt, warteten nicht, bis sie mit den zum Festakt abgeordneten renommierteren Literaturkritikern ihrer Verlagshäuser oder anwesenden Chefredakteuren Rücksprache nehmen konnten, sondern machten sich, den Pulitzerpreis witternd, ganz automatisch Notizen, und Regueiros Vortrag geriet, ebenso automatisch, immer mehr zu einem Brief, den er einer seiner vierundsechzig Sekretärinnen diktierte.

«Ich übergehe die Tatsache, daß uns aufgrund von Sicherheitsmaßnahmen vorenthalten wird, was tatsächlich geschehen ist, Komma, aber es ist inakzeptabel, daß wir, aufrechte, angesehene

Bürger, Komma, wichtige Persönlichkeiten aus dem Leben Spaniens, Komma, und zwar aus allen Bereichen, Komma, wie Gefangene behandelt werden, Komma, und zwar aufgrund mangelnder Initiative unserer führenden Persönlichkeiten, Komma, die sich für die heimtückischste und primitivste aller Maßnahmen entschieden haben, Doppelpunkt, die Quarantäne, Punkt und neuer Absatz. Der Status der hier Versammelten schreit nach unverzüglicher Klärung und...»

Ein Neugieriger näherte sich der Gruppe, die sich in überraschte und in gehorsame Journalisten geteilt hatte, und der Diktator Regueiro forderte nach dem Motto: Je mehr Sprachrohre des Protests, desto besser, den Neuankömmling mit einer Handbewegung auf, Platz zu nehmen und sich den Kopisten anzuschließen. «Setzen Sie sich und notieren Sie!»

Dies entsprach jedoch nicht dem Begehr des Mannes, der Regueiro wie einen Zwischenfall nach Tisch oder nach dem Abend betrachtete.

«Wenn Sie kein Journalist sind, tun Sie mir den Gefallen und ziehen Sie sich zurück! Ich gebe soeben einige dringliche Erklärungen ab.»

«Sehr gut! Ich höre mit Vergnügen dringliche Erklärungen, dann brauche ich nicht bis zur Morgenzeitung zu warten!»

Das Individuum entsprach zwar kleidungsmäßig nicht dem Niveau der Versammelten, aber sein Anzug aus dem Sommerschlußverkauf des *Corte Inglés* war dennoch keine Beleidigung für das Auge. Plötzlich glaubte sich Regueiro an ihn zu erinnern, wie in einer flüchtigen Rückblende, er war ihm schon einmal begegnet, in der Umgebung von Lázaro Conesal, vielleicht aber auch in der Gruppe um die Ministerin und Leguina.

«Sind Sie Polizist? Kommen Sie, um die Fortsetzung dieses Festaktes zu verhindern?»

«Nein, ich bin Privatdetektiv. Mein Name ist Pepe Carvalho, ich schlendere durch den Saal und detektiere mutige oder entmutigte Gemütslagen, je nachdem, wie man es ansieht.»

«Bitte.»

Damit brach Regueiro das Gespräch ab, wandte dem Detektiv den Rücken zu und wollte eben seinen Sermon fortsetzen, als er entdeckte, daß an vielen Tischen Telefone aufgetaucht waren und telefoniert wurde. Angesichts dieser Tatsache verlor er unrettbar die Fassung, und die Jungjournalisten warteten vergeblich auf die Fortsetzung seiner Erklärung *urbi et orbi*. Wenige Meter entfernt tat Sagalés, als begegne er ganz zufällig Carvalho, der sich zurückzog.

«Ist Ihnen aufgefallen, wie viele Telefone aufgetaucht sind? Sollten Sie sie nicht requirieren?»

Carvalho musterte das gealterte Babygesicht, das er vor sich sah. Entweder sprach aus ihm der Spott oder eine zur Kollaboration bereite Komplizenschaft, die nicht zu seinem Alter paßte, es sei denn, er wäre ein heruntergekommener Finanzier oder ein Schriftsteller, der es nie zu irgend etwas gebracht hatte.

«Sind Sie Schriftsteller oder Bankräuber?»

«Schriftsteller.»

«Ohne allzu großen Erfolg, wie ich sehe.»

«Was verstehen Sie unter Erfolg?»

«Daß man im Leben genug Siege errungen hat, um nicht darauf achten zu müssen, was andere mit ihrem Telefon machen. Ich bin kein Bulle.»

«Aber Sie verstehen eine Menge von Whisky, wie ich auf der Toilette erfuhr.»

«Der richtige Ort, um über Whisky zu reden, sogar um ihn zu trinken. Der Whisky wird vollständig und unmittelbar wieder ausgeschieden.»

«Sie sind Privatdetektiv!»

«Woran haben Sie das bemerkt?»

«An Ihrer Sprache. Sie sprechen wie Chandler.»

«Selbst Marlowe redete nicht wie Chandler. Im wirklichen Leben sprechen wir Detektive wie Viehhändler. Sie haben zu viele Filme gesehen.»

Carvalhos Lücke wurde von Andrés Manzaneque ausgefüllt, der den letzten Teil des Gesprächs mitgehört hatte und nach einer Gelegenheit suchte, Sagalés auf sich aufmerksam zu machen. Doch die Ereignisse hatten ihn in die absolute Dürre gestürzt, aus der nur noch Wüste entstehen konnte, und er hatte zwar ein paar Zeilen von Oscar Wilde über den Akt des Tötens *in petto*, bei denen Sagalés sicherlich der Unterkiefer herunterklappen würde, konnte sich jedoch nicht an ihren genauen Wortlaut erinnern, so daß er fürchten mußte, sich einer schweren Blamage auszusetzen, die der Schriftsteller ihm gar nicht zu bereiten, sondern von ihm fernzuhalten wünschte. In dieser Verfassung kehrte er zu seinem Tisch zurück, wo sich nach und nach auch die anderen einfanden und eindringlich ermahnt wurden von der Puig GmbH, die entschlossen war, den behördlichen Anweisungen wortwörtlich Folge zu leisten.

«Um diese unangenehme Situation so schnell wie möglich hinter uns zu bringen, ist es am besten, daß jeder seinen Platz einnimmt.»

«Ich habe meinen nicht einmal verlassen», entgegnete Laura von ihrem Platz in der Welt aus, dessen Grenzen zwei Flaschen Whisky markierten, eine leere und eine noch zu leerende. «Ich habe Ihnen die Plätze freigehalten, damit der Mörder nicht auf den Gedanken kommt, einen davon zu besetzen.»

«Welchen Mörder meinen Sie, Señora?»

Der weibliche Teil der Puig GmbH hatte, auf der Suche nach dem Ort, der dem Herzen am nächsten kam, eine Hand zur linken Brust geführt.

«Ich glaube, man hat Lázaro Conesal umgebracht.»

Selbst Sagalés war überrascht und beging den Fehler, seine Frau anzusehen und sie fragend und erwartungsvoll zu mustern.

«Erzählst du uns Geschichten, Laura?»

«Schau mich nicht so an, denn dann siehst du aus wie Gregory Peck, wenn er nicht weiß, welche Miene er aufsetzen soll. Ich erzähle keine Geschichten, mein Lieber. Ein Kellner hat es mir gesagt.»

«Ein Kellner? Einfach so?»

«Wir haben im Lauf des Abends ein gewisses Vertrauensverhältnis entwickelt, und ich nutzte die Gelegenheit, als er vorbeikam, um ihn zu fragen: ‹Fermín, was ist da los?› Glücklicher Zufall oder Liebenswürdigkeit des Komplizen – jedenfalls ließ er sich mit diesem Namen ansprechen und antwortete mir, als sei es die natürlichste Sache der Welt: ‹Señor Lázaro Conesal ist ermordet worden.› Er brachte mir noch einen Whisky und ging dann weg, offensichtlich hat er sehr viel zu tun.»

«Am Ende war er der Mörder!» warf Manzaneque ein, der Sagalés gefolgt war und seine Phantasie wiedergefunden hatte. Die nicht mehr junge Hoffnung des spanischen Romans ließ den Blick über die verschiedenen Tische schweifen und gewann den Eindruck, daß man überall Bescheid wußte.

Laura hatte mit ihrem Gatten ein Duell der Blicke begonnen. Keiner der beiden war bereit, nachzugeben, und sie schnappte: «Du bist ein Idiot.» Sagalés wandte dem Tisch den Rücken zu, baute sich vor seiner Frau auf und gab ihr unverblümt eine kräftige Ohrfeige, die sie mit einem Grinsen einsteckte und dabei verkündete: «Du bleibst trotzdem ein Idiot!»

«Man hat Lázaro Conesal umgebracht», teilte ihnen geheimnisvoll und mit seitwärts verzogenem Mund der beste Buchvertreter der westlichen Hemisphäre Spaniens mit, der nichts von dem Ehedrama mitbekommen, aber soeben aus gewöhnlich gut informierten Quellen geschöpft hatte.

«Terminator» Belmazán erklärte im selben Moment, der beste Beistand eines Umstrukturierers literarischer Unternehmen sei der Computer mit den Absatzkurven der Autoren.

«Jeder Schriftsteller ist, was er verkauft. Wir leben nicht nur in einer Marktwirtschaft, sondern auch in einer Marktkultur und einer Marktbiologie. Warum geschieht das, was geschieht? Weil Conesal, der ein großer Geschäftsmann ist, sich mit allzu großer dichterischer Phantasie ins Büchergeschäft gestürzt hat.»

Alle Tische empfingen ihren Neuankömmling, der immer dieselbe Nachricht brachte, die wie eine Wolke über den Köpfen der Menschen im Saal hing. Leguina und Alborch sahen von ihrer Warte aus zu, wie sich die Wolke gefräßig über den Saal ausbreitete.

«Was tun wir, Frau Ministerin?»

«Du führst hier das Kommando. Immerhin bist du der Präsident der *Comunidad Autónoma*.»

«Der Polizeipräsident ist unterwegs, aber die Situation entwickelt sich zu schnell. Man müßte etwas über Lautsprecher anordnen.»

«Ohne es mit der Familie abzusprechen?»

«Wo ist die Familie? Die Sache ist keine private, sondern eine öffentliche Angelegenheit. Die Information muß verstaatlicht werden.»

«Auf deine Verantwortung.»

Leguina nickte bedeutungsvoll und begab sich zur Tribüne, wo die Mikrofone vergebens die Vergabe des Lázaro-Conesal-Preises erwarteten. Er war keine zehn Meter gegangen, als er von einem Strom rebellischer Tischgenossen abgefangen wurde, die sich wieder von ihren Stühlen getrennt hatten, um sich den regierenden

Häuptern zu nähern. Ariel Remesal und Fernández Tutor fragten ihn, ob Lázaro Conesal vergiftet worden sei, und gingen links und rechts neben ihm her, als solle ihm im Augenblick der Enthüllung die Blüte der Kultur Spaniens als Leibwache zur Seite stehen.

«Wir stehen dir bei, Joaquín.»

Endlich gelang es Leguina mit liebenswürdigen Worten, aber energischen Handbewegungen, die Tribüne zu erklimmen. Er riß das Mikrofon aus der Halterung, setzte es entschlossen an den Mund und sagte: «meine Damen und Herren», aber nur er hörte sich selbst. Das Mikrofon war offensichtlich abgeschaltet, und so oft Fernández Tutor auch auf das engmaschige Gitterchen trommelte, erst mit zaghaftem Finger, dann mit den Knöcheln, bis er schließlich mit gnadenloser Faust auf die taube Eichel eindrosch, verharrte das Mikrofon in seiner Selbstversunkenheit, und Leguina erwog einen Moment lang die Möglichkeit, sich aus eigener Lunge ans Publikum zu wenden, nicht umsonst erfreute er sich eines privilegierten Thorax. Er pumpte seine Lungen mit Luft auf, trat an den Rand der Rednertribüne und rief mit Stentorstimme: «Meine Damen! Und Herren!»

«Man hört Sie nicht!» rief ihm die beste schreibende Hausfrau von ihrem Platz aus zu, was ihr Mann, der beste Brücken- und Straßenbauingenieur seiner Generation, bestätigte. Sagazarraz erklomm einen Stuhl und versuchte, aus dem Stegreif einen Vortrag in seinem Einflußbereich zu halten.

«Gefangen und entwaffnet das rote Heer, sind die letzten militärischen Ziele erreicht. Der Krieg ist aus.»

«Was sagt dieser Chaot?» bellte der Nobelpreisträger, der es satt hatte, seinen Bauch auf und ab zu bewegen, je nach dem Grad der Versuchung, den Ereignissen im Stehen oder im Sitzen zu folgen.

Auch das Akademiemitglied Mudarra neben ihm beschimpfte Sagazarraz als einen Chaoten und wurde von seiner Frau Dulcinea mahnend am Smokingärmel gezupft, damit er sich nicht mit so gewagten Urteilen kompromittiere. Mona d'Ormesson applaudierte und rief durchdringend: «Wie süß! Einfach süüüß!»

«Was sagt er da?» fragte Beba Leclercq ihre Tischherrn – vergebens, was ihren Mann betraf, der in seinem Doppelcharakter als Pomares & Ferguson versunken war. Regueiro jedoch hatte eine passende alarmierende Antwort parat.

«Ich glaube, es gab eine Bombendrohung von der ETA, aber es ist nicht angebracht, dies zu verbreiten. Es könnte ja falscher Alarm sein. Daß nur keine Panik ausbricht!»

«Um Gottes willen!» Hormazábal wollte es nicht glauben und reichte ihm sein Handy, damit er hören konnte.

«Ich schwöre es dir! *Tele 5* brachte es eben in diesen Kurzmeldungen, die ab und zu eingestreut werden. Man hat Lázaro Conesal ermordet.»

Eine weibliche Stimme glaubte die Nachricht an Hormazábal weiterzuleiten, aber es war Regueiro Souza, der ihr lauschte, denn er hatte einen Kreuzweg von Tisch zu Tisch zurückgelegt und Handys ihren Besitzern aus den Händen gerissen, um kurz hineinzuhören, aber trotz mehr als einer beleidigten Reaktion seinen Ausgangstisch unversehrt und rechtzeitig erreicht, um dem Telefon-Mörder den Apparat abzunehmen. Er setzte das Gespräch auf eigene Faust und eigenes Risiko fort.

«Gibt es schon einen Hinweis auf die Umstände des Verbrechens…?»

«Mit wem spreche ich?»

«Mit mir.»

«Aber Sie sind nicht Señor Hormazábal.»

«Ich bin Celso Regueiro Souza.»

«Würden Sie bitte Señor Hormazábal auffordern, den Hörer zu nehmen!»

Der Telefonmörder tippte sich mit einem Finger an die Schläfe und tat dem Rest der Welt am Tisch kund, daß Regueiro Souza verrückt geworden sei, aber der Tisch hatte nur Ohren und Augen für die Ankunft des Polizeipräsidenten, die durch Álvaro Conesals Auftauchen im Speisesaal angekündigt wurde. Er veranlaßte nach einem kurzen Satzwechsel die politische Prominenz unter Führung von Leguina und der Ministerin zum abrupten Verlassen des Saales, und zwar mit unbekanntem Ziel. Es war nichts anderes als der Sozialraum des Sicherheitsdienstes, neben dem Videoüberwachungsraum des Hotels, und dort lauschte der Polizeipräsident den Ausführungen Álvaro Conesals, des Präsidenten der *Comunidad Autónoma*, der Ministerin und des Personalchefs, sekundiert von dem schweigsamen Spanner, der sich selbst Carvalho genannt hatte, und einem jungen Inspektor, farb-, geruch- und geschmacklos, Ramiro, Familienname, ja, Familienname, nicht Vorname, mein Vorname ist Antonio, Ramiro klingt wie ein Vorname, ist aber der Familienname, Antonio Ramiro, genau, Antonio Ramiro. Die Journalisten, denen es gelungen war, die Gruppe an der Tür des Sozialraums aufzuhalten, notierten.

«Vielleicht wäre es angebracht, daß die Frau Ministerin hierbliebe. Ein Toter ist kein...»

Dem Polizeipräsidenten blieb keine Zeit, das Attribut seines Satzes hinzuzufügen, denn die Ministerin zeigte ihm das Gebiß, und obwohl es wie ein Lächeln aussah, begriff er, daß es nicht freundlich gemeint war. Weshalb die ganze Truppe – die Ministerin, Leguina, Carvalho, Ramiro und der Personalchef, der sich als Jaime Fernández vorgestellt hatte, angeführt von Álvaro und dem Polizeichef, in den Dschungel der Halle zurückkehrte, um einen der Lifts zu besteigen, wo die routinemäßigen Bewegungen des Boys einen krassen Gegensatz zum Ernst der Fahrgäste bildeten. Während der Fahrstuhl höher und höher stieg, schrumpfte der Urwald unter ihnen zusehends zu einem Bonsai-Dschungel, einem Leckerbissen der Phantasie, und die indirekte Beleuchtung verlieh den wenigen Personen, die die Halle durchquerten, das Aussehen verschwommener Statisten eines Science-fiction-Films, den sich ein Programmierer ausgedacht hatte. Álvaro ging voran und stieß energisch die Tür zur ständigen Suite seines Vaters auf. Carvalho registrierte im raschen Vorbeigehen die teure Möblierung des Flurs und des Wohn- und Eßzimmers, und während er noch über die Unmöglichkeit einer möglichen Schätzung meditierte, stand die Begleitmannschaft bereits vor dem unabweisbaren Tatbestand im Schlafzimmer. Lázaro Conesal war eine menschliche Schneiderpuppe in einem seidenen Pyjama, den Rücken hochgewölbt, als wolle er sich vom Bett lösen, während Scheitel und Fersen in die entgegengesetzte Richtung strebten. Seine Gesichtszüge waren dunkel und die Mundmuskulatur zu einem so grauenhaften Grinsen verzerrt, daß die aus den Höhlen tretenden Augen Angst vor dem eigenen Grinsen zeigten. Der Unterkiefer war verkrampft, als hätte ihn der Tod mitten in einem Wutanfall überrascht. Den Kontrapunkt dazu bildete seine Frau, die auf der Bettkante saß und, als ob ihr die schreckenerregende Haltung des Toten überhaupt nicht bewußt wäre, einen seiner nackten Füße streichelte.

«Daß mir hier keiner etwas anfaßt! Haben Sie etwas angefaßt?»

Ein Mann, dessen Kopf mit Haartransplantaten ausgebessert worden war, versuchte sich zu rechtfertigen.

«Als Hotelarzt wollte ich, nachdem man mich gerufen hatte, herausfinden, was geschehen war, und berührte dabei kurz die Leiche, aber fast unmittelbar darauf wurde mir klar, was passiert war.»

«Wer hat den Toten entdeckt?»

«Man könnte sagen, ich, also, ich war nicht allein, denn Señor Conesal hatte anscheinend telefoniert, als er sich schlecht zu fühlen begann, und den schwarzen Barmann erreicht, der sich ‹José Einfach› nennt.»

«Einfach José», berichtigte Carvalho zur Empörung des Polizeipräsidenten.

«Als ob jemand ‹Einfach José› heißen würde! Setzen Sie Ihren Bericht fort, Doktor!»

«Der Schwarze rief mich, und zusammen kamen wir so schnell wie möglich hier herauf, um nachzusehen, was los war. Dann benachrichtigten wir Don Álvaro, der sich im Speisesaal befand. Als wir ankamen, war Señor Conesal bereits tot.»

«Können Sie die Todesursache bestimmen?»

Der Arzt hatte diese Frage erwartet und antwortete mit einem Lächeln voller Tentakel: «Ich kann das Ergebnis des Gerichtsmediziners mit sehr geringer Fehlerwahrscheinlichkeit vorwegnehmen. Auf der Nachtkonsole sehen Sie ein Döschen mit Prozac-Kapseln; der Mann hier wurde jedoch mit Strychnin vergiftet. Es ist ein blitzartig wirkendes Gift, das auf das Knochenmark und die motorischen Nerven einwirkt und in der Medizin nutzbringend eingesetzt wird, aber ab einer gewissen Dosierung zu dem Ergebnis führt, das wir hier sehen.»

Der Arzt zeigte auf das schreckliche Bild des toten Conesal, ohne daß die Blicke der anderen seinem Finger gefolgt wären.

«Im übrigen hege ich den Verdacht, daß die gesamten restlichen Prozac-Kapseln in dieser Dose mit Strychnin gefüllt sind. Jemand, der von seiner Prozac-Abhängigkeit wußte, ist der Täter.»

«Haben Sie sie angefaßt?»

«Natürlich!»

Ramiro überwand seine professionelle Verzweiflung, faßte das Fläschchen mit einem Taschentuch und hielt es gegen das Licht.

«Kann man in diesen kleinen Kapseln genügend Strychnin unterbringen, um eine so durchschlagende Wirkung zu erzielen?»

Der Arzt wartete auf ein Zeichen des Einverständnisses von Álvaro, bevor er sein fachmännisches Urteil abgab.

«Das hängt von der Anzahl der Kapseln ab. Theoretisch dürfen nicht mehr als vier Kapseln Prozac eingenommen werden, aber jeder kann machen, was er will. Es ist *das* Mode-Stimulans bei Depressionen.»

«War Ihr Vater depressiv?»

«Eher manisch-depressiv. Auf depressive folgten euphorische Phasen.»

«Hatte er schon stärkere Antidepressiva genommen?»

«Wenn Sie damit aufputschende Drogen meinen, ja, Kokain. Aber er bekam es mit der Angst, als einige ihm nahestehende Menschen in fataler Weise abdrifteten, und so entschied er sich für, sagen wir mal, ‹gesunde› Drogen.»

Ramiro stellte die Dose auf den Tisch.

«Bitte fassen Sie nicht noch mehr an, als schon angefaßt wurde!» mahnte er warnend, aber die Witwe fuhr fort, mit den Fingerspitzen über den Fuß des Verstorbenen zu streicheln, und der Polizeipräsident gebot seinem Untergebenen respektvolles Schweigen. Ramiro war nicht mit der stummen Zensur einverstanden und fuhr fort, die Witwe und den Arzt wie gefährliche Störenfriede anzusehen, die bereits Beweismaterial zerstört hatten und von niemandem in die Schranken gewiesen wurden. Álvaro kam ihm zu Hilfe, schob die Hände unter die Achseln der Mutter, veranlaßte sie aufzustehen und trug sie mehr, als er sie führte, zu dem Liegesessel, auf dem Lázaro Conesal wahrscheinlich einige Zeit verbracht hatte, denn ein halbvolles Glas stand noch auf dem Beistelltischchen, daneben lag ein Aktendeckel, und die Pantoffeln des Finanziers standen perfekt ausgerichtet unter dem Tischchen. Carvalho fiel ein runder feuchter Fleck auf, der am Eingriff des Pyjamas zu erkennen war, und er glaubte Sperma zu riechen, genau wie alle anderen, aber keiner sprach es aus, denn vielleicht roch Sperma ja genau wie Strychnin, und nur die Polizisten ergriffen das Wort, um die bevorstehende Ankunft des Gerichtsmediziners und der Techniker mitzuteilen, die die Spuren sichern und die genaue Berechnung der Tatzeit vornehmen würden. Der fast durchsichtige Ramiro las, was auf der Akte neben dem

Glas stand, ohne seinem Fund allzu offensichtlich eine Bedeutung beizumessen. Er nahm ein Tuch aus der Tasche und schlug den Dekkel auf, um zu lesen, was auf dem ersten Blatt stand. Als er dies tat, konnte Carvalho den Titel erkennen: *Vertraulicher Bericht Verlagsgruppe Helios*. Leguina war von anderen Sorgen geplagt.

«Wir haben unten fünfhundert geladene Gäste, die im Saal gefangen sitzen, ohne ihn verlassen zu dürfen und ohne genau zu wissen, was geschehen ist, obwohl bereits alle Radiosender die Nachricht verbreitet haben und die Handy-Besitzer in Erfahrung bringen können, was geschehen ist.»

Die Ministerin tauschte mit der frisch Verwitweten Trauerbekundungen aus und forderte Leguina auf, sie ihren trösterischen Aufgaben zu überlassen. Ramiro schien Zeitverschwendung weder dulden zu wollen noch dulden zu können.

«Was tat Ihr Vater in diesem Zimmer, im Pyjama, kurz vor der Verleihung eines so bedeutenden Preises?»

Álvaro hob die Schultern, sah aber sofort ein, daß diese Haltung unhaltbar war, und ließ die Schultern in ihre Ausgangsposition zurücksinken.

«Nun, fest steht, daß die Entscheidung über den Preis ausschließlich bei meinem Vater lag. Er allein wußte, wer der Preisträger sein würde.»

«Und die Jury?»

«Das war alles arrangiert. Mein Vater bat eine Reihe von Experten, sich bereit zu erklären, als Jury-Mitglieder aufzutreten. Diese Namen teilte er dem Kulturministerium mit, als er die Erlaubnis zur Verleihung einholte. Kaum jemand erfuhr, um wen es sich dabei handelt.»

«Die Jury ist doch irgendwo versammelt!»

Álvaro war einen Moment lang bestürzt und murmelte: «Stimmt!» während er sich erhob und mit der Hand an seine Stirn schlug.

«Die Jury muß immer noch versammelt sein und auf den Richterspruch warten! Sie befindet sich in einem geheimgehaltenen Salon.»

Die Marschkolonne, die er jetzt anführte, hatte es eiliger als die vorherige und ließ im Sterbezimmer nur den Arzt, die Leiche und die selbstvergessene Witwe zurück, deren Gesicht sich in eine Collage von Make-up und Wimperntusche verwandelt hatte. Das

Tempo des jungen Mannes nötigte die Ministerin zu klappernden Absätzen und alle übrigen zu sportlichem Gehen. Leguina stellte eine Frage, die nur Carvalho auffing, ebenso die Antwort.

«Diese Frau war am Boden zerstört, nicht wahr?»

«Am Boden zerstört, ja, aber als ich sie trösten wollte, sagte sie, ihr Mann sei ein Schwein gewesen.»

Álvaro zog einen Schlüssel aus der Jackentasche und steckte ihn entschlossen ins Schlüsselloch einer Tür, die so nichtssagend aussah, daß sie nichts ahnen ließ.

«Es hätte ein Unglück geschehen können…», erklärte der Polizeichef, bevor die Tür aufging und den Besuchern den Blick auf sechs gestandene Männer freigab, die sich einen spanischen Film aus den fünfziger Jahren ansahen, in dem sich der Mieter aus dem fünften Stock als Homosexueller ausgibt, um Arbeit zu bekommen. Die Überraschung der Sitzenden, die in der Mehrzahl die Schuhe ausgezogen hatten und von vielen Gläsern umgeben waren, kreuzte sich mit der der Eindringlinge. Auf dem Tisch lag weder ein Buch noch sonst etwas, das nach dem Original eines Textes aussah, welcher einmal ein Buch werden könnte. Derjenige, der anscheinend der Wortführer der Jury war, fragte Álvaro: «Wer ist der Sieger?»

«Wißt ihr denn noch gar nichts?»

«Wovon? Dein Vater sagte, wir würden von außen eingeschlossen. Wo ist denn dein Vater?»

Álvaro wollte antworten, aber Inspektor Ramiro legte sich ins Mittel, nachdem er einen einverständigen Blick mit seinem obersten Chef gewechselt hatte.

«Señor Lázaro Conesal war also zu keinem Zeitpunkt hier im Raum, um mit Ihnen Informationen auszutauschen? Sie sind Professor Bastenier, wenn ich nicht irre.»

Diejenigen, die noch nicht entdeckt hatten, daß dieser Mann ohne Schuhe, mit geöffnetem Gürtel, gelockerter Krawatte und Wangen, die ein gerechter Anteil der in Kübeln über Tisch und Fußboden verteilten Bollinger-Flaschen gerötet hatte – daß dieser Mann also kein geringerer war als Ricardo Bastenier, der bekannteste Spezialist für Vergleichende Literaturwissenschaft, dessen Gehirn zu neuen Kräften gekommen war, nachdem man es in verschiedenen nordamerikanischen Universitäten an den Rand der Erschöpfung getrieben hatte, murmelten jetzt tonlos seinen Namen und nahmen die gegenüber in die Heimat zurückgekehrten spanischen Gelehrten übliche respektvolle Haltung ein. Geschmeichelt, daß er in einem so anonymem Personenkreis erkannt wurde, gewann Bastenier wieder etwas an Rückgrat.

«Don Lázaro schaute einmal herein und betonte die Notwendigkeit unserer Klausur; dann saßen wir da und warteten umsonst auf sein Wiedererscheinen. Ach, ich habe Ihnen meine werten Kollegen noch gar nicht vorgestellt!»

Damit wies er auf seine Zimmergenossen, als wolle er sie auffordern, dem applaudierenden Publikum zuzuwinken.

«Professor Yves Tyras von der Universität Mainz, Spezialist für die Generation von 1902; Cayetano Sirvent Mira, Direktor des Studienzentrums für strukturelle Linguistik; Leonardo Inchausti, Rektor der Fernuniversität; Floreal Requesens, Verantwortlicher für den Atlas der komparativen Linguistik, den die Königlich Spanische Akademie für Sprachforschung herausgibt; Juan Sánchez Martialay, Leiter der Literaturkurse der Universität Menéndez y Pelayo; meine Wenigkeit vervollständigt das Sextett der Basis-Jury, und Lázaro Conesal hatte sich das Recht auf das letzte Wort vorbehalten.»

Soviel Bildung und so viele Universitäten waren in diesem Sanhedrin in Socken versammelt und von einer der besten Champagnermarken angeheitert, daß die Eindringlinge trotz ihres hohen Ranges eingeschüchtert und zum Rückzug bereit schienen, bis die Kulturministerin die Initiative ergriff, alle Wissenschaftler begrüßte und auf die Wangen küßte, was diese vollends zum Erglühen brachte, während die Dame zwischen ihnen umherflatterte wie ein Schmetterling von überschäumender Farbenpracht.

«Wir kennen uns ja bereits, Frau Ministerin!» stellte derjenige erfreut fest, der als Leiter der literarischen Sommerkurse der Universität Menéndez y Pelayo vorgestellt worden war.

«Ja, wir unterhielten uns über Blasco Ibáñez und den Reis mit Kruste nach der Art von Elche oder Elx, wie Sie es nennen.»

Der Vorsitzende der Jury wurde noch steifer und wirkte sehr unangenehm berührt, während er versuchte, seine Schuhe anzuziehen und das würdige Äußere des Vorsitzenden einer Jury wiederherzustellen, die den höchstdotierten Literaturpreis der Welt verlieh. Er begleitete diese Gesten mit Blicken zu Conesal junior, als wolle er diesem etwas mitteilen, was er schließlich auch tat, indem er ihn beiseite nahm.

«Diese Lächerlichkeit! Ich wußte gleich, daß es nicht klappen würde. Wie steht denn die Jury einer Preisverleihung da, bei der nicht einmal ich, der Vorsitzende, darüber im Bilde ist, wer den Preis bekommt? Wo steckt denn Ihr Vater?»

Álvaro antwortete nicht. Er ging zum Polizeipräsidenten und bat ihn um Erlaubnis, der Jury die Nachricht mitzuteilen. Der zu Rate gezogene Inspektor Ramiro entgegnete kopfschüttelnd und mit ernstem Tadel, daß man so den Überraschungsfaktor verscherze. «Welchen Überraschungsfaktor meinen Sie?» fragte ihn sein oberster Chef und führte ihm den Anblick vor Augen, den die von Bollinger und der Verdauung einer Boa Constrictor übermannte Jury bot. Álvaro erhielt seine Erlaubnis und wandte sich an die Versammelten:

«Meine Herren, ich muß Ihnen eine schlechte Nachricht überbringen.»

«Nicht vergeben!» schleuderte ihm Requesens entgegen, der Herausgeber des linguistischen Atlas. «Ich hab's doch geahnt.»

«Wem wollen Sie nicht vergeben?» fragte mißtrauisch Inspektor Ramiro.

«Ich meine den Preis. Er wird nicht vergeben. Das Ganze war bloß ein Werbegag, ich hab's doch geahnt. Die Bedingungen waren derart sybillinisch formuliert, daß der Preis gar nicht vergeben werden mußte, und jetzt stehen wir von der Jury in Unterhosen da! Das hast du uns eingebrockt, Bastenier, du hast uns schließlich die Scheiße schmackhaft gemacht!»

«Werde bitte nicht vulgär, Requesens!»

«Ich rede, wie es mir paßt! Du gehst mir allmählich ziemlich auf die Eier mit deinem Getue von repatriiertem Gelehrten, es gibt ja keinen Prüfungsausschuß mehr, in dem du nicht meine Assistenten in die Pfanne haust, und Leute, die ihre Arbeit bei mir oder mit meiner besonderen Sichtweise der Literatur geschrieben haben. Jetzt hast du mich auch noch in dieses blamable Abenteuer hineingezogen, für ein paar lächerliche Kröten ...»

«Red keinen Quatsch, Requesens!» tadelte ihn Ricardo Bastenier scharf, ohne ihm die Möglichkeit zu einer Replik zu lassen, und forderte Álvaro Conesal auf, mit seiner Mitteilung fortzufahren.

«Mein Vater ist ermordet worden.»

Die sechs Jurymitglieder, schlagartig das Aussehen schutzloser Witwen annehmend, überboten sich in rhetorischer Wißbegier.

«Wie ist das geschehen?»

«Sind Sie ganz sicher?»

«Doch nicht ein Darmverschluß?»

«Unglaublich!»

Ramiro trumpfte entschlossen auf:

«Ich ersuche Sie, diesen Raum nicht zu verlassen und die unumgängliche Vernehmung zu erwarten! Bitte haben Sie Verständnis für diese Unannehmlichkeiten.»

Sie verließen den Raum wieder als Gruppe, aber Leguina stoppte sie mitten auf dem Flur.

«Ich glaube, wir geben ein lächerliches Bild ab. Wir sollten nicht weiterhin im Pulk auftreten, das wirkt ja wie bei der Visite im Krankenhaus, der Professor vorneweg, und die Studenten schreiben mit.»

«Mich erinnert es auch an irgendwelche Einweihungen, nur der König oder die Königin fehlen», sekundierte die Ministerin.

«Ich erlaube mir, einen Operationsplan vorzuschlagen», erlaubte sich Ramiro zu sagen, und alle verstummten. «Das Einsatzkommando wird im Personal- und Videoüberwachungsraum zentralisiert; dann könnten sich die Vertreter der Staatsgewalt in den Saal begeben und die Gäste beruhigen, während wir einen Plan erarbeiten, wer von den Gästen zum Verhör herangezogen werden muß und in welcher Reihenfolge.»

«Verhör ist ein sehr hartes Wort.»

«Ermittlungsgespräch», verbesserte Leguina und fügte hinzu: «So werde ich es im Saal bekanntgeben. Halten Sie uns ständig auf dem laufenden, sowohl die Frau Ministerin als auch mich!»

Die hohen Herrschaften verließen den Raum, gefolgt von ihren Eskorten, und Carvalho erwartete Álvaros Anweisungen. Da sie nicht kamen, baute er sich vor der Gruppe auf, die aus dem Polizeipräsidenten, Inspektor Ramiro, dem Personalchef und Álvaro bestand.

«Welcher Gruppe soll ich mich anschließen?»

Abgesehen von Conesal und dem Polizeichef, nahmen die anderen erst jetzt Notiz von Carvalhos Anwesenheit.

«Wer ist denn das?»

«Der Privatdetektiv, Pepe Carvalho. Er wurde von meinem Vater für eine besondere Aufgabe im Zusammenhang mit dem heutigen Galadiner engagiert. Er muß aus zwingenden Gründen zum Untersuchungsteam gehören, denn er ist im Besitz von Informationen, die vermutlich von Interesse sind.»

«Kannte Ihr Vater die Grenzen, die Privatdetektiven bei ihren Nachforschungen gesetzt sind?»

Álvaro hob die Schultern und antwortete Ramiro: «Fragen Sie ihn doch selbst!»

«Wir haben überhaupt nichts gegen die Zusammenarbeit mit einem Privatdetektiv», entschied der Polizeichef. «Aber wir müssen ihm eine klar eingegrenzte Funktion zuweisen.»

«Nichts da! Ich habe die Genehmigung, mich überall dort zu bewegen, wo ich es für angebracht halte, und im Augenblick bin ich unterwegs zum Speisesaal, um nachzusehen, was dort geschieht.»

«Ich schließe mich an. Danach treffen wir uns im Personal- und Videoüberwachungsraum.»

«Personal- und Videoüberwachungsraum! Ramiro, dieser Name ist länger als ein Tag ohne Fernsehen. Belassen wir's bei Personalraum, der Abend bietet auch so schon Superlative genug.»

«Jawohl.»

Carvalho und Ramiro teilten sich den Aufzug abwärts und musterten sich aus den Augenwinkeln. Carvalho hielt Ramiro für das Produkt einer Akademie, vielleicht war er Magister der Kriminologie irgendeiner ausländischen, aber nicht allzu fernen Universität, und Ramiro betrachtete Carvalho als windigen Schnüffler, dem er allerdings ein gewisses Verdienst einräumte, schließlich war er von Lázaro Conesal engagiert worden, der stets nur das Beste von Besten einkaufte. Der Aufzug, der den Präsidenten der *Comunidad Autónoma*, die Ministerin und ihr Gefolge nach unten brachte, hatte zehn Stockwerke Vorsprung, aber danach war es leicht, die anderen einzuholen, als sie den geschlossenen Saal betraten, wo Tabakschwaden, Empörung und alkoholisiertes Stimmengewirr für eine enervierende Atmosphäre sorgten, die Leguina mit Vergnügen einsog, als betrete er den romaneschreibenden Politiker ein Reich der Fiktion. Es fehlte nicht an Fragen, während er vorbeiging, manche versuchten sogar, ihn am Jackettärmel festzuhalten, aber er schritt unbeeindruckt weiter zur Tribüne, wo diesmal das Mikrofon tatsächlich funktionierte und eine verständliche Mitteilung ermöglichte.

«Meine Damen und Herren, ich darf Ihnen mitteilen, daß die Situation unter Kontrolle ist, und wir hoffen, daß sich die Unannehmlichkeiten für Sie alle auf ein Mindestmaß beschränken lassen. Lázaro Conesal, unser Gastgeber, wurde allem Anschein nach ermordet, und es ist unumgänglich, daß jeder von uns jetzt an seinem Platz steht, sowohl im moralischen und ethischen Sinne – da stehen, wo wir stehen sollen – als auch im physischen Sinne. Das heißt also, bitte bleiben Sie an Ihren Tischen, und versuchen Sie nicht, den Saal zu verlassen, bis die Polizei die notwendigen Ermittlungsgespräche durchgeführt hat. Um die aus den Gästelisten entnommenen Informationen zu vervollständigen, bitten wir Sie, Ihre Namen, Adressen, Personalausweisnummern, Telefonnummern sowie die Orte zu notieren, wo Sie in den kommenden Tagen und Wochen ohne Schwierigkeiten erreichbar sind.»

«Das Leben imitiert die Literatur, liebe Marga. Es ist doch erstaunlich, wie sich nach allem, was wir über den Kriminalroman gesagt haben, herausstellt, daß wir selbst einen Kriminalroman erleben!»

«Ehrlich gesagt, ich erlebe dieses Genre lieber, als daß ich es lese, und mache mir auf der Grundlage dieser noch nie dagewesenen Problemstellung meine Gedanken. Zum Beispiel: Lázaro Conesal wurde ermordet, weil er mit der Veröffentlichung eines Dossiers drohte, das die höchsten Instanzen der Nation betraf. Wir wissen ja, wie er Dossiers einsetzte. Er wurde ermordet. Wer war es?»

«Die höchsten Instanzen der Nation.»

«Natürlich. Das ist es, was der passive Dutzendleser verlangt, der erwartet, daß sich die altbekannte Formel wiederholt, das Rezept des Genres. Aber hier kommt das einzige Sicherheitsventil der rhetorischen Sklaverei der Genreliteratur zum Zug. Ihr einziges Alibi, wenn sie dem Literarischen nahekommen – nur nahekommen – will.»

«Dem Li-te-ra-ri-schen. Warum sprichst du das in Einzelsilben?»

«Um die Bedeutung des Begriffes hervorzuheben. Wenn der Leser einen vorgefertigten Kodex erwartet, muß man ihn an der Nase herumführen, so daß beispielsweise der Kriminalroman aufhört, Kriminalroman zu sein. Ein Mittel, um dies zu erreichen, ist, daß der Mörder weder eine erwartete noch eine unerwartete Person ist, denn daß der Mörder sich als derjenige entpuppt, von dem man es am wenigsten erwartet hat, ist genauso abgedroschen.»

«Wer soll es denn dann sein?»

«Niemand. Der vollkommene Kriminalroman ist jener, in dem es keinen Mord gibt und daher auch keinen Mörder.»

«Nenn mir ein Beispiel!»

«Mir fällt keines ein. Es ist eine Laborhypothese. Aber beim Formulieren finde ich sie verführerisch, ich spüre etwas, das mir sagt: Das ist der Weg und nicht die Instrumentalisierung des Genres, um den Kriminalroman zum Werkzeug sozialer und oder psychologischer Erkenntnis zu machen, wie es Sánchez Bolín oder Patricia Highsmith anstreben. Ich finde Patricia scheußlich. Es tut mir leid, daß sie gestorben ist und das alles, aber man muß zugeben, daß sie lediglich stammelnde und zuweilen sabbernde Annäherungen an die psychiatrische Literatur geschrieben hat.»

«Nach deinem Schema wurde Lázaro Conesal nicht ermordet, denn es hat keinen Mord gegeben.»

«Wahrscheinlich.»

«Wir werden also erfahren, wer den Preis gewonnen hat?»

«Nein. Das nicht. Das hieße die Situation trivialisieren. Sie ausdünnen bis zum Nichts, sogar bis jenseits aller Transparenz.»

Sagalés und seine Frau waren an ihrem Tisch allein geblieben. Die anderen hatten die verschiedensten Vorwände gefunden, um sich zu entfernen. Sie sahen einander nicht an und tranken schweigend und zum Schweigen gebracht, bis der Schriftsteller eher ausspie als sagte: «Du hast deine Worte nicht unter Kontrolle. Für dich ist es ein Sport, das Erstbeste, was dir einfällt, in der Öffentlichkeit zu verkünden, egal, wer da sitzt, aber deine Nummer stinkt: die distanzierte Frau des distanzierten Schriftstellers. Alles hat seine Grenze.»

«Du gehörst nicht einmal dir selbst.»

«Und?»

«Aber zu Lázaro hast du mich geschickt, damit ich mit ihm spreche. Du wußtest genau, was du wolltest, und dir war völlig gleichgültig, was zwischen uns geschehen würde oder hätte geschehen können.»

Sagalés vergewisserte sich nervös, ob jemand ihr Gespräch belauschte. Da stand Manzaneque, in fünf Metern Entfernung, scheinbar ohne sie zu beachten, aber das eine Ohr auf das Gespräch des Ehepaars gerichtet, das andere auf das Geplapper der Señora Puig, die ihm die Reize Cuencas und seiner wundervollen Küche pries, unter denen sich der *morteruelo* besonders auszeichnete.

«Der *morteruelo*, jawohl. Meine Großmutter machte unvergeßliche *morteruelos*.»

«*Mortaduelo* oder *morteruelo*, das ist dasselbe. Es ist köstlich.»

Señor Puig war es gelungen, Hormazábal beiseite zu nehmen; sie ergingen sich in düsteren Äußerungen über die Zukunft dieses mißlungenen Abends und der spanischen Wirtschaft. Man müsse der sozialistischen Regierung, die von den Stimmen der katalanischen Nationalisten abhängig sei, so schnell wie möglich das Vertrauen entziehen. Señor Puig habe den katalanischen Präsidenten Pujol ein ums andere Mal bestürmt: ‹Es lohnt nicht, eine Regierung zu unterstützen, die in den letzten Zügen liegt, *president*!› Aber Präsident Pujol sei sehr eigen und mißtraue den Jungs vom *Partido Popular*. Die Rechte habe noch nie, noch gar nie, das pluralistische System Spaniens und die Berechtigung der Sonderrolle Kataloniens anerkannt. Der erfolgreichste Buchvertreter der westlichen Hemisphäre Spaniens suchte nach einem Kellner, der ihm Karmelitergeist und ein Stück Würfelzucker bringen konnte.

«Meiner Frau ist etwas übel, sie ist zur Toilette gegangen.»

Sagalés sagte ihm, ein Kalamaresfischer von Tisch vier habe ein herzstärkendes Getränk bei sich, und an ihn wandte sich der Vertreter, auch wenn ihm Sagazarraz, als er vor ihm stand, gar nicht nach Kalamaresfischer aussah, so daß er beschloß zu fragen.

«Haben Sie etwas mit dem Fang von Kalamares zu tun?»

«Sieht man mir das an?»

«Wie ich hörte, haben Sie ein herzstärkendes Getränk bei sich. Meiner Frau ist schlecht von den ganzen Ereignissen.»

«Es gehört Ihnen!»

Großzügig bot er ihm den beim ersten Anlaß verschmähten Flachmann mit Whisky an.

«Die Flasche ist ja aus echtem Silber.»

«Der Inhalt aber nicht.»

Wie zum Beweis nahm er einen langen Zug, bis sie leer war, erregte sich aber nicht über das vorschnelle Ende, sondern füllte den

Flachmann aus einer Flasche *Cutty Sark* nach, die der Kellner für ein Trinkgeld zu seinem Platz gebracht hatte.

«Ihre Gattin hätte ein besseres Stärkungsgetränk verdient, aber der *Cutty Sark* kann ihr aus der Not helfen.»

«Das ist doch Whisky!»

«Nicht ganz so gesund wie der Trank der Mönche, aber *Cutty Sark* wird in den besten schottischen Klöstern empfohlen. Sagen Sie Ihrer Gemahlin, sie möge auf den Tod von Conesal trinken! Jedem Schwein schlägt sein Sankt-Martins-Tag!»

Der Vertreter zog mit seinem Stärkungsmittel ab, und Sagazarraz heftete den Blick auf das Gesicht von Beba Leclercq, die geweint hatte, so daß ihre Tränensäcke wie von einem zu schweren Gewicht befreit wirkten, während ihr Mann aussah, als wolle er gleich auf sie losgehen.

«Kannst du mir nicht einmal an einem solchen Abend mit etwas Scham und Respekt begegnen?»

Pomares & Ferguson sprach zu seiner Frau aus einer Entfernung von zwei Metern in der Haltung eines Toreros, der den Stier angreift. Der Duque de Alba beobachtete von Ferne die Pose des jerezanischen Großgrundbesitzers und dachte über die menschliche Körpersprache nach, überwältigt von einer zyklothymischen Melancholie, die ihn jede Nacht pünktlich um zwei Uhr morgens befiel. Er suhlte sich darin und hoffte, auf diese Art lästige Störenfriede fernzuhalten, die brillante Sätze zur Einschätzung der Lage erwarteten.

«Wenn Sie Buñuels *Würgeengel* kennen, werden Sie keine treffendere Analyse finden.»

oder

«Jenseits der Literatur bleibt nur noch, die Handlung zum Leben zu erwecken.»

oder vielleicht

«Sei nicht so indiskret und überlasse mich meiner Betroffenheit.»

Den ersten Satz hatte er einem katalanischen Ehepaar gewidmet, deren Familienname ihn an Konservendosen erinnert hatte, den zweiten Mona d'Ormesson, deren Pedanterie mit der Nachtkühle zugenommen hatte, und den dritten Mudarra Daoiz, der hinter dem Mord obskure politische Machenschaften witterte.

«Vergiß nicht, lieber Duque, daß Conesal derjenige war, der sich von allen Finanziers am entschiedensten gegen den Pakt zwischen den katalanischen Nationalisten und den Sozialisten aussprach. Er war der Vertreter eines spanischen, modernen Geldes und gegen das mit dem Ausland sympathisierende Geld der Randprovinzen, der Katalanen.»

Alba lenkte jetzt den Blick zu dem Tisch, wo sich der erboste Wortwechsel zwischen Sagalés und Laura hinzog. Die Frau sprach jetzt mit Nachdruck, während die älteste der jungen Hoffnungen der spanischen Literatur einen Blick durch den müde gewordenen Saal schweifen ließ, unter dem die gewollt kindlichen Zeichnungen minutenlang alterten, bis sie ein objektives Korrelat zu Zeichnungen verrückter und selbstmörderischer Kinder bildeten. Das Bild der verrückten und selbstmörderischen Kinder hielt Sagalés' Neuronen besetzt, während seine Frau sagte:

«...und die verrückten und selbstmörderischen Kinder begannen die Umrisse ihrer toten Mütter an die Wände zu zeichnen, und Brezeln aus Brioche oder Scheiße, die das Aroma von Anis oder den Gestank blutiger fäkaler Ablagerungen in der Form langen Haares verströmten, während der Choreograph ihnen den Weg zum Abgrund wies und ihnen riet, sich diesem auf Zehenspitzen zu nähern, um nicht die Götter des Mitleids zu wecken...»

«Mein Leben lang habe ich in deinem Schatten gestanden. Weißt du noch, wie du mir die Möse lecken wolltest und scherzhaft sagtest: ‹Ich werde über deine Orangenhaine herfallen!› Nichts anderes hast du getan. Im Lauf deiner Karriere als Nobelpreisträger ohne Leser sind meine Orangenhaine und meine Jugend zu nichts geworden, du Schwein, junge Hoffnung auf gar nichts, ich bin nicht mehr jung, habe keine Hoffnung und gar nichts, bin bloß eine Betrunkene, die über die Witze eines unfähigen verkrachten Genies lacht.»

«...doch die Kinder, von Überlebenswillen getrieben, versuchten, sich an die Zeichnungen von Bäumen zu klammern, um den Sturz in den Abgrund zu verzögern, die Merkwürdigkeit der Farben als Alibi nutzend, Bäume, grün, blau, gelb, rosa, fuchsienrot, Prachtschlangen mit opaken gläsernen Augen...»

«Mein Leben lang quälst du mich wie ein Sadist wegen meiner Affäre mit Lázaro, und du hast nicht aufgehört, mich sadistisch zu quälen, bis ich zu ihm hinging, um ihn zu bitten...»

«Wirst du endlich schweigen! Wirst du endlich sterben! Von mir aus kannst du zerplatzen!»

Er stieß seiner Frau das Tisch-Spiegelei vor den Bauch und nutzte die gewonnene Distanz, um sich zu erheben, zu Manzaneque zu gehen und sich seiner mittels eines über die Schultern gelegten Armes zu bemächtigen.

«Auch wenn man es nicht vermuten würde, mein lieber Dichter, Prinz von Cuenca, ich lese die Jungen, so sehr ich es auch liebe, mit ihrer unbefleckten Unschuld mein Spiel zu treiben. Wie findest du das, was hier und jetzt mit uns geschieht? Das wäre in dreißig Jahren ein hervorragender literarischer Stoff. Du wirst leben, um darüber zu schreiben!»

«In Erinnerungen schwelgen ist meine Sache nicht.»

«Weil du immer noch begehrst! Später wirst du Jahre der dialektischen Spannung zwischen Erinnern und Begehren erleben, und schließlich und endlich wird dir nur das Erinnern bleiben. Dann ist es an der Zeit, einen Roman darüber zu schreiben, was hier und jetzt geschieht.»

«Möglich. Was mich aber mehr als jede Handlung interessiert, sind die Strategien.»

«Laß hören, laß hören!»

«Die Erzählstrategien, besser gesagt, die Originalität der Erzählstrategie, denn alles ist schon einmal gesagt worden, aber auf dem Gebiet der Erzählstrategie gibt es noch eine Menge zu tun. Kannst du mir folgen?»

«Ich folge dir, Meister.»

«Mach dich nicht lustig!»

Sagalés' Reaktion kam zu spät. Manzaneque hatte bereits den Kopf auf seine Brust gelegt und rieb die linke Stirnseite an der Krawatte aus Naturseide, die wie eine Kompaßnadel im Magnetfeld der Absichten des besten schwulen Romanciers aus Cuenca schwankte.

«Es ist nicht auszuhalten, daß du dich von deiner Frau so beschimpfen läßt.»

«Das gehört zum ehelichen Gleichgewicht. Heute beschimpft sie mich, morgen ich sie. Der unvermeidliche Krieg der Geschlechter, der, wie jeder Krieg, an den Rand des Abgrunds führt, und dann ist der Moment gekommen, Verhandlungen zu führen.»

Er zog den Arm zurück, den er über Manzaneque gelegt hatte,

und nötigte diesen mit der Schulter, den Kopf von seiner Brust zu nehmen. Melancholisch, doch erregt, murmelte der junge Mann, so daß nur Sagalés ihn hören konnte:

«Die Weiber sind allesamt furzende Hausdrachen.»

Der Duque de Alba stand vor ihnen; Manzaneque fiel es schwer, sich zusammenzunehmen, nicht aber Sagalés, der seine schönste Braue hob, um auszurufen:

«Der Duque de Alba, wie ich annehme…»

Der Duque hob die erstbeste Braue, die sich gerade anbot, und tat, als kenne er ihn nicht.

«Habe ich das Vergnügen?»

Andrés Manzaneque mischte sich in das Gespräch ein. «Natürlich kennen Sie ihn, das ist Sagalés, der Autor von *Lucernario en Lucerna*, einem der vielversprechendsten Romane des Jahrzehnts.»

«Des gegenwärtigen Jahrzehnts? Ich glaube, ich erinnere mich sogar, ihn gelesen zu haben. Die Handlung spielt natürlich nicht in Luzern.»

«Wie sind Sie darauf gekommen?»

Es war Sagalés, gequält-interessiert.

«Wenn man ein Wortspiel mit *Lucernasio* und *Lucerna* bemüht, geschieht in diesem Roman im Prinzip nichts und an keinem Ort. Ich glaube mich zu erinnern, daß er mit der Betrachtung eines Fußes im Licht der Laterne einer wahrscheinlich türkischen Stadt beginnt, hieß sie nicht Burma?»

«Genau.»

«Dieser Fuß im Licht der Laterne zwingt den Protagonisten, mit dem Sinn der Worte zu jonglieren und sich vorzustellen, er sei in Luzern.»

«Das ist richtig.»

«Aber in Luzern zu sein oder nicht zu sein ist das, worauf es am wenigsten ankommt. Darauf läuft das Ganze hinaus. Sehr schön geschrieben. Endgültig: ja, ich habe ihn gelesen.»

Die Gequältheit von Sagalés hatte sich in Erleichterung und Dankbarkeit aufgelöst. «Ich stehe nicht in Ihrer Schuld, denn ich habe alles gelesen, was Sie veröffentlicht haben, und Ihre von Mal zu Mal distanzierteren Beiträge in *El País* sind ein Genuß.»

«Sie müssen der einzige sein, der ihre Lektüre genießt. Wir sprechen uns noch, Sagalés, und…»

«Ich bin Andrés Manzaneque, Schriftsteller aus Cuenca.»

«Ein glücklicher Umstand.»

Jesús Aguirre setzte sein herzogliches Schreiten fort, umschiffte aber rechtzeitig den Tisch, an dem Ariel Remesal und Fernández Tutor über verlegerische und literarische Belange zu sprechen schienen.

«Hast du diesen Knaben aus Cuenca gesehen? Schon hat er sich an einen etablierten Schriftsteller und den Duque angehängt. Bei jedem Schriftsteller gibt es am Anfang ein Stadium des Larven-, des Parasitendaseins im Schatten der bereits Etablierten, das mit einem Gefühl von Faszination und biologischer Überlegenheit einhergeht, die später in genetischen Haß umschlägt. Die Literatur. Was heute nacht geschehen ist, kann eine Katastrophe bedeuten. Der Tod Conesals läßt mich mit dem Arsch im Regen stehen.»

Ariel Remesal ermutigte mit dem Flattern seiner Wimpern die vertrauliche Mitteilung, die der Bibliophile loswerden mußte.

«Wir hatten das ehrgeizige Projekt begonnen, tausend Erstausgaben bedeutender Werke zusammenzustellen, die Lázaro anläßlich der Gründung seiner Stiftung in Salamanca ausstellen wollte. Ich habe die letzten zwei Jahre daran gearbeitet und die Hälfte meiner Aufgabe erledigt.»

«Die Familie wird das Projekt weiterführen.»

«Es gibt nicht einmal einen Vertrag, und ich traue Alvarito nicht über den Weg. Hinter dem scheinbaren Gehorsam gegenüber seinem Vater steckt ein Ödipus, der große Zuneigung zu seiner Mutter empfindet und sie als Opfer des despotischen Vaters betrachtet. Im übrigen war Lázaro sehr großzügig. Es bereitete ihm außerordentliches Vergnügen, sich vor der Bande von Emporkömmlingen des neuen Finanzkapitals mit seinen erlesenen Vorlieben zu brüsten. Mit diesen Garantien konnte ich das Beste vom Besten einkaufen. Jedes Einbinden kostet ein Vermögen, und es gibt niemanden mehr, der so verrückt nach diesen Dingen ist. Ich bin drauf und dran, das Handtuch zu werfen. Nichts lohnt die Mühe. Scheißschicksal!»

Der Bibliophile brach in Schluchzen aus. Ariel Remesal war peinlich berührt.

«Beruhige dich, Mann, noch ist nicht alles verloren!»

«Dies ist ganz eindeutig ein Land von Totengräbern. Schau mal, wie der Typ dort, der Bibliophile, verzweifelt weint, und ich bin überzeugt, daß er zu Lebzeiten über den Verstorbenen gelästert hat. In Spanien macht erst der Tod die Menschen gut.»

«Das ist doch das Thema deines hübschen Romans, *Manchmal, des Morgens*. Der hat mir von allen deinen Romanen am besten gefallen.»

Die beste schreibende Hausfrau nahm das Kompliment ihres Mannes nicht mit voller Billigung entgegen.

«Ich verstehe den Grund dieser Bevorzugung nicht.»

«Ich weiß, daß du nicht gerne unter deinen eigenen Romanen Noten verteilst.»

«Das ist, als würde ich von unseren Kindern sagen, ich finde, Dolly sei uns am besten geglückt, was bedeuten würde, daß uns Alberto und Chon schlecht oder weniger gut gelungen sind.»

«Kinder und Romane sind ganz verschiedene Dinge.»

«Mir tut es jedenfalls weh, wenn du einen meiner Romane den anderen vorziehst. Ich habe sie mit derselben Disziplin geschrieben, mit derselben Liebe, mit meiner ganzen *alma*, meiner Seele.»

«Ich weiß, Alma, mein Herz, ich weiß. Du schreibst alles mit ganzer *alma*. Aber ich kann doch eine Vorliebe haben.»

«*Alma*? Herz? Was soll das werden? Ein Bolero? Ich verbitte mir Wortspiele mit meinem Namen! Das ist Machismo, Sexismus, und sag nie wieder, eines meiner Werke sei besser als die andern! Das ist genau so, als würde ich die ganzen Brücken, die du gebaut hast, der Reihe nach ansehen und dann zu dir sagen, schau mal, diese Brücke hier ist ganz gut, aber der Rest, na ja.»

«Aber, mein Leben, eine Brücke ist ein materielles Werk, dessen gute oder schlechte Qualitäten objektivierbar sind, ein Ding eben. Kunstwerke dagegen, und das sind deine Romane, lassen eine subjektive Bewertung zu. Was soll ich sagen, ich finde *Manchmal, des Morgens* einfach super, und mit *Kalk und Stein*, also, damit hab ich Mühe, ich habe Mühe damit, weil ich die Situation unwahrscheinlich finde.»

«Was ist an der Situation in *Kalk und Stein* unwahrscheinlich?»

«Ich habe noch nie erlebt, daß drei Witwen, nachdem sie den Mann der einen beerdigt haben, ihre Lebensgeschichten erzählen und dabei herauskommt, daß der Mann, den sie betrauern, alle drei entscheidend geprägt hat.»

«Also du hast doch weniger Phantasie als ein Esel, und außerdem warst du noch niemals Witwe.»

«Sei nicht böse!»

«Der Moment ist gekommen, daß ein Nobelpreisträger der Literatur sich seinen Weg bahnt», rief plötzlich der Nobelpreisträger aus, alle Doppelkinne hochgereckt. Seine schlanke, erhabene Gestalt erhob sich mit der Last des überdimensionierten Bauches und ging zum Tisch der politischen Prominenz gefolgt von Mudarra Daoiz, der ihn noch überbot: «Eingeladen wurden wir als Akademiemitglieder, behandelt werden wir wie Verbrecher!»

Der Marsch des Nobelpreisträgers zum Platz der Ministerin und des Präsidenten der *Comunidad Autónoma* erzeugte eine gewisse gespannte Erwartung, und auch Hormazábal bewegte sich auf das Epizentrum der Begegnung zu, wo bereits die kurze, aber scharfe Invektive des Nobelpreisträgers begann.

«Señora Ministerin, Señor Leguina. Ich gehe jetzt!»

«Ich verstehe Ihre Gereiztheit. Wenn ich könnte, würde ich auch gehen. Literaturpreise sind überflüssig, und wenn sie dann auch noch ins Wasser fallen, sind sie so überflüssig wie die Politik.»

«Ich bitte Sie weder meine Gereiztheit noch sonst etwas zu verstehen. Mein hochverehrtester Leguina, ich teile Ihnen nichts weiter mit, als daß ich jetzt gehe.»

Er machte eine halbe Wendung und steuerte auf die Tür zu. Mudarra Daoiz rannte zu dem Tisch, wo seine Frau wartete, und forderte sie auf, ihre Tasche zu nehmen und ihm zu folgen.

«Wir gehen. Wenn ein Akademiemitglied geht, dürfen die anderen nicht zurückstehen.»

Sánchez Bolín hatte bei einem Kellner einen Imbiß bestellt, um die Stunden und den Leib zu beschäftigen, und kam der solidarischen Aufforderung Mudarras nicht nach.

«Kommen Sie mit uns?»

«Nun, ich bin kein Akademiemitglied.»

«Aber Sie sind ein angesehener Mann, und angesehene Männer verdienen es nicht, wie Verbrecher behandelt zu werden.»

«Ich habe soeben kalten Braten, Brot, Tomaten, Öl und Salz bestellt, und ich möchte den Kellner nicht vor den Kopf stoßen.»

«Das mit dem kalten Braten verstehe ich ja, aber das mit Brot, Tomaten, Öl und Salz… Wollen Sie etwa kochen?»

«Ich hatte den Kellner gefragt, ob er mir Tomatenweißbrot machen könne, und er konnte es nicht, weshalb ich die Zutaten bestellte, um es mir selbst zuzubereiten.»

«Jetzt verstehe ich! Es handelt sich um das berühmte *pan de tomate a la catalana*, und ich möchte Sie lediglich daran erinnern, daß der geniale Borges, als man ihm während seines letzten Barcelona-Aufenthaltes erklärte, dies sei das katalanische Nationalgericht, bemerkte: ‹Was für eine Armut!›»

«Wenn ich zwischen Borges und Tomatenweißbrot wählen muß, entscheide ich mich natürlich für Borges. Jedes Ding zu seiner Zeit, Mudarra.»

«Daß ihr Katalanen dauernd euer Dorf auf dem Buckel mit euch herumschleppen müßt! Selbst Sie, der Sie, und da bin ich mir sicher, weder sprachlich noch rassisch Katalane sind. Laß uns gehen, Dulcinea!»

«Hat man dir gesagt, daß wir gehen dürfen?»

«Wenn der Nobel geht, gehe ich auch.»

«Du bleibst schön sitzen und wartest ab, was passiert!»

Der «Nobel» hatte die Tür erreicht, und als er sah, daß ihm Polizisten in Zivil entgegenkamen, zeigte er ihnen ein Abzeichen, das er unter dem Jackenaufschlag trug, und sie machten ihm Platz, aber schließlich siegte der Zweifel an dem Gesehenen über den Eindruck von Macht, den der Flüchtling hervorrief, und sie hielten ihn an.

«Einen Augenblick bitte, Señor! Niemand darf den Saal ohne Erlaubnis der staatlichen Autoritäten verlassen.»

«Auf diese staatliche Autorität berufe ich mich. Ich bin selbst eine staatliche Autorität. Ich bin Mitglied der Akademie für Sprachwissenschaft und Nobelpreisträger der Literatur.»

«Das hatte ich schon vermutet, aber wir haben strengsten Befehl.»

«Strengsten?»

«Allerstrengsten.»

«Dann werde ich in Anbetracht der Bedeutung der Strenge kapitulieren, denn ich möchte kein Faktor der Disziplinlosigkeit sein.»

Würdig ging er den Weg zurück, den er gekommen war, und nahm an seinem Tisch Platz, wo er von Mudarra, Dulcinea und Mona d'Ormesson voller Neugier erwartet wurde.

«Ich wurde gebeten zu bleiben. Es soll morgen keiner behaupten können, der Nobelpreisträger der Literatur sei vom Schauplatz des Verbrechens geflohen, und ich stelle mir bereits vor, welchen großen Nutzen ich aus dem Umstand ziehen kann, eine solche Ansammlung von Feiglingen in der obligatorischen Totenwache für eine unsichtbare Leiche vereint zu finden.»

Mona d'Ormesson brachte neue Nachrichten. Carmen, also die Ministerin, habe ihr von Frau zu Frau anvertraut, daß die Situation unhaltbar sei und bald entschieden werde, wer zum Verhör hierbleiben müsse und wer nach Hause gehen dürfe.

«Also jetzt gehe ich nicht mehr, auch wenn sie mich hinauswerfen!» versicherte der Nobelpreisträger.

«Mein Gott, was ist dieser Mann für ein Narzißt! Ich bleibe, weil ich sehr neugierig bin, und ich tratsche leidenschaftlich gerne. Ich bin die letzte, die geht.»

Der Kellner hatte Sánchez Bolín den Imbiß gebracht, und die Tischgenossen konzentrierten ihre Aufmerksamkeit auf die rituelle Zubereitung des Tomatenweißbrotes. Der Schriftsteller halbierte die Tomaten und rieb jede Hälfte über die Weißbrotschnitten, bis sie mit Fruchtfleisch, Saft und Kernen verschmiert waren. Er wandte eine besondere Technik an, die darin bestand, das Fruchtfleisch mit den Krustenkanten aufzureißen, damit es sich leichter auf der Oberfläche verteilte, und nachdem er die ganze Plattform einheitlich rosa eingefärbt hatte, würzte er mit Salz und ließ einen dünnen Strahl Olivenöl der Länge und Breite nach über das aufnahmebereite Gelände fließen, um schließlich mit den Fingern die Brotschnitten vom Rand her zusammenzudrücken, damit das Olivenöl gut einzog.

«Und das schmeckt?» fragte die Frau des Akademiemitglieds.

«Es ist eine Kuriosität, Dulcinea. Kurios und patriotisch für die Katalanen. Aber Sie als Mischling, mein lieber Sánchez Bolín, und als Autor, den ich in der Mehrzahl der Fälle schätze – wie ist es möglich, daß Sie sich an diesem Symbol der Heimatduselei laben?»

«Mudarra, vor Ihnen liegt das Wunder einer kulturellen Koine, die Manifestation der Begegnung der europäischen Kultur des Weizens mit der amerikanischen der Tomate, der mediterranen des Olivenöls und dem Salz, jenem Salz der Erde, das der christlichen Kultur heilig ist. Tatsächlich kamen die Katalanen erst vor wenig mehr als zwei Jahrhunderten auf die Idee zu diesem nahrhaften Wunder, aber sie waren so von dem Bewußtsein durchdrungen, eine Erfindung gemacht zu haben, daß sie es zu einem Identitätszeichen von gleichem Rang wie Sprache oder Muttermilch erhoben.»

«Was für eine Banalität!»

«Wir *xarnegos*, die Einwanderersöhne, haben dies so sehr als kulturelles Wunder erlebt, daß wir uns das Tomatenweißbrot als Ambrosia angeeignet haben, das uns die Integration ermöglicht.»

«Ich finde Tomatenweißbrot Spitze!» verkündete Mona d'Ormesson mit solcher Überzeugung, daß gleich mehrere Leute zu dem Tisch eilten, wo Sánchez Bolín immer noch seine Brotschnitten einrieb, und die Nachfrage nach Kostproben stieg so ausdauernd, daß Mona als Küchengehilfin einspringen und die Kellner hin- und herrennen und für Nachschub sorgen mußten. Die wundersame Vermehrung von Brot und Tomaten führte zunächst zur Bildung eines Kreises hungriger Gäste und dann zur turnusgemäßen Speisung mit dem Manna, das Mona mit marktschreierischen Rufen verteilte.

«Dort gibt es Tomatenweißbrot!»

«Ich liebe Tomatenweißbrot!» Diesen Ausruf konnte sich die Ministerin nicht verkneifen, und jemand erbot sich, zu gehen und ihr ihren Anteil zu holen.

«Ein winziges Stückchen! Möchtest du nicht, Joaquín? Stell dir vor, die valencianischen Nationalisten sind so barbarisch und hassen die Katalanen so sehr, daß sie es in einigen Restaurants und Bars von Valencia *pan con tomate a la valenciana* nennen! Da, nimm ein Stückchen, Joaquín!»

Leguina war nicht in Stimmung für derlei Mätzchen. Zu seiner Erleichterung kam der Polizeichef als Sprecher der Leute, die im Personalraum ihren Dienst taten, in Begleitung des Hotelarztes, dessen Miene eine der Situation unangemessene Befriedigung ausdrückte.

«Die ersten Beobachtungen weisen darauf hin, daß der Tod durch das Strychnin verursacht wurde, genau wie der Doktor vorgreifend vermutete, und es gibt kein anderes Anzeichen von Gewalt als die Haltung des Toten, die durch die Einwirkung des Giftes hervorgerufen wurde. Keinerlei Spuren eines Kampfes.»

«Auch nicht eines Liebeskampfes?»

Carvalhos Einwurf brachte die an sich schon verwirrten Gesichtszüge des Polizeichefs noch weiter zum Entgleisen und steigerte den Enthusiasmus des Arztes.

«Was soll diese Bemerkung?»

«Auf dem Pyjama des Toten befand sich, mit bloßem Auge sichtbar, ein beträchtlicher Spermafleck, genau in Höhe des Hosenschlitzes.»

Dem Polizeichef mißfiel, daß die Enthüllung in Gegenwart der Ministerin gemacht wurde, aber der Arzt an seiner Seite begann so lautstark zu applaudieren, daß sich gleich mehrere Köpfe nach ihnen umdrehten.

«Bravo! Sie sind ein guter Beobachter. Auf dem Hosenschlitz seines Pyjamas befand sich ein großer Fleck aus Sperma und Vaginalsekret. Señor Conesal hat's heute abend getrieben!»

Carvalho beobachtete die Reaktion von Álvaro. Während die Gesichter der übrigen Abwehr oder Widerwillen erkennen ließen, wirkte seines wie ein Eiswürfel. Dafür war der Polizeichef die peinliche Berührtheit in Person.

«Es ist ein Detail, das uns bekannt ist, aber nicht verbreitet werden darf. Das Problem ist jetzt, eine Liste der Vernehmungskandidaten zu erstellen, ohne daß wir die übrigen bereits gehenlassen können, weil eventuell Querverbindungen bestehen und es nicht leicht sein dürfte, diese fünfhundert Menschen morgen wieder zusammen zu trommeln.»

Álvaro war hinter den Polizeichef getreten und richtete mit den Augen die stumme Bitte an Carvalho, einzugreifen. Der Detektiv zog zwei gefaltete Blätter aus der Tasche, entfaltete sie und musterte die Liste kritisch, die in einer Schrift gehalten war, der man die schulische Ausbildung in der Kalligraphie der dünnen Auf- und dicken Abstriche ansah.

«Die elementare Logik besagt, daß von den hier eingeschlossenen Leuten nur diejenigen in den Mord verwickelt sein können, die den Saal lange genug verlassen haben, um ihn ausführen zu können.»

«Hätte ihn nicht jemand von draußen umbringen können?»

«Klar. Aber Ihr Problem besteht darin, eine Auswahl aus den hier anwesenden Personen zu treffen. Zu diesem Zweck halten Sie sie doch fest. Anwesend, aber doch draußen waren die Mitglieder der nutzlosen Jury in einem Raum, den Conesal selbst von außen abgeschlossen hatte, und alle, die sich heute in Madrid befanden.»

«Wer hat die Personen erfaßt, die den Saal verlassen haben?»

Carvalho hob den Finger und richtete ihn dann auf die beiden entfalteten Papierblätter mit der Liste. Der Polizeichef brach in Gelächter aus.

«Sie scheinen noch nicht bemerkt zu haben, daß wir uns in der Neuzeit befinden und über ein System von Videokameras verfügen, die alles, was sich im Hotel bewegte, erfaßt haben müssen. Wir brauchen doch nur die Filmaufzeichnungen anzusehen, um herauszufinden, wer die Suite von Conesal betreten hat.»

Álvaro schaltete sich ohne emotionale Beteiligung ein.

«Als mein Vater die Suite betreten hatte, ordnete er an, das Videosystem abzuschalten. Es sollte nicht aufgezeichnet werden, wer bei ihm ein- und ausging.»

Der Polizeipräsident sah plötzlich einen großen Berg vor sich, weshalb er Schweißtropfen simulierte, die er mit seinen Händen zum Versiegen brachte.

«Wir fangen also wieder bei Null an?»

«Wir fangen mit dieser Liste an.»

Ohne richtig um Erlaubnis zu bitten, nahm der Polizeichef die Blätter aus Carvalhos Hand und las laut vor, was dort stand:

Die Dicke und der Dicke, die geschraubt daherreden
der Toilettenliebhaber
der Toilettenfabrikant
die Frau des Toilettenfabrikanten
die melancholische Betrunkene
der Vertreter für Wörterbücher
der Sohn seines Vaters
Fernández y Fernández
der sensible Jüngling
die Romanautorin mit den Krampfadern
der krampfadrige Ehemann
der Whiskyliebhaber
die Kirchendienerin
Sánchez Bolín
Daoíz y Velarde
der Manager aus Edelstahl
der bewaffnete Gauner
die Dame mit dem gewissen Etwas
der Ehemann ist der letzte, der davon erfährt

Nur Álvaro betrachtete Carvalho mit Respekt. Alle anderen fürchteten, einem Scherz aufgesessen zu sein.

«Was soll dieses rätselhafte Gekritzel? Ich erkenne lediglich Señor Sánchez Bolín, alles anders sind Metaphern, und um diese nächtliche Zeit finde ich Metaphern einfach zum Kotzen!»

«Vergessen sie nicht, daß mir die Namen der hier Anwesenden größtenteils unbekannt sind, außer denen von Sánchez Bolín, dem Akademiemitglied und der politischen Prominenz. Aber ich traue mir zu, jede einzelne der genannten Personen zu identifizieren.»

«Nicht nötig.» Das war Álvaro, und er fuhr zur allgemeinen Überraschung mit der Erklärung fort: «Für mich bergen diese Metaphern keine Geheimnisse. Der ‹Sohn seines Vaters› zum Beispiel bin ich selbst.»

«Heißt hier jemand Carvalho?»

Zwei Männer des hoteleigenen Sicherheitsdienstes beäugten Carvalho mißtrauisch, als er sich zu erkennen gab.

«Wir haben einen Kerl festgenommen, der wie ein Penner oder ein Skinhead aussieht und behauptet, er sei mit Ihnen bekannt.»

«Präzisieren Sie das! Ein Penner ist ein Penner und ein Skinhead ein Skinhead.»

«Er ist angezogen wie ein Landstreicher und faselt ichweißnichtwas von ‹Gott sei uns’rer Seele gnädig› daher. Er ist mit einer Dame gekommen, die sich als seine Mutter ausgibt, aber wir haben beide festgenommen, weil uns der Typ absolut nicht gefällt.»

«Gott sei uns’rer Seele gnädig!»

Álvaro gefiel die Wendung nicht, die die Sache nahm, aber Carvalho folgte den beiden Wachmännern zu einem Getränkeraum hinter der Bar. Dort fand er Carmelas Sohn in Handschellen und Carmela selbst halb weinend, halb den Sicherheitsagenten beschimpfend, der sie bewachte.

«Ist die Kleidung etwa gesetzlich festgelegt? Wieso wird mein Sohn verdächtigt und Sie nimmt keiner fest, obwohl Sie wie ein Mafioso aussehen!»

«Ruhig, Mutter, da kommt dein Macker.»

Die Mutter sah zu, wie Carvalho auf sie zukam, und Mann und Frau musterten sich über einen Wall von fünfzehn Jahren hinweg.

Carvalho erinnerte sich an die Anweisung der Kommunisten, die ihn in Barajas empfangen hatten: «Gehen Sie in das Café hier und gucken Sie nach einem Mädchen, das am Tisch sitzt und *Diario 16* liest. Sie wird Sie begleiten.»

Das Mädchen knabberte ein Stückchen *churro* und trank dazu ein Schlückchen Milchkaffee. Sie hatte hübsche Beine, obwohl sie etwas dünn geraten waren, und unter ihren Ponyfransen begann das Gesicht mit zwei wundervollen Augen, die ebenso anrührend wirkten wie ihre Schlankheit, die an Audrey Hepburn erinnerte und durch das Schwarz und Lila ihrer Kleidung noch betont wurde... Heute waren ihre Beine immer noch hübsch, aber voller in den durchsichtigen schwarzen Strümpfen, und die allzu hohe, freie Stirn zwang einem nicht mehr die Präsenz ihrer Augen auf, die immer noch schön waren, allerdings etwas umschattet von angeschwollenen violetten Augenringen, die ihm aber, vielleicht durch ihren Ursprung oder die Situation bedingt, immer noch rührend erschienen.

«Es sind Freunde von mir», bestätigte Carvalho.

Der Wachmann, der vor Ort geblieben war, öffnete die Handschellen des Jungen und floh vor der zu erwartenden Schimpfkanonade Carmelas, wie auch die beiden anderen Wachmänner enteilten, um sie allein zu lassen. Carvalho und Carmela versuchten durch den Tunnel der Zeit zurückzugehen, aber jeder hatte seinen eigenen, und sie fanden nicht zusammen. Carvalho erwartete ihre Hand, doch die Frau erhob sich in ihren Schuhen mit halbhohen Absätzen auf die Zehenspitzen und küßte ihn auf beide Wangen. Der Jüngling ließ ihnen keine Zeit zu einer konventionellen Begrüßung.

«Ich habe meine Mutter überredet, ins *Venice* zu gehen, um einfach auszuprobieren, ob wir Sie finden. Kaum kommen wir in den Urwald, schon stehen die Zulus da und nehmen uns gefangen. Aber, sagen Sie doch mal: Stimmt es, daß der reiche Sack, der vollgefressene Conesal, das Messer gekriegt hat? Also mir wollten sie das Ding anhängen. Zum Glück hatte ich meinen Drachen dabei, die sieht o. k. aus, sonst hätten die mir eine Abreibung verpaßt und das Ding an den Hals gehängt.»

Sie traten in die Empfangshalle hinaus, und *Gott sei uns'rer Seele gnädig* sagte mit einem Pfiff:

«Scheiß auf die Hostie, das ist geil! Tolle Bude, Alter. Wenn ich meinen Kumpels stecke, daß ich quasi daneben stand, wie der Pomadierte da, die Haare voller Wichse, geschlitzt wurde, und daß mich die Bullen gekascht haben, als wär ich der Messerstecher, dann sammeln die ihren Unterkiefer von der Straße auf!»

Carvalho blickte hilfesuchend Carmela an.

«Er sagt, seinen Kumpels wird der Unterkiefer runterfallen, wenn er ihnen erzählt, daß er sozusagen dabei war, als Lázaro Conesal ermordet wurde, und daß die Polizei ihn für den Mörder hielt.»

«So in etwa, Alte. Du kannst mir einen Whisky ausgeben, los, hier kann man sich ja nicht mal einen Weißen anzünden, bei den ganzen Bullen hier, oder was Grünes oder Braunes reinziehen, oder ein Gerät bauen, außerdem hab ich einen Schädel wie ein Elefant. Aber die Scene ist echt Kino, voll geil, und irgendwann bring ich meine Luder mit und führ sie hier spazieren!»

Carmela schloß resigniert die Augen und setzte die Simultanübersetzung fort.

«*Alte*, das bin ich.»

«Soweit konnte ich folgen. Das mit dem Whisky habe ich auch verstanden.»

«Einen *Schädel* haben heißt ‹verkatert sein›. Ein *Weißer* ist eine Kokainzigarette, und was *Grünes* oder *Braunes*, also, das kannst du dir selbst vorstellen, diese Drogenscheiße, genauso: ein *Gerät bauen*, das heißt ‹einen Joint rollen›. Seine *Luder* ist seine Freundin, ein sehr hübsches Ding, und irgendwann bringt er sie hierher, damit sie sich das Wunder ansehen kann. Hör mal, mein Lebenszweck ist anscheinend, dir Ausdrücke aus der Szenesprache zu übersetzen. Erinnerst du dich an die netten Typen, die die *Aprilthesen* von Lenin ins Argot übersetzten?»

«Das waren ganz andere Zeiten. Wahrscheinlich war auch der April ganz anders als heute.»

Der Rocker setzte seinen Vortrag fort:

«Ein bißchen angekifft bin ich ja schon. Und das Ambiente törnt mich an. Voll abgefahren, Alter, die Palmen da, die ein Vampir ausgesaugt hat, das inspiriert mich total. Ich bin Musiker, obwohl ich keinen blassen Schimmer von Noten habe. Aber musikalische Phantasie, das ja! Ein paar Akkorde, ein Rhythmus, dann Schlagzeug und Baß dazu, und rattazong, das geht ab, Kollege!»

Der schwarze Barkeeper der Cocktailbar war noch schwärzer geworden, eingeschwärzt durch den Schlaf, zu dem er den Kopf auf die auf der Bar aufgestützten Arme gelegt hatte. Er ließ sich herbei, dem Punk einen *cubata* aus Wein und Bier zu servieren, diesem Kerl, der wahrscheinlich ein beschissener Rassist und Niggerhasser war.

«Ich find's abgefahren, daß mir ein Bimbo eine Schale serviert. Bimbos find ich voll in Ordnung. Hör mal, eh! Rassismus is nich bei mir! Ich schlag mich für die Bimbos, sogar für die aus Marokko!»

Obwohl sich Carvalhos und Carmelas Blicke suchten, ließ ihnen der Junge weder Raum noch Zeit, und dazu kam Álvaro mit dem unabweisbaren Wunsch nach Carvalhos Beteiligung an Ramiros Verhören.

«Ich habe mich mit dem Polizeichef geeinigt. Er genehmigt Ihre Anwesenheit bei den Verhören. Ich gab ihm die Liste mit der Auflösung Ihrer Metaphern. Nur um eines bitte ich Sie: Tun Sie alles, was in Ihrer Macht steht, damit ich als letzter aussagen kann!»

Álvaro ging, und Carvalho wußte nicht, wie er Carmela klarmachen sollte, daß noch einiges an Nacht blieb, um die verlorene Zeit wieder einzuholen. Wieder kam *Gott sei uns'rer Seele gnädig* zu Hilfe: «Ganz ruhig, Alter. Ich trinke noch zwei Schalen. Dann dreh ich eine Runde durch den Schuppen und geh pennen. Meine Mutter wartet auf dich. Bei ihr ist heute Tango angesagt, Alter!»

Carmela schloß zustimmend die Augen. Bei ihr war Tango angesagt.

Álvaros Lippen kündigten neben einem von Carvalhos Ohren flüsternd das Schauspiel an: «Mein Vater ist begeistert, wenn er in der Öffentlichkeit Interviews geben kann. Er wächst über sich selbst hinaus.» Die beiden Mädchen überwanden ihre Nervosität, indem sie über die Tücken der Technik stöhnten und tausendundeinmal einen nagelneuen tragbaren Rekorder ausprobierten. Lázaro Conesal bemühte sich nicht im geringsten, ihnen zu helfen, sondern beschränkte sich darauf, seine Krawatte zurechtzurücken, den richtigen Sitz seiner heraldischen Manschettenknöpfe zu kontrollieren und mal den Rekorder, mal die Blonde anzusehen, ihr Gesicht zu mustern wie ein Vopo damals an der DDR-Grenze – Zug um Zug ihrer vollkommenen, jugendlichen Anatomie, die in dem mächtigen blonden Zopf emblematisch zusammengerafft war und zahm über der Schulter lag wie der goldene Tugendvorbehalt einer arischen Göttin, die man mit Moralin aufgezogen hatte. Die Blonde war sich ihrer Attraktivität bewußt, die Brünette ihres Mangels derselben, und um dies zu kompensieren, begann sie das Interview und stellte die Fragen.

«Señor Conesal, die Regierung erklärt, die Wirtschaft sei gesund. Was meinen Sie dazu?»

«Ich erinnere mich nicht, für welche Zeitschrift Sie arbeiten.»

«Es handelt sich nicht um eine Zeitschrift, sondern vielmehr eine Monographie über die Einstellungen der spanischen Finanzmagnaten, die in der *G und W* erscheinen soll.»

«*G und W*? Gammaglobulin und Weiterbildung? Getreideprodukte und Wintersonnwende?»

«*Glaube und Welt*, herausgegeben vom Verlag *Sal Terrae*.»

Conesal musterte die Blonde prüfend und verurteilend zugleich.

«*Sal Terrae*. Das Salz der Erde. Sind Sie Nonnen? Sind Sie etwa eine Nonne?»

Nun bot ihm die Blonde die Stirn.

«Genausogut, wie Sie ein Mönch sind.»

Aber diese Rolle lag ihr nicht, und sie beschloß, die Brünette in ihrer Funktion als sachkundige und gnadenlose Interviewerin abzulösen.

«Man könnte es als Widerspruch betrachten, daß Sie und Ihresgleichen erklären, die Wirtschaft sei gesund und es gehe aufwärts, während es gleichzeitig immer mehr Langzeitarbeitslose und infolgedessen soziales Elend gibt.»

«Wenn die Wirtschaft gesund ist, wen kümmert es dann, daß es den Leuten schlechtgeht?»

Die Mädchen waren auf ethische Aggressionen von solcher Tragweite nicht gefaßt, und Lázaro Conesal erbarmte sich ihrer.

«Kein Unglück dauert hundert Jahre. Vergessen Sie nicht, daß die Sowjetökonomen schließlich auch die Wirtschaft über den Menschen stellten. Die Fünfjahrespläne mußten erfüllt werden, unabhängig davon, ob sie den Menschen Wohlstand brachten oder nicht. Sie gehorchten einer bürokratischen Logik, und wenn beschlossen war, dreißig Billionen Haken und Ösen zu produzieren, dann wurden sie eben produziert. Die Sache funktionierte mehr oder weniger, bis die vom System hervorgebrachte Bourgeoisie und die Menschenrechtspropheten begannen, Zwietracht zu säen und zu behaupten, der Mensch stehe über der Wirtschaft. Die kapitalistische Zielsetzung ist ganz ähnlich, allerdings nicht darauf ausgerichtet, daß die Rechnung der Bürokraten aufgeht, sondern unsere eigene, die Rechnung der Leute, die das System kontrollieren, der aufsteigenden Bürger!»

«Aber Europa rebelliert. Die Arbeitslosigkeit kann zu sozialem Protest und neuen elementaren Revolten führen», entgegnete die Sonnenblumenblonde, während sie die schwarzbestrumpften Beine übereinanderschlug.

«Europa rebelliert, sagen Sie. Von welchem Europa sprechen Sie, wenn Sie es als angeblich rebellierendes kollektives Subjekt bezeichnen? Offensichtlich ist das alles nichts als informativer Schlachteabfall, Medienschrott. Allmählich neigt sich der Alptraum der kapitalistischen Plünderer dem Ende zu: Die europäischen Arbeiter werden das Handtuch werfen, und es wird wieder rentabler sein, in Europa zu produzieren, anstatt in Korea. Wir Investoren streifen wie Staatenlose oder Roulettespieler umher, die ihr Geld auf die vielversprechendsten Zahlen setzen.»

Die Brünette hißte die Generationsflagge.

«Werden wir uns in der ständigen Unsicherheit einrichten müssen? Man nennt uns schon die Generation X, anscheinend sind wir dazu verdammt, mit dieser Unsicherheit zu leben und eine ständige Unbekannte zu sein, die noch zu bestimmen ist. Worauf können wir noch hoffen?»

«Mit euch ist das Alphabet nicht zu Ende. Schlimmer wird es für die Generationen Y und Z. Was die Unsicherheit angeht, so stehe ich voll hinter Galbraith: Jede Ideologie hat sich so sehr mit der anderen vermischt, daß wir schließlich eine Ära der Unsicherheit erleben, im Gegensatz zu den großen Sicherheiten im wirtschaftlichen Denken des neunzehnten Jahrhunderts. Im Grunde teile ich die pessimistische und melancholische Vision der Wirtschaft von Carlyle: Die Ökonomen sind achtbare Professoren einer unheilverkündenden Wissenschaft. Es kommt darauf an, das eigene Individuum zu retten und der am wenigsten Tote auf einem Markt potentieller Leichen zu sein.»

An den beiden nagte derselbe Zweifel:

«Ist das unabänderlich so, sind die Tendenzen der Realität nicht veränderbar?»

«Werkzeuge zur Veränderung der Wirklichkeit sind die Erdbeben, die Privatinitiative, die internationalen Institutionen, der Staat, das Kino und die Literatur. Die spanische Privatinitiative geht in den Bereichen der Wirtschaft, der Politik und der zivilen Gesellschaft drei miserable, ungangbare und lächerliche Wege. Das ist vielleicht der Grund, warum ich mich mehr und mehr der Literatur widme, nicht etwa, weil sie die Realität verändert – sie ersetzt sie durch eine andere, ganz nach der realen Lust und Laune des Autors, und daher die Finanzierung des Conesal-Preises. Denken Sie an Schillers ‹Ode an die Freude›, die Beethoven vertont hat! Wenn du das Glück auf Erden nicht erreichen kannst, suche es in den Sternen. Die Literatur ist das einzige Instrument, das Wirklichkeit neu gestalten kann, ohne sie zu verschlechtern. Ich unterhielt mich einmal mit einem Leiter der spanischen Staatsbank, an dessen Namen ich mich nicht erinnern möchte, und er erläuterte mir die Vorzüge des Wirtschaftsprogramms der Sozialisten. Ich sagte ihm, es könnte glatt als Wirtschaftsprogramm der Neuen Rechten durchgehen, und er gab mir recht. ‹Worin unterscheidet sich dann›, fragte ich ihn, ‹ein Programm der Rechten von einem der Linken?› Er antwortete, die Linke sei für Abtreibung und Hard-Rock-Konzerte, die Rechten nicht. Aber auch das ist vorbei. Die intelligenten Rechten unterstützen, auch wenn sie öffentlich das Gegenteil behaupten, ebenfalls die Abtreibung und Rock-Konzerte. Es ist richtig, die konservative Revolution ist eine redistributive Involution, aber wer sich ihr nicht anschließt, wird von ihr gefressen. Man muß stets auf den Zug der Revolutionen aufspringen, um sie zu überleben. Wer weiß, ob diese Revolution, die eine Konterrevolution ist, nicht die letzte Konterrevolution überhaupt sein wird, und danach kommt der Zeitpunkt für eine Änderung der Dinge. Ich hoffe, daß ich das nicht mehr erlebe, und wenn, dann möchte ich lieber in der richtigen Position sein, um die Dinge selbst zu ändern, als sie von andern ändern zu lassen.»

«Aber das bestätigt die permanente Legitimität der Ungleichheit!»

«Angenommen, es gäbe einen impliziten oder expliziten *contrat social*, dann entbehrt die Ungleichheit der sozialen Legitimität, wird zur Frage der Moral und ist daher leider zu verdammen, genau wie die Unzucht mit Minderjährigen, aber es gibt sie trotz allem, und wofür man sorgen muß, ist, daß sie die anderen betrifft. Die Unzucht mit Minderjährigen existiert. Wofür Sie sorgen müssen, ist, daß Sie nicht ihr Opfer werden. Das klingt nach einem Scherz, und wahrscheinlich ist es einer. Die richtig verstandene Ungleichheit beginnt bei einem selbst. Ich bin lieber ein Gewinner, vor allem in einer gezähmten Gesellschaft, in der der Arme immer mehr glaubt, er sei arm, weil er es nicht anders verdiene, und daß auf jeden Fall der *Staat* zuständig sei, das Problem für ihn zu lösen.»

«Befürchten Sie nicht, daß es zu einer sozialen Explosion gegen die Korruption und die wirtschaftlichen und moralischen Skandale kommen könnte, die aus dem Staatsterrorismus entstanden sind? War das in Ihrer Kindheit schon so? Was wollten Sie einmal werden, wenn Sie erwachsen sein würden?»

«Ich habe nichts und niemanden verraten. Ich bin ein Rechtsvertreter des Staates und Doktor des Verwaltungsrechts mit sehr guten Noten. Während meines Studiums habe ich mich niemals an roten Umtrieben beteiligt. Die Roten waren mir sympathisch, aber sie schienen mir dazu verdammt, eines Tages nicht mehr rot und sympathisch zu sein. Das System würde sie schließlich wie Donuts schlucken. Zunächst waren es Kommunisten verschiedener Marken und Designs, die totale Lösungen und glückliche Ausgänge für alles parat hatten. Wer nicht das Hemd gewechselt hat, ist heute zum Moralisten geworden und denunziert die intrinsische Schlechtigkeit des Kapitalismus, ohne eine Alternative aufzeigen zu können. Sie wollen einen Kapitalismus mit menschlichem Gesicht, nachdem sie auf dem Weg zu einem Sozialismus mit menschlichem Gesicht gescheitert sind. Der Sozialismus scheiterte, als er versuchte, menschlich zu werden. Warum sollte der Kapitalismus menschlich werden?

Was ist menschlich, Señoritas? Weihnachten und Weihnachtslieder. Aber der Kapitalismus hat keinen Grund, menschlich zu sein, er braucht auch keine andere Ethik als die Effizienz der Vernunft, die auf die Akkumulation eines Maximums an Profit in den verantwortlichsten Händen zielt. Skandale und Krisen entsprechen der Natur des Kapitalismus, sie sind die Regel, nicht die Ausnahme. Galbraith hat es klar formuliert. Spekulation und die Kultur des Buy-and-Sell, die so zynisch verdammt werden von allen, die sie fördern und sich an ihr bereichern, bilden das Herzstück des Systems. Wissen Sie, was die Tulpenmanie ist? Im Holland des siebzehnten Jahrhunderts waren Tulpen eine Seltenheit, und man konnte eine Tulpe gegen zwei neue Pferde eintauschen, aber als es nicht mehr Mode war, welche zu besitzen, saßen die Tulpenbesitzer mit einer einfachen Blume ohne Tauschwert da. Sie besaß nur noch einen Gebrauchswert. Um so besser, denn dank dieser spekulativen Ursprünge ist die Tulpe heute ein Bestandteil der holländischen Kultur und Wirtschaft.»

«Wenn dieser Egoismus, der persönliche und der der aufsteigenden Klasse, wie Sie sie nennen, zur internationalen Verhaltensnorm erhoben wird, muß dies doch zu einer irreparablen Spannung zwischen Nord und Süd führen?»

Die Blonde geriet bei der Herrschaftsbeziehung Nord-Süd in Erregung. Ihr sommersprossiges Gesicht rötete sich, und die glänzenden Augen leuchteten über dieser Barrikade gegen den Oger des barbarischen Kapitalismus, die sie im sechsundzwanzigsten Stockwerk des Conesal-Turms errichtet hatte. Alvarito riß sich die Hände und das Lächeln aus, während Carvalho mit zunehmender Rührung diese Blonde betrachtete, die in der Klandestinität lebte und nicht wagte, zu ihrer Blondheit zu stehen, sie zu genießen. Lázaro Conesal richtete, den Rekorder endgültig außer acht lassend, seine Antwort direkt an sie.

«Ich will von dieser Sündenbock-Verschwörung nichts wissen, die den Süden als Opfer eines Nordens darstellt, der als Täter angeprangert wird. Ich interessiere mich nicht für einen Süden voller aidskranker Affen. Ich interessiere mich auch nicht für die Leibspeise einiger Ethnien, die Affenhirn vom Holzkohlengrill essen, ein Primatenbarbecue. Mich interessiert der Osten, er offeriert Musikprofessoren als Hausangestellte und Doktorinnen der exakten Wissenschaften als Dienstmädchen oder Unterhaltungskünstlerinnen in Istanbuler Kabaretts. Sie haben den kommunistischen Zoo verlassen und sich in den kapitalistischen Dschungel gewagt. Ich interessiere mich wieder ausschließlich für den Osten und den Westen. Der Süden existiert nicht. Er ist ein Phantásien oder der Friedhof des guten Gewissens der Linken. Das war's. Ich nehme an...»

Gereizt schaltete die Blonde den Rekorder ab und ließ sich abrupt gegen die Rückenlehne des Sessels fallen. Von dort schleuderte sie dem Finanzhai einen wütenden und zugleich entwaffneten Blick entgegen. Conesal lächelte hilflos und ergriff eine ihrer Hände, was die Brünette verwirrte, der die subalterne Aufgabe oblag, die Utensilien des Interviews einzusammeln. Der Finanzier betrachtete wieder und wieder die Hand des Mädchens.

«Du spielst Tennis?»

«Woher wissen Sie...?»

«Hast du einen Tennisplatz zu Hause?»

Die Blonde war in Verlegenheit, und der Brünetten entglitten die Kabel und ein komplizenhaftes Kichern. Conesal ließ von seiner Zudringlichkeit ab und lehnte sich in seinem Chefsessel zurück. Von dort aus sagte er leise und ernst:

«Ich würde gerne noch über all das reden, worüber wir heute gesprochen haben, aber von Du zu Du, ohne das Zootier spielen zu müssen, auf das ihr mich festgelegt habt. Heute gehen wir uns den Hai Conesal ansehen! Wie war ich denn als Hai?»

«Ich würde sagen, Sie sind einer», sagte die Blonde schneidend, stehend, zum Rückzug bereit, aber bevor Sie ihrer Gefährtin folgte, nahm sie ein Kärtchen aus einem Täschchen, das viel zu abgeschabt war, um wahr zu sein, und hielt es dem Finanzier unter die Augen.

«Hier ist meine Adresse. Ich lasse Ihnen die erste Version des Interviews zukommen, falls Sie sich noch einmal dazu äußern wollen.»

«Danke für die Karte, aber ich weiß, wo du wohnst.»

Scheinbar ohne sie weiter zu beachten, versank Conesal in Gedanken, als die Mädchen den Raum verließen, änderte aber unvermittelt seine Meinung und Haltung, sprang auf, stürzte sich beinahe auf die Mädchen, hielt die Blonde fest und wechselte mit ihr ein paar geflüsterte Sätze, die sie erst in Harnisch und dann zum Lachen brachten, bevor sie einen Kompromißvorschlag akzeptierte. Nachdenklich blieb der Finanzier zurück, und Álvaro schaltete sich mit

Geste und Wort ein, indem er sich erhob, um die Karte zu nehmen und zu bemerken: «Du kannst doch das Schäkern nicht lassen.»

«Du kennst mich ja. Alles nur Phantasie. Außerdem hat mich dieses Mädchen an deine Mutter erinnert. So sah sie damals aus, als ich sie in der Ciudad Universitaria kennenlernte. Sie wurde die ‹Pasionaria der Juristen› genannt, und mir machte es Spaß, sie mit meinem systematischen rechten Denken zu schockieren. Frauen! Immer wollen Sie irgendwen erlösen. Einen Typ von der Linken. Einen anderen von der Rechten. Die ganze Welt. Wie ich hörte, war Beba hier?»

«Sie war hier, und ich richtete ihr aus, was du mir aufgetragen hattest.»

Jetzt tat Conesal, als entdecke er plötzlich Carvalhos Anwesenheit, und befragte seinen Sohn über die Wesentlichkeit oder Unwesentlichkeit des Neuen.

«Pepe Carvalho, der Detektiv aus Barcelona.»

Carvalho ergriff die Chance einer Tour de Force zwischen der besitzergreifenden, breiten, harten, aber nicht warmen Hand des Finanziers und seiner eigenen, die den Zerquetschungsversuch ziemlich gut überstand.

«Ich darf keine Minute verlieren, der Leiter der Staatsbank erwartet mich, ich muß mir noch die letzten Einzelheiten des Literaturpreises überlegen, und dann komme, was da wolle. Wir unterhalten uns während des Essens. Ist es schon unterwegs?»

«Ja. Willst du wissen, aus welchem Restaurant?»

«Einen Pomelosaft und ein Steak, zweimal gewendet. Ich darf meinen Gaumen nicht irritieren. Ich muß heute abend bissig sein.»

«Also für diesen Besuch…»

Conesal war die angewiderte Miene auf Carvalhos Gesicht nicht entgangen, und er ging dazu über, unbedingtes Interesse an seinem Gast zu heucheln, als sei dieser der wichtigste Gegenstand seines Lebens.

«Ich ahne, daß Ihnen mein Menü nicht gefällt.»

«Es ist nicht das meine.»

«Mißbilligen Sie es?»

«Sie sind Ihr eigener Herr, aber wenn ich an Ihrer Stelle wäre und mir ein Besuch beim Leiter der Staatsbank bevorstünde, würde ich dafür sorgen, daß ich mit dem Gefühl hingehe, Herr der Lage zu sein, und dieses Gefühl ist unmöglich mit einem Glas Pomelosaft aufzubauen, der wahrscheinlich aus der Dose kommt, und einem zweimal gewendeten Steak vom Backblech oder Grill. Im äußersten Falle empfehle ich Ihnen, es gegrillt und etwas fett zu nehmen. Ein Ochsensteak beispielsweise, etwa dreihundert Gramm schwer.»

«Sind Sie Spezialist für Ernährungshygiene?»

«Nur für Psychohygiene.»

«Der Pomelosaft wäre frisch gepreßt gewesen, denn der Barmann ist unter anderem für meine Gesundheit zuständig, und er achtet darauf, was ich trinke. Aber gut, empfehlen Sie mir ein Menü für die Begegnung mit dem Leiter der Staatsbank.»

Carvalho gewann Zeit, indem er die ironische, herablassende, fast amüsierte Miene des Finanziers studierte, und fällte endlich sein Urteil, als sei es die passendste Karteikarte, die das Gedächtnis seines Computers ausspuckte.

«Als Vorspeise eine Kombination verschiedener Gemüse und Meeresfrüchte, beispielsweise Austern. Ich erinnere mich an eine glorreiche Austernminestrone von Girardet, die Sie zur Minestrone von Flußkrebsen abwandeln könnten. Begossen wird sie mit einem weißen Ribera del Duero, Albariño oder Penedés, denn es ist wichtig, daß Sie vor einem Geschäftsessen auf so hoher Ebene eine Vielfalt von Geschmacksrichtungen wahrnehmen, denn es liegt fast absolut auf der Hand, daß der Herr Staatsbankleiter gekochte junge weiße Bohnen mit etwas Öl und eine zu lange gebratene Tortilla *a la francesa* zu sich nehmen wird. Danach etwas Barockes, Schmackhaftes, in der Art von Brioche mit Rindermark und Foie gras, was ich vor Jahren bei *Jockey* probierte, und dazu einen Rioja Alta, beispielsweise einen 904 oder einen Centenario. Möglicherweise erliegen Sie der Versuchung zu einem schlechten Gewissen, weil Sie quantitative und qualitative Verschwendung getrieben haben, deshalb ist ein Dessert angeraten, das das gute Gewissen wiederherstellt: Waldbeeren zum Beispiel. Ohne alles. Weder Wein noch Saft oder Sahne dazu. Ja, doch, Kaffee, eine ordentliche Havanna und ein Gläschen alten Schnaps, vom Cognac an aufwärts. Begehen Sie nicht den Fehler, einen Grappa oder Himbeerschnaps zu nehmen! Diese ausgezeichneten klaren Schnäpse gehören in die familiäre Umgebung. Nach einem Essen mit Ehepartnern oder Freunden. Für Verhandlungen mit dem Leiter der Staatsbank gibt es nichts Besseres als Armagnac oder Calvados.»

Conesal ging im Geist noch einmal das Menü durch und hatte keine weiteren Einwände als: «Ich rauche nicht.»

«Sie lassen es sich entgehen, und der Leiter der Staatsbank gewinnt. Nach einer Partagás Grand Connaisseur sind die Siege sicher, vor allem wenn der Gegner eine Person ist, die wie ein Abstinenzler aussieht.»

«Kennen Sie den Leiter der Staatsbank?»

«Ich glaube, ich habe ihn in einer Folge des *No-Do* gesehen.»

«In welchem *No-Do*? Diese Wochenschau gibt es in der Demokratie nicht mehr.»

«Dann eben im Fernsehen. Das ist dasselbe.»

«Mißtrauen Sie dem Augenschein! Die Leiter der spanischen Staatsbank trügen!» Damit wandte er sich seinem Sohn zu, der Carvalho mit großem Respekt betrachtete. «Was ist zu tun, um den Ratschlägen deines Privatdetektivs nachzukommen?»

Álvaro hatte sich Notizen gemacht und urteilte: «Wir sehen mal, was uns das *Jockey* zu bieten hat. Wie ich annehme, bekommen wir das Menü dort am ehesten. Um diese Zeit wage ich es nicht, gegen die Regeln anderer Restaurants zu verstoßen.»

«Also, dann einige dich mit Señor Carvalho! Ich gehe inzwischen zum Squash.»

Carvalhos Appetit war geweckt, und nach dem Abgang des Finanziers sagte er offen zu Álvaro:

«Wer weiß, wann er wiederkommt, wenn er jetzt zum Squash geht, aber ich bekomme Appetit bei der Arbeit.»

«In diesem Gebäude steht den oberen Chargen ein *Health Club* zur Verfügung. Insgesamt etwa zwanzig Leute besitzen einen eigenen Schlüssel zu Trainingshalle, Schwimmbad, Sauna, Massagesalon und Umkleidekabinen. Mein Vater ist aber der einzige, für den immer eine bestimmte Stunde freigehalten wird, und die ist gerade jetzt, zwischen ein und zwei Uhr. Normalerweise nutzt er sie zu einer Partie Squash mit einem Gast. Heute ist einer seiner Geschäftspartner hier, Iñaki Hormazábal, aber er bleibt nicht zum Essen. Mein Vater achtet fanatisch auf die verschiedenen Beziehungsebenen: Hormazábal taugt zum Squash, aber nicht als Tischgenosse.»

«Werden wir alle drei zusammen essen?»

«Mein Vater hätte es gerne gesehen, daß die Frau von Pomares & Ferguson mit uns speist, Beba Leclercq, aber das ist nicht möglich. Dafür blieb uns die Anwesenheit von Mona d'Ormesson, einer echten Nervtöterin, erspart, obwohl rechthaberische Frauen meinen Vater amüsieren. Na ja, auch die, die nicht rechthaberisch sind. Mein Vater behauptet, eine Frau am Tisch sei viel entspannender als jeder gute Wein, vor allem, wenn sie die einzige Frau am Tisch sei und nicht die eigene.»

«Wie urteilt Ihre Mutter über all das?»

«Meine Mutter urteilt schon seit langem nicht mehr über Dinge, die meinen Vater betreffen.»

«Und dankt er es ihr?»

«Mein Vater dankt keinem etwas, das er umsonst bekommt.»

«Wurde ihm diese große Weisheit in die Wiege gelegt, oder hat er sie aus Büchern?»

«Mein Großvater väterlicherseits führte ein Gasthaus in Brihuega.»

«Ihr Vater hat nicht zufällig ein Handbuch darüber geschrieben, wie man reich wird, obwohl man es nicht ist?»

«Eines schönen Tages wird er es sicherlich schreiben. Hätten Sie, während ich das Menü bestelle, vielleicht Lust, sich den *Health Club* anzusehen?»

«Lassen Sie mich zunächst wieder zur Haltestelle an der Bar hinunterfahren. Mich erwartet ein sehr zuvorkommender Barkeeper.»

Aber der war nicht allein. Bei ihm stand, den Rücken an die Bar gelehnt, ein Mann mit Glatze, dessen Gesichtszüge ein schütterer und ungepflegter grauer Bart unvorteilhaft wirken ließ. Derselbe Bart hätte im Gesicht von Lázaro Conesal wie eine Werbung für die Pflege der schönsten ergrauten Bärte dieser Welt ausgesehen, aber im Gesicht dieses Individuums wirkte er eher wie ein Bart aus zweitem Gesicht. Das Unentschlossene seines Äußeren kompensierte er durch die krampfhafte Entschlossenheit seines Trinkens. Im Glas leuchtete ein Whisky von schöner Farbe. Carvalho deutete auf den Glasinhalt des neuen Gastes.

«Dasselbe wie dieser Herr!»

«*Glendeveron*, fünf Jahre. Für einen Whisky ist das ein Alter, das nur zum Aperitif taugt. Das beste Alter für einen Glendeveron sind zwölf Jahre. Ein leichter Malt Whisky mit Torf-Aroma…»

Trotz der klugen Betrachtungen von «Einfach José» lauschte ihm der kahlköpfige, ergraute Trinker, als seien seine Worte ein lästiger verbaler Hintergrund.

«Lázaro de Tormes, schweig endlich, Junge! Ich kann diesen mit Wasser verdünnten Whisky nicht mit Genuß trinken, den du mir da gegeben hast. Das Wasser ist aus dem Río Tormes, wie?»

«Der führt doch kein Wasser, Señor Sagazarraz!»

«So schmeckt es jedenfalls. Empfängt mich der Alte nun oder nicht?»

Er hatte Álvaros Anwesenheit nicht einmal bemerkt.

«Saga, mein Vater kann dich nicht empfangen.»

Der Mann bohrte sein rhombisches, wäßriges Augenpaar in die herablassenden Augen des Dauphin. Als er des Blickemessens müde war, löste er sich vom Tresen und zog Álvaros Gesicht zu seinem eigenen heran, indem er dessen Jackenaufschläge packte und den Oberkörper an ihn heranschob.

«Der Kerl ist noch nicht geboren, der es wagt, Justo Jorge Sagazarraz ein Gespräch abzuschlagen!»

«Saga, übertreib nicht! Geh und schlaf deinen Rausch aus!»

Der Genannte trat zurück und holte aus einer gewissen Entfernung zum Schlag aus, der jedoch kraftlos an Álvaros vorgehaltenem Arm abprallte. Die andere Hand von Álvaro ballte sich zur Faust und traf stark genug gegen die Schläfe des Mannes, um ihn das Gleichgewicht verlieren und zu Boden gehen zu lassen. Dort blieb er verdutzt sitzen. Er betrachtete Álvaro Conesal und Carvalho von unten nach oben, hob eine Hand, und schnippte mit den Fingern.

«Na, wer gibt mir den Whisky?»

Carvalho reichte ihn ihm, und Justo Jorge Sagazarraz nahm, breitbeinig auf dem Teppich sitzend, einen langen Zug. Álvaro war verärgert und winkte dem Barmann komplizenhaft zu, der bereits das Walkie-talkie in der Hand hielt und ein fernes Zentrum der Staatsgewalt anwählte. Carvalho schloß sich dem hastigen Abgang des jungen Mannes an, aber an der Tür trafen sie mit zwei Wachmännern zusammen, die die Reste des angeblichen Betrunkenen einsammeln wollten.

«Ich bringe Sie zum *Health Club*, und von dort aus regle ich das mit dem Essen.»

Zwei Stockwerke weiter oben. Eine kiesbedeckte Terrasse, ein

Weg aus Granitplatten und am Ende Bäume, die den dreißig Etagen über Madrid gelegenen Sportplatz säumten.

«Wer war der Whiskytrinker?»

«Justo Jorge Sagazarraz, ein ziemlich bankrotter Reeder, auf dem absteigenden Ast. Mein Vater hat vor einigen Jahren Geld in sein Geschäft gesteckt, zieht es aber wieder heraus, denn in der Fischereiindustrie zeichnet sich ein Niedergang im Sturzflug ab, und wenn nicht mehr gefischt wird, wozu braucht man dann Schiffe? Er ist kein schlechter Kerl, aber wie vernarrt in meinen Vater, und weint ihm den lieben langen Tag etwas vor. Bei jeder sich bietenden Gelegenheit erinnert er ihn an die alten Zeiten, als die Bars in Deutschland bis zum Morgengrauen für sie geöffnet hatten.»

«Warum Deutschland?»

«Mein Vater studierte Industriemanagement in Düsseldorf, und diesen Kurs besuchte auch Justo Jorge Sagazarraz. Damals war er der Erbe eines florierenden Unternehmens, heute ist er Präsident einer Gesellschaft, die vor dem Bankrott steht.»

Während der Kronprinz das Essen bestellte, betrat Carvalho den Squash-Raum und konnte hinter dem Panzerglas die Partie zwischen Lázaro Conesal und einem sehnigen, ebenfalls kahlköpfigen Mann verfolgen, der anscheinend zu der kompletten Sammlung von Glatzköpfen gehörte, mit denen sich Lázaro Conesal umgab. Er konterte mit kraftvoller Eleganz die erbitterten Attacken seines Partners, der spielte, als sei es die letzte Partie seines Lebens, während der Kahle mit technischer Präzision und zerebraler Kaltblütigkeit antwortete. Der sehnige Kahle gewann, doch Conesal ging weiterhin mit vollem Körpereinsatz auf den widerspenstigen Ball los.

«Endlich konnte ich mich mit dem *Jockey* einigen. Ich habe mit Alfonso persönlich gesprochen und ein Menü vereinbart, das einigermaßen Ihren kanonischen Regeln entspricht: Terrine von geräucherten Edelfischen mit Austern an Minze, Talavera-Tauben nach *Jockey*-Art, Blätterteig mit Mango und Ingwer-Eiskrem. Das Dessert ist etwas energiereicher, aber er riet mir von Waldbeeren in dieser Jahreszeit ab. Als Wein empfiehlt er uns einen weißen Sancerre zum ersten Gang, zum zweiten einen 85er Viña Real Oro und einen Pedro Ximénez Viña 25 zum Dessert.»

Carvalho leckte sich das Gehirn und schickte seine Augen wieder zu dem Spiel, bemerkte aber, wie sich Álvaros Miene verfinsterte, als ein großer Mann mit angespannten, sozusagen plastifizierten Gesichtszügen eintrat. Ohne die Annäherung des Jungen abzuwarten, öffnete er die Glastür zum Squashraum und bemächtigte sich des Balls, den der kahlköpfige Mann gerade zurückschlagen wollte. Lázaro Conesal, vom Spiel erhitzt, begann ihn zu beschimpfen, während sein Partner die Partie als beendet betrachtete, den Platz verließ und sein Handtuch nahm, das er auf dem Lattenrost einer Bank abgelegt hatte. Er ging zum Duschraum und hob, als er an Álvaro vorbeiging, die Brauen, wobei er mit einer Kopfbewegung auf den verschwitzten Conesal im Trainingsanzug und den offensichtlich geschminkten Mann wies, der diesem wortlos den Weg versperrte und dann Schreie ausstieß, die in dem geschlossenen Würfel verzerrt widerhallten. Álvaro quittierte die Geste der Unausweichlichkeit des kahlen Mannes mit einem Achselzucken, das Carvalho inzwischen kannte und das alles bedeuten konnte, sogar Gleichgültigkeit. Die Tür zum Sportsaal ging auf, und an Carvalhos Ohren drang ein einziger Satz des Eindringlings:

«Wenn ihr glaubt, ihr könnt mich fertigmachen, dann habt ihr euch gründlich geschnitten!»

Der so zur Stellungnahme Aufgeforderte beachtete ihn aber nicht, sondern kehrte ihm den Rücken, um hinauszugehen und seinem Spielpartner zu folgen, wobei er die Geste der Unausweichlichkeit wiederholte, als er an seinem Sohn vorbeiging, während er murmelte: «Wozu hat man eigentlich einen Sicherheitsdienst?»

«Das Zutrittsrecht ist deine Sache!»

Conesal ging weiter zur Dusche und den Umkleidekabinen, und der aufgebrachte Mann folgte ihm, blieb jedoch einen Moment lang bei Álvaro stehen.

«Was hast du deinem Vater da über das Zutrittsrecht erzählt?»

«Zutritt? Eintritt? Rücktritt? Wie kommst du darauf, daß ich etwas von Zutritt gesagt hätte, Celso?»

Der Eindringling überlegte, ob er die Aussprache mit Álvaro fortsetzen oder dem anderen zu den Umkleidekabinen folgen sollte, und beschloß schließlich, beides zu tun.

«Mir gegenüber kannst du dir deine Sarkasmen sparen! Ich scheiße auf alle Titel, die du vielleicht hast, du abgewichstes, verzogenes Jüngelchen! In deinem Alter hatte ich schon Millionen Sechziger-Jahre-Peseten gemacht, und du hast nicht mal den Schwuchtelpulli selbst verdient, den du da anhast!»

Er trat ab und folgte der Spur der Spieler. Álvaro hielt ihn nicht zurück. Carvalho befragte ihn stumm, ob er einschreiten solle.

«Lassen Sie ihn! Alle Welt ist ziemlich nervös. Der Mann, der mit meinem Vater Squash spielte, ist sein wichtigster Geschäftspartner, Iñaki Hormazábal, auch ‹goldene Glatze› oder ‹Telefonmörder› genannt.»

«Erschlägt er die Leute mit dem Telefon?»

«Nein, aber er bringt sie mit dem Telefon um. Er ist darauf spezialisiert, klamme Holdings aufzukaufen, sie auszuschlachten und in Einzelteilen weiterzuverkaufen. Alles per Telefon.»

«Und dieser wildgewordene Mensch, der die beiden bis unter die Dusche verfolgt? Ein Voyeur?»

«Sie meinen wegen des Make-ups? Nein. Das ist Celso Regueiro Souza, der andere Geschäftspartner, der aber bereits all seine Aktien abstößt. Er ist geschminkt, weil er eine Gesichtsverletzung davontrug, als ihn Mafiosi in Miami auszurauben versuchten. Ich weiß nicht, was sie ihm ins Gesicht geschüttet haben, jedenfalls blieb nur das rohe Fleisch übrig. Er hatte gute Freunde in der Regierung, und mein Vater tat sich mit ihm zusammen, um Zugang zu den Sozialisten zu bekommen. Jetzt haben die Sozialisten Probleme, mein Vater ebenfalls, und Regueiro ist keinen Scheißdreck mehr wert.»

Regueiro Souza kam türenknallend aus dem Umkleideraum geschossen und wandte sich noch einmal an Álvaro.

«Wo steckt die Glatze?»

«Ist schon weg.»

«Dieser Sohn einer...»

Er blieb vor Álvaro stehen, grinste ihm zu, fuhr ihm mit dem Finger über die Lippen, die der junge Mann instinktiv abwandte, und folgte dem Flüchtigen. Als Lázaro Conesal aus dem Umkleideraum trat, wirkte er wie ein Neugeborener, der nach dem absoluten Eau de Cologne duftete. Er zeigte nicht die geringsten Spuren von Konflikten, weder aktuellen noch zurückliegenden, und fragte nicht einmal nach Regueiro. Dagegen interessierte er sich für das Essen und freute sich sehr, als er hörte, daß Alfonso, der Koch des *Jockey*, Carvalhos Test seiner Phantasie erfolgreich bestanden hatte. Sie nahmen wieder den Aufzug, um in die Zone von Bar und Speisesaal zu gelangen, und dort stand immer noch Sagazarraz, was den Finanzier zu einer verärgerten Geste veranlaßte. Doch der Gast war so betrunken, daß er das Vorübergehen von Lázaro Conesal nicht einmal bemerkte, wohl aber das seines Sohnes, den er vergebens in ein Gespräch zu verwickeln suchte. Bereits in Sicherheit im Speisesaal, hörte Conesal auf, duftender Säugling zu sein, und wurde wieder der gereizte Hai.

«Kannst du mir vielleicht sagen, wieviel wir jeden Monat für den Wachdienst bezahlen, nur damit wir es uns bieten lassen müssen, daß diese Bande von Hirnamputierten in mein Leben hineinfunkt, erst Regueiro Souza und jetzt Sagazarraz?»

«Ich kann mir nicht erklären, wieso Sagazarraz immer noch hier ist. Ich hatte ausdrücklich angeordnet, ihn zu entfernen, aber taktvoll. Du hast ihnen hier eine gewisse Bewegungsfreiheit eingeräumt, und sie nehmen dich beim Wort. Der Kerl muß zur einen Tür hinausgegangen und zur nächsten wieder hereingekommen sein.»

«Also den freien Zutritt entziehe ich ihnen, und damit basta. Ich will sie im Umkreis von fünfzig Kilometern nicht mehr sehen.»

«Ausgerechnet du!»

«Findest du das nicht richtig?»

«Ich verstehe es nicht. Von Celso bist du abhängig, denn er hat immer noch bei einigen Transaktionen das Vetorecht, und du brauchst seine Unterschrift. Wenn ich ihn hinauswerfen soll, dann mit größtem Vergnügen, denn er ist ein unverschämter, ungehobelter Kerl. Das mit Sagazarraz ist leichter zu lösen, auch wenn er tausendmal getönt hat, er habe in seinem Notizbuch die Telefonnummern aller Tageszeitungen, die an seinen Informationen interessiert sein könnten.»

«Dieser Kerl weiß doch nicht mal, wo er sein Notizbuch liegengelassen hat. Er verbringt den ganzen Tag in einer Wolke aus Whisky und Grappa.»

«Aber seine Anwälte wissen genau, wo das Notizbuch steckt.»

Conesal seufzte, mehr unter der Last seines Sohnes als unter der seiner Verfolger, und nahm die Frage des Barkeepers mit Gereiztheit auf.

«Don Lázaro, hätten Sie ein paar Minuten Zeit für mich?»

«Ja, ja, José, aber ganz kurz!»

Sie unterhielten sich unter vier Augen, und es mußte etwas Unangenehmes gewesen sein, was «Einfach José» gesagt hatte, denn Conesal wandte sich mit einer schroffen Abfuhr von ihm ab.

«Sagen Sie Ihrer Schwester, sie soll sich an meine Frau oder an sonstwen wenden. Also wirklich!»

Wieder bei seinem Sohn und Carvalho, schüttete er Álvaro sein Herz aus.

«Ist dieses Mädchen immer noch hier?»

«Du hast selber gesagt, ich soll sie nicht entlassen, sondern nur aus dem Verkehr ziehen, bis…»

«Du sollst sie auch nicht entlassen, aber schaff sie mir aus den Augen! Nach Hause und weiterbezahlen. Und wenn sie mit deiner Mutter sprechen will, sollen sie meinetwegen miteinander Tee trinken, aber nicht hier!»

Danach flüchtete er sich in eine erinnerte Komplizenschaft mit dem kürzlich aufgetauchten Mann, dessen Name ihm nicht einfiel.

«Sie sind der Gourmand, nicht? Ihr Name?»

«Carvalho.»

«Genau, Carvalho. Sind Sie mit dem Menü von Alfonso Dávila zufrieden?»

«Es kommt auf eine Kostprobe an.»

«Davon rede ich ja.»

Wie telepathisch gerufen, erschien in der Tür die Reinkarnation von Lázaro de Tormes, diesmal im Gewand des perfekten Kellners eines Fünf-Kochmützen-Restaurants. Die beiden Conesals und Carvalho setzten sich zu Tisch, und «Einfach José» fragte, ob sie einen Aperitif nehmen wollten, was die beiden Gastgeber verneinten, Carvalho jedoch bejahte.

«Einen Sherry, *fino*! Aber eine besondere Marke. Langweilen Sie mich nicht mit den altbekannten!»

Der Restaurateur zeigte sich dieser Herausforderung gewachsen, und Lázaro Conesal schloß sich, neugierig geworden, Carvalho an.

«Also, wenn Sie Señor Cabello überraschen können, dann bitte mich auch!»

«Carvalho, Papa, Carvalho!»

«Und Sie, Don Álvaro, schließen Sie sich auch an?»

«Nein, danke.»

Erfreut rieb sich der Finanzier die Hände und zwinkerte Carvalho wie einem Zechkumpanen zu, der von weit her gekommen war und dem er lebenslange Freundschaft versprach. Danach spielte er mit der auf dickes Visitenkartenpapier gedruckten Speisekarte und überreichte sie Carvalho wie ein Geschenk.

«Terrine von geräucherten Edelfischen mit Austern an Minze, Talavera-Täubchen gefüllt nach *Jockey-Art*, in Blätterteig gebakkene Mangos und Ingwer-Eiskrem. Was sagen Sie dazu?»

«Ich brenne darauf, es zu probieren.»

Der Kellner erschien mit einem gekühlten Moriles und *tapas* von Glasgrundeln, so fein, daß sie wie gebratener Meerschaum aussahen.

«Frage von Laie an Experte: Gebratener Fisch vor einer Vorspeise von Räucherfisch und Austern, ist das nicht unpassend?»

«Wenn es sich um eine konventionelle Auswahl von gebratenem Fisch handelt, ja, denn er nimmt sehr viel Fett auf und würde den Gaumen verkleben. Obwohl sich das Öl, vorausgesetzt, es ist frisch, im Magen sehr förderlich auf die spätere Verdauung auswirkt. Aber Glasgrundeln sind keine Fische im eigentlichen Sinne. Sie sind so ätherisch, daß das Öl sie eher aromatisiert als brät.»

«Jeden Tag lernt man etwas Neues. Zu Hause aßen wir fast immer gut, aber so schwer, wie die spanische Bourgeoisie eben zu essen pflegt, ohne allzuviel Wissen oder gastronomische Kultur, ja, eher mit einem gewissen Schamgefühl, als sei Essen eine Sünde. Ausgezeichnet, dieser Moriles! Erinnern Sie sich an den Werbeslogan aus dem Radio? *La elección es bien sencilla, o Moriles o Montilla.*»

Er sah auf die Uhr, und die Zeit verfolgte ihn, weshalb er, offensichtlich als Aufforderung zur Beschleunigung des Essens, den Arm in der Luft schwenkte. Er ließ kein Auge von Carvalho, während dieser das Essen aus der Entfernung beschnüffelte, um dann zu probieren und abwechselnd von den verschiedenen Weinen zu trinken.

«Könnten Sie erschmecken, was wir gegessen haben? Wie es zubereitet wurde?»

«Nicht hundertprozentig, aber bei der Vorspeise wäre die Geschmackskombination von Räucherfisch, Austern, Minze und einer Prise Muskatnuß leicht auszumachen. Eine ausgezeichnete Verbindung der fast fanatischen Konkretheit des Räucherfischs mit der maritimen Leichtigkeit der Auster, und eine gleichartige Verbindung geht die entschiedene Muskatnuß mit der so offenen Minze ein.»

Lázaro nickte heftig in Richtung seines Sohnes, was dieser nicht beachtete, er schien Carvalho nicht einmal zuzuhören.

«Bei den gefüllten Talavera-Tauben nach *Jockey-Art* kommt es nicht nur auf die richtige Garzeit des Fleisches an – Tauben werden mehlig, wenn sie zu sehr durchgebraten werden –, sondern auch auf die Ausgewogenheit der Füllung, was einfach erscheint, aber es beileibe nicht ist. Der Trüffel kann jeder Füllung eine exquisite, verruchte Note verleihen, sie aber ebensogut ruinieren. Es gibt Aromen, die den Gaumen eher blockieren als stimulieren. Und was das Mango-Blätterteig-Gebäck mit Ingwereis betrifft, mit dem ich noch nicht zu Ende bin, so muß ich Ihnen gestehen, daß ich zwar die Architektur der Desserts bewundere, aber nicht davon hingerissen werde. Vielleicht eine Frage des historischen Gedächtnisses. Ich gehöre noch zur Ein-Teller-Generation. Trotz alledem, ich gebe zu, es schmeckt hervorragend.»

«Aha, jetzt habe ich Sie an einer schwachen Stelle erwischt, ich bin nämlich Dessert-Spezialist und bereite sogar selbst welche zu. Álvaro, erzähle dem Herrn, wie meine Apfeltörtchen schmecken!»

«Du bist der Meinung, sie seien ausgezeichnet.»

«Und, stimmt das etwa nicht?»

«Fast nie.»

«Also, das ist doch die Höhe!»

Vater und Sohn schauten drein, als hätten sie diesen Witz schon bis zum Gehtnichtmehr wiederholt, vor allem Álvaro wirkte verdrossen, und Carvalho wollte sein Ergötzen nicht übertreiben. Er beschränkte sich auf ein vielleicht zu breit geratenes Grinsen und zog es vor, sich seinem Sherry zu widmen, einem erlesenen Pedro Ximénez Viña 25. Conesals Schließmuskel hatte nachgegeben, nicht aber der seines Sohnes. Der Junge war ständig kontrolliert, in diskreter Weise angespannt, und Carvalho hätte gerne gewußt, wie er sich benahm, wenn sein Vater und die Umgebung seines Vaters nicht mehr der Angelpunkt seines Lebens war. Lázaro Conesal nippte kaum an seinem Sherry und lehnte sich im Stuhl zurück, nicht ohne einen verstohlenen Blick auf die Armbanduhr zu werfen, die zweifelsohne sehr teuer, aber diskret war.

«Ach, es geht noch nichts über ein gutes Essen in intelligenter

Gesellschaft! Würden Sie sich engagieren lassen, um nichts anderes zu tun, als mir das Menü zu erläutern, das ich esse? Man darf nicht vergessen, wie wichtig die Kultur ist, das heißt das Erbe an Wissen vom Schmecken. Mit gastronomischer Bildung kann man den Geschmack des Essens besser genießen, genau wie man mit künstlerischer Bildung eine Ausstellung besser genießen kann. Man müßte es schaffen, zu dieser weißen Rasse zu gehören, die die notwendigen Kentnisse besitzt, um alles zu genießen, was ihr zur Verfügung steht. Aber man darf dabei nicht vergessen, daß dieses Gefühl vergänglich ist, und daß die Schwarzen hinterher zu ihrer Farbe zurückkehren, ebenso die Weißen, auch ich in meiner Situation als Mischling. Wißt ihr, was ein Weißer mit einer schwarzen Seele ist? Mit einer schwarzen Seele ist man schwarz bis zur letzten Konsequenz, ohne mildernde Umstände oder Alibis. Vor einiger Zeit las ich in *El País* einen Artikel von Manolo Vincent – wir sind befreundet, ich kaufe immer Bilder in der Galerie seiner Frau Mapi –, in dem die Frage gestellt wurde, ob Regierungschef Felipe González weiß oder schwarz sei. Die Klassifikation stammt von Mario Conde, diesem spekulativen Finanzmagnaten, der später wegen Spekulation vor Gericht kam – Begriffe, die sich gleichen, sind einander normalerweise sehr gefährlich: So ist es zum Beispiel ganz und gar nicht dasselbe, ob man ein Opportunist ist oder Sinn für Opportunität hat. Kurz und gut, Vincent schrieb, daß Mario Conde gesagt habe: ‹Ich bin ein Schwarzer, der weiß, daß er schwarz ist.› Mariano Rubio, der damalige Leiter der Staatsbank, und Carlos Solchaga, der damalige Wohnungsbauminister, halten sich für weiß, sind aber schwarz. Felipe González ist ebenso schwarz wie ich und vergißt ebenso niemals, daß er schwarz ist. Es war ein sehr brillanter, sehr intelligenter Gedankengang, obwohl sein Urheber selbst nicht entsprechend handelte, denn Mario Conde verstieg sich zu dem Glauben, eine Mischung von Kühnheit und Geld könne ihn weiß machen und ihm einen Platz in dieser Oligarchie verschaffen, die auf den Gipfeln thront wie die Schichten des ewigen Schnees, die übereinanderliegenden ewigen Schneeschichten, die sich der Gipfel der Macht bemächtigen. Die Oligarchie besteht aus vielen archäologischen Schichten, die den aufeinanderfolgenden Wellen von neuen Reichen seit der Zeit der Stämme und Horden entsprechen, und nur diejenigen bleiben dauerhaft oben, denen es gelingt, einen Haken in die vorhergehenden Schneeschichten zu schlagen. Mario Conde zum Beispiel ist das nicht gelungen. Er war ein Schwarzer. Wie der Essayist Vincent sagte, du bist nur dann wirklich weiß, wenn dein Urgroßvater täglich unter der Dusche stand... Hat sich Ihr Urgroßvater täglich geduscht, Señor...?»

«Carvalho. Nein. Wahrscheinlich überhaupt nie. Er lebte wohl in einem galicischen Dorf. Ich glaube, er war Steinbrecher, wie mein Großvater väterlicherseits. In den vierziger Jahren wusch man sich noch mit Wasser aus dem Brunnen. Es gab kein fließendes Wasser. Schwarz. Mein Urgroßvater war ein Schwarzer. Und Ihrer?»

«Genauso. Mein Vater war der erste aus der Dynastie, der den Fehler beging, sich für einen Weißen zu halten. Ich bin schwarz. Aber dazuhin noch ein Schwarzer, der von den Weißesten am Ort bedroht wird, weil sie es bis jetzt nicht mit mir aufnehmen konnten. Lesen Sie diese Fotokopie, bitte!»

Álvaro hielt die Kopie bereits in der Hand, als kenne er die Szene und ihren Rhythmus auswendig. Die Schlagzeile ersparte Carvalho bereits jegliches Lesen: «Lázaro Conesal auf den Spuren Mario Condes? Der einflußreichste Reiche Spaniens wird vielleicht genau wie der Ex-Präsident der *Banesto* einen Besuch im Gefängnis von Alcalá Meco machen.» Conesal prüfte die Wirkung dieser Worte auf Carvalho, aber dieser Mann schien entschlossen, seine Gefühle nicht nach außen dringen zu lassen, und gab das Blatt ohne Kommentar zurück.

«Fatalerweise muß ich mich mit einer Flut von Fotokopien auf dem laufenden halten. Seit Jahrhunderten bin ich nicht mehr wie ein normaler Bürger durch die Straßen gegangen. Ich kann nicht einmal in irgendeine Kneipe gehen und ein Spießchen essen, denn ich würde mit einem ganzen Pulk von Leibwächtern eintreffen. Ich kann ganz offen mit Ihnen reden, Señor...»

«Carvalho», informierte ihn Álvaro.

«Señor Carvalho, ich kann ganz offen mit Ihnen reden, denn ich verliere nichts, wenn ich es tue. Ich befürchte heute abend eine Provokation. Unterirdische Fußtritte aller Art habe ich schon überstanden, und ich kann abschreckende Maßnahmen ergreifen, auch wenn man mich dieser Tage wie Mario Conde oder Javier de la Rosa, gerichtlich belangen wird. Auch sie sind Schwarze. Wir entsprechen nicht mehr den Spielregeln und werden dafür als Fleisch der Katharsis auf dem Altar der Reinigung eines triumphierenden Systems geopfert, das hocherhobenen Hauptes durch die Welt schreiten will. Es zeigt sich die höchst amüsante Tatsache, daß der Kapitalismus, seiner Feinde beraubt, feststellt, daß seine Feinde die Kapitalisten sind. Etwas Ähnliches wie das, was im Kommunismus geschah. Kurz und gut. Mein Image ist wichtig. Ich bin immer noch einer der solidesten Eckpfeiler der Gesellschaft, aber ich habe mich auf ein stürmisches Meer gewagt: der höchstdotierte Literaturpreis der Welt. Ein falscher Schritt auf diesem Gebiet kann für mich fatal werden. Das Publikum des heutigen Abends könnte man in drei große Gruppen einteilen: Intellektuelle, Reiche unterschiedlicher Herkunft und Politiker – nicht viele, denn sie riechen meine Probleme und wollen nicht, daß sie darunter begraben werden. Gehen wir sie der Reihe nach durch! Unter die Intellektuellen könnte sich ein Provokateur eingeschmuggelt haben, obwohl die Gästeliste von meiner Beraterin Marga Segurola erstellt wurde, der bekannten Literaturjounalistin. Sie gab mir eine repräsentative Liste der verschiedenen Kreise auf diesem Gebiet, und ich überprüfte sie mit Altamirano, dem ganz sicher renommiertesten Kritiker Spaniens. Für alle Drogensüchtigen der Literatur bediene ich mich eines katalanischen Begriffes, und das ist nicht mein einziger, obwohl ich aus Brihuega stamme. Die Katalanen nennen sie *lletraferit*, das heißt *Literaturwund*. Ich verfüge über eine komplette Sammlung von *Literaturwunden*, die mich in diesem Fall und auch früher schon beraten haben. Die Segurola und Altamirano als Kritiker und Kuppler für Preise, Mona d'Ormesson als Brücke zwischen der institutionalisierten Kulturgewalt und den lesenden *beautiful people*, Ariel Remesal steht für die *literaturwunde* Mittelklasse, die Berufsorganisation der Schriftsteller et cetera, et cetera, und Tutor ist ein Bibliophiler, der sich in den Höhlen der Subventionen bewegt wie Ali Baba und die vierzig Räuber. Ich habe auch viele Schriftsteller eingeladen, und ich brauche nicht eigens zu erwähnen, daß sich unter ihnen auch der Preisträger befindet, der Gewinner der hundert Millionen. Ein geringes Risiko scheint auch der politische Sektor darzustellen, der im Saal wenig vertreten ist, denn im Schatten des Machtwechsels von den Sozialisten zu den Rechten wird sehr darauf geachtet, wodurch man untergeht und wie man aufsteigt. Ich glaube kaum, daß sich ein Selbstmörder eingeschlichen hat.»

«Hundert Prozent unter Kontrolle», bekräftigte Álvaro.

«Dann bleiben noch die Reichen. Wir haben fünfzig handverlesene Einladungen verschickt und nur zwanzig Zusagen von Leuten bekommen, die in der Welt des Geldes zählen, in der Welt des wirklichen Geldes, das ist mein Kriterium, wenn ich von Reichen spreche. Ab fünf Millionen Taschengeld aufwärts. Von diesen anwesenden Reichen kann ich keinem einzigen über den Weg trauen, aber noch weniger als allen anderen traue ich vier Leuten, die Sie den ganzen Abend im Auge behalten müssen.»

Álvaro, auf diesen Anlaß ebenfalls vorbereitet, reichte ihm einen Ordner mit vier Fotografien und den zugehörigen tabellarischen Lebensläufen. Drei dieser Gesichter waren Carvalho bekannt, am besten das des Trunkenboldes, der sich als Schiffsausrüster vorgestellt hatte, der Reeder Sagazarraz. Im zweidimensionalen Tod der Fotografie war auch Conesals Squashpartner und Sozius anwesend, Hormazábal war sein Name. Als dritten erkannte er jenen Mann wieder, der die Squashpartie so heftig unterbrochen hatte, Regueiro Souza. Als er die Äußerungen von Conesal und dem Sohn rekapitulierte, fiel ihm eine Unstimmigkeit in der Argumentation auf.

«Ich verstehe nicht, warum Sie das Spektrum möglicher Aggressoren so sehr einschränken. Warum müssen es die Schriftsteller, die Reichen oder die Politiker sein? Was wäre, wenn die Provokation aus den Reihen der Journalisten oder Kellner käme?»

Conesal lachte auf, ohne den Detektiv beleidigen zu wollen.

«Die Kellner gehören zum Hotelpersonal. Ich habe sie vollkommen unter Kontrolle, und die Journalisten, die heute abend erwartet werden, sind Leute, die sich für die Blüte von Kunst und Literatur engagieren. Auch der eine oder andere politische Journalist wird anwesend sein, vor allem Radiomoderatoren und Chefredakteure von Zeitschriften oder Sendeanstalten, aber sie wissen, daß ich über eine Menge Dossiers verfüge, mit denen sie ihre erste Seite füllen können, sowie Kredite, mit denen sie ihre Angestellten bezahlen können, Kredite zu Sonderkonditionen, mit denen sie das eine oder andere Nebengeschäft finanzieren und sich etwas bereichern können, oder auch Einflußmöglichkeiten, um ihre Sozialversicherungsbeiträge oder Steuerrückstände nachzuregulieren. Nein. Denken Sie nicht weiter in diese Richtung! Diese vier, überwachen Sie mir diese vier!»

Carvalho mußte noch erfahren, wer jener trotz seiner etwas aufgedunsenen Züge gutaussehende Rothaarige war. Er zeigte ihn Álvaro.

«Pomares & Ferguson, der Sherryproduzent.»

«Der Mann der Blondine?»

Lázaro Conesals Wimpern flatterten unbehaglich und suchten ärgerlich den Blick seines Sohnes, der nicht freundlich ausfiel, denn Álvaro war seinerseits gereizt über die Gereiztheit seines Vaters.

«Normalerweise fordere ich meine Klienten auf, sich mir so weit wie möglich anzuvertrauen. Ich hätte auch gerne gewußt, warum Sie sich an mich gewandt haben, obwohl Ihnen doch, wenn Sie wollen, selbst der Mossad zur Verfügung steht. Für Geld singt auch Sankt Petrus Arien.»

Mit einer Handbewegung erteilte Conesal seinem Sohn das Wort.

«Es war meine Idee, Señor Carvalho. Ich bin über Ihre Existenz, die Besonderheiten Ihres Lebens, Ihren Werdegang und Ihre Verdienste informiert. Sie sind ein Mann mit einer ziemlich soliden akademischen Bildung und einer entsprechenden Bibliothek, waren aber ebenso Agent der CIA. Sie glauben nicht an das System, dienen ihm aber, indem Sie Mörder und Räuber ausschalten.»

«Moment mal! Ich helfe nicht, Leute auszuschalten. Ich erfülle einen privaten Dienst und mache, wenn ich kann, Räuber und Mörder ausfindig, aber dann übergebe ich meine Erkenntnisse dem Klienten, nicht dem Staat, keiner repressiven Institution.»

«Gut, jedem sein ethisches Alibi. Ich glaubte und glaube immer noch, daß Sie ein sehr gut entwickeltes Unterscheidungsvermögen besitzen und dem, was heute abend geschehen kann, mit besseren Strategien zu begegnen wissen als die herkömmliche Polizei oder unser privater Sicherheitsdienst. Wir fürchten nicht um das Leben meines Vaters. Darum geht es nicht. Dafür würde es genügen, ihn zu überwachen und hinter Schloß und Riegel zu halten. Nein. Es geht darum, das, was sich im Saal zusammenbraut, diskret zu überwachen und vorherzusehen, wo eventuell der Funke überspringen könnte.»

«Der Funke», wiederholte Lázaro Conesal ohne großes Interesse, dafür schaute er erschrocken zur Uhr, und fast zeitgleich schrillte das Telefon, das Álvaro rountiniert abnahm. Alles war bereit für Conesals Abfahrt zum Chef der Staatsbank. Zuvor ließ er den Blick über alle Anwesenden und Gegenstände im Saal schweifen, als lege er ein Inventar an oder klammere sich an die Personen und Gegenstände, die er kontrollierte, bevor er in den Abgrund sprang und dem Gethsemane des Gesprächs mit dem Leiter der Staatsbank entgegeneilte. Jüngster Bestandteil seines Inventars war jener seltsame Privatdetektiv, Feinschmecker und Bücherverbrenner, den sein Sohn angeschleppt hatte.

«Warum verbrennen Sie Bücher, Señor Carvalho?»

«Wenn Sie eine geistreiche Antwort wollen: weil Sie mir nicht beigebracht haben, so gut wie Sie zu leben.»

«Und eine ehrliche Antwort?»

«Weil sie mir nicht beigebracht haben, so gut wie Sie zu leben.»

Der Millionär hob den Zeigefinger und murmelte ein fast unhörbares «Okay». Carvalho glaubte eine gewisse boshafte Neugier in dem Blick zu erkennen, mit dem Álvaro seinen Vater begleitete, als dieser den Speisesaal verließ; er schloß aber die Augen, als er bemerkte, daß der Detektiv diesen Ausdruck aufgefangen hatte, und als er sie wieder aufschlug, war er der zuvorkommende Gastgeber, der Carvalho noch ein Glas Armagnac anbot. Der Detektiv ließ sich nicht lange bitten, kostete das Getränk und ließ es dann aufmerksam in seinen Körper rinnen, als wolle er im Geist die Route des Alkohols verfolgen und ihm den unschädlichsten Weg weisen. Man darf keine Angst haben beim Trinken, sagte sich Carvalho und fügte hinzu: Man darf keine Angst haben beim Leben. Álvaro Conesal zündete sich eine lange, solide Zigarre an, die er einem Humidor entnahm, den er gleichzeitig Carvalho anbot.

«So entscheidend ist dieses Treffen?»

«Es wird nicht das letzte sein. Tatsächlich stehen wir am Beginn einer Tour de force, die schlecht ausgehen oder in der Katastrophe enden kann.»

Diese Alternative schien ihn nicht weiter zu berühren.

«Ist Ihnen das Ergebnis gleichgültig?»

«Nein. Es sind vielmehr Ergebnisse, die das Leben und den Werdegang meines Vaters betreffen werden, aber nicht mich. Mein Leben beginnt am Tag nach der Katastrophe. Mein Leben beginnt am Tag nach allem, was meinem Vater zustoßen könnte.»

Er biß nicht die Zähne zusammen, wohl aber den Blick in den von Carvalho, um ihm nicht die geringste Wohltat eines Zweifels zu lassen. Er sagte damit: Ich bin ein Sohn mit Problemen. Mein Vater muß sterben, damit ich lebe, oder einfacher, mein Vater muß bankrott gehen, damit ich lebe, oder der Leiter der Staatsbank muß meinem Vater ein paar Schläge verpassen, damit ich atmen kann. Carvalho zeigte ihm die vier Fotografien der als hochgefährlich Eingestuften.

«Erklären Sie mir die Theorie der Beziehungsebenen! Ihr Vater kann mit diesem Mann Squash spielen und Geschäfte machen, fürchtet ihn aber. Warum?»

«Iñaki Hormazábal verschreibt sich niemals bedingungslos einem Menschen oder einer Sache. Wir haben Beweise, daß er vertrauliche Informationen an Leute weitergab, die der Regierung nahestehen, sowie an Politiker der Opposition, die in wenigen Monaten an der Regierung sein können. Mein Vater hat bis heute den Kampf um sein Image gewonnen, aber heute abend kommt es zur Entscheidungsschlacht.»

«Die Konflikte mit Sagazarraz haben Sie mir bereits geschildert. Und was ist mit dem hier?»

«Er ist dem Untergang geweiht. Regueiro Souza. Er brachte als Sozius seine guten Beziehungen zur Regierung ein, die uns erlaubten, reprivatisierte Unternehmen zu Schleuderpreisen zu ersteigern, aber er ist in letzter Zeit in allzu viele Korruptionsgeschichten verwickelt und wird mit der Regierung untergehen. Mein Vater spielt Katz und Maus mit ihm. Im Moment ist mein Vater noch die Katze.»

«Nur im Moment?»

«Sagen wir mal, Regueiro besitzt geheime Schlüssel, die er ins Spiel bringen könnte.»

«Und der da?»

Álvaro fühlte sich nicht wohl beim Anblick des Fotos eines jungen, kräftigen Mannes mit Sommersprossen.

«Eine persönliche Geschichte. Das ist der Ehemann der Frau, die Sie gesehen haben.»

«Ein Ehemann, der Verdacht geschöpft hat.»

«Mehr noch, er ist sich sicher.»

«Und wie verdaut er es?»

«Das Problem ist nicht so sehr er, sondern sie. Beba hat sich in meinen Vater verliebt, und von ihrer Hysterie hängt die ihres Mannes ab. In letzter Zeit ist Beba sehr hysterisch. Bei meinem Vater werden alle Frauen so. Er provoziert diese Hysterie. Hat Ihnen der Barkeeper nicht erzählt, was mit seiner Schwester geschehen ist? Er nennt sich selbst «Einfach José» und lebt jetzt von der Geschichte seiner Schwester, «Einfach María», eine Hostess des Unternehmens, die anscheinend von meinem Vater schwanger wurde.»

«Heißt das Mädchen wirklich María?»

«Genau so. Und er heißt José, einfach José.»

Entweder hatte er das Gespräch satt, oder es war wirklich Zeit, zum *Venice* aufzubrechen, um den möglichen Tatort in Augenschein zu nehmen, wie Álvaro ohne Schmerztablette mitteilte, und diesmal reisten sie an Bord eines Ford Lotus, den Conesal junior steuerte. Bevor sie das *Venice* erreichten, bog Álvaro in eines der Neubaugebiete seitlich der Castellana ein und hielt vor einer Villa mit unvollendeter Neigung zum Stil der französischen Alpen mit Wohnsitz in Madrid.

«Wir nehmen meine Mutter mit.»

Dieser Junge war so wohlerzogen, daß er nicht einmal auf die Hupe drückte, sondern ausstieg und die mit der Videoüberwachung gekoppelte Gegensprechanlage betätigte, um seine Mutter zu rufen. Die Frau erschien fast unverzüglich. Aber sie kam beladen mit Beschwerden, und Mutter und Sohn wechselten harte Sätze, was Álvaro mit dem Hinweis auf die Anwesenheit eines Fremden im Auto abzubrechen versuchte. Carvalho erkannte die eckige Frau wieder, die vor der Bürotür von Lázaro Conesal mit der blonden, tränenüberströmten Hostess gesprochen hatte. Eine schlanke Fünfzigerin ohne Make-up, sportlich gekleidet, das weiße Haar durch übertriebenes Versilbern betont. Sie wirkte nicht wie die Frau von Lázaro Conesal, nicht einmal wie Álvaros Mutter. Sie war zur Furie geworden, und Carvalho drückte den Knopf, damit das automatische Fenster in der Versenkung verschwand und er den Rest des Auftritts mithören konnte.

«Dein Vater ist wie Attila. Wo er den Fuß hinsetzt, wächst kein Gras mehr.»

«Jetzt ist nicht der Zeitpunkt, Mamá!»

«Wann ist denn der richtige Zeitpunkt? Warum weichst du der Frage aus? Auf mich kommt es nicht mehr an. Aber wann wird er dich fertigmachen?»

Álvaro zeigte zum Auto, damit ihr endlich klar wurde, daß sie beobachtet wurden. Er nötigte sie näher zu treten, und Carvalho stieg aus, um sie zu begrüßen.

«Meine Mutter, Milagros Jiménez Fresno. Pepe Carvalho.»

Carvalho bot der Dame den Beifahrersitz an, aber sie wollte lieber im Fond sitzen.

«Ich kann Sicherheitsgurte nicht ausstehen.»

Sie atmete erleichtert auf, als sie auf der Rückbank Platz genommen hatte, und der Sohn fuhr los.

«Ich weiß nicht, wie ich diese Weiber aushalte. Es gibt nur eins, das schlimmer ist als eine Frau, die reich und dumm ist: dreißig Frauen, die reich und dumm sind.»

«Wart ihr dreißig?»

«Einunddreißig, mein Sohn, mich laß weg!»

«Entschuldige! Du bist nicht dumm, aber du bist reich.»

«Der einzig Reiche in unserer Familie ist dein Vater. Sehe ich ihn heute abend?»

«Wie solltest du ihn nicht sehen, wenn ihr beide der Preisverleihung beiwohnt?»

«Also hör mal, ich weiß wirklich nicht, ob ich hingehen soll. Dein Vater ist dauernd von Faschisten, Ausbeutern und Nutten umgeben.»

Álvaro nahm den Blick von der Straße, um seiner Mutter einen Blick lächelnden Tadels zu schicken.

«Also gut, ich gehe hin – wenn du mir einen Gefallen tust.»

«Gut.»

«Beim heutigen Treffen ging es um die Geschichte mit dem Bazar, und jedes Jahr kommen Schriftsteller, die ihre Bücher signieren, damit es nicht heißt, wir würden nur Dinge für wohltätige Zwecke verkaufen. Hilf mir bitte, eine ausgewogene Liste von Schriftstellern aufzustellen! Diese nichtsnutzigen Weiber kommen nicht über das Repertoire an Schriftstellern hinaus, die mit der Zeitschrift *ABC* in Verbindung stehen. Ihr, dein Vater und du, macht ja jetzt in großer Literatur, vielleicht könnt ihr mir helfen, die Mängel auszugleichen? Ihr habt doch von allem was, nicht?»

«Wir haben von allem was, ein komplettes Repertoire. Rechte, Linke, Zentrum, Große, Kleine, Dicke, Katalanen, Leoneser, Gelesene und Ungelesene.»

«Also gut, ich werde aufmerksam zuhören. Haut mich bloß nicht übers Ohr! Schreiben Sie auch, Señor…?»

«Carvalho. Nein. Ich verbrenne Bücher.»

Auf der Rückbank trat Schweigen ein. Álvaro war drauf und dran, in Gelächter auszubrechen, führte aber das Steuer weiterhin mit der Eleganz des geborenen Chauffeurs. Er hielt vor dem vermutlichen Wohnsitz der Conesals an, der sich hinter einer dicken, hohen Mauer aus violetten Ziegelsteinen versteckte, und die Mutter verschwand eilig, Zeitmangel und irgendwelche Verabredungen vorschützend und nicht wagend, ein weiteres Wort mit dem fremden Bücherverbrenner zu wechseln, der einem so die Sprache verschlug. Einer der vielen Faschisten aus der Umgebung ihres Mannes. Faschisten, Ausbeuter und Nutten. Es waren nur drei Blocks bis zum *Venice*, und der Ford Lotus hatte keine Zeit, richtig in Fahrt zu kommen. Kaum hatte Álvaro das Gaspedal angetippt, standen sie schon vor dem rosafarbenen griechischen Tempel mit den vier zylindrischen Türmen für die vier Aufzüge, die sich, ob sie besetzt waren oder nicht, auf und ab bewegten – wie Kolben, die für die Routine und Dauerhaftigkeit eines Service-Hochhauses standen, das verkündete Álvaro wie eine Fanfare, man sah ihm den Stolz auf das Gebäude und seine Konzeptualität an, und er wiederholte den Begriff «Konzeptualität» mehrfach.

«Die Postkonzeptualisten suchten nach einer flüchtigen Kunst: der Installation, nicht durchführbar und zum Verschwinden verdammt, und die Hotelarchitektur war der einzige Ausweg, denn sie impliziert das Routinemäßige der Inszenierung des Lebens im Nicht-Zuhause. Noch mehr Übereinstimmungen mit der Magie der Koinzidenz zwischen der Routine des Service und der Angst des seiner Identität beraubten Gastes sind nicht möglich. Ist Ihnen die Unruhe aufgefallen, mit der ein Hotelgast wartet, bis seine Reservierung bestätigt wird? Wenn er nicht auf der Liste stünde, könnte es so weit kommen, daß er an seiner eigenen Identität zweifelt. Stand Ihr Name irgendwann einmal auf den Wartelisten eines Flughafens? Waren Sie nicht beunruhigt?»

«Vor vielen Jahren hatte ich einen hervorragenden Professor für französische Literatur namens Joan Petit. Er erklärte mir eines Tages den Unterschied zwischen der metaphysischen Angst von Typen, die sich Existentialisten nannten, und der konkreten

Angst des Fußvolks. Die konkrete Angst empfindet man, wenn die Polizei oder der Kassierer der Elektrizitätswerke an die Tür klopft und man keine weiße Weste und kein Geld hat, um zu bezahlen.»

Carvalho blieben fragende Blicke von Álvaro erspart, denn die Stufen des vorgeblichen Parthenons hatten sie in eine Hotelhalle geführt, die einem birmanischen Urwald glich, und zwischen den Lianen, gefriergetrockneten Palmen und schattigen oder beschatteten Bäumen blitzten die Ladenschilder von Armani, Gucci, Bulgaro, Ferré und sogar einer Filiale von Tiffany's, die Lázaro Conesal nur finanzierte, um als Sammler der besten Horizonte dieser Welt berühmt zu werden. Die vier Aufzüge fuhren auf und ab, das Gesicht der Castellana zugewandt, als wollten sie nach Burgos türmen, und die Rückseite dem Innern jener dschungelartigen Hotelhalle zugewandt, die so hoch war wie die dreißig Stockwerke des Hotels. Man sah die Entführten im Inneren, bewacht von einem Liftboy in der Livree von Liftboys aus der Zeit zwischen den Kriegen, ganz egal, zwischen welchen Kriegen, sagte sich Carvalho, aber nichts ist so charakteristisch wie die Kleidung und die Gesten von Zwischenkriegszeiten.

Immer noch von der Kulissengestaltung erregt, folgte er seinem Führer zu einem Raum, der so normal war, daß er ihn langweilte, kaum hatte er ihn gesehen. Bei der Gestaltung dieses Raumes war nichts vom ludischen Blick eines renommierten Designerauges zu erkennen. Vielleicht hatte es ein Blinder entworfen, der über ein gewisses optisches Gedächtnis verfügte. Das Zimmer war so sehr zu Ernst und Eintönigkeit berufen, daß es von einem großen Kaufhaus möbliert schien – ein offensichtlicher Beweis seines subalternen Charakters, was durch die Tatsache bestätigt wurde, daß es die Zentrale des Hotelsicherheitsdienstes war und neben einem anderen Raum lag, zu dem die Terminals des Fern-Sehens und Fern-Sprechens den galaktischen und unwirklichen Dekor einer Videoüberwachungsanlage beisteuerten. Aber in diesem gesichtslosen Ambiente von Nichts und Niemand wurde Gesprächsgarn gesponnen und aufgedröselt von einem Dutzend Männer, die sich in Alter und Gesicht so ähnlich waren, daß es nicht lohnte, sie einzeln anzusehen. Die Bildschirme der Monitore informierten über die Geschehnisse an allen wichtigen Punkten des Hotels, und man konnte jeden Sektor gesondert ansteuern, wenn von dort ein Alarm-signal kam.

«Das Programm gestattet, Bereiche zu- und abzuschalten, wie es einem paßt. Mein Vater duldet beispielsweise nicht, daß seine Suite überwacht wird, während er sich im Hotel aufhält, denn bisweilen will er keine Aufzeichnungen über seine Besucher. Auch heute wird er sich in seine Suite zurückziehen und den entsprechenden Bereich abschalten lassen.»

Das Gesicht eines der Angestellten sickerte in Carvalhos Gedächtnis ein, und dieses begann, es hin und her zu wenden. Der Sicherheits- und Personalchef des Hotels, informierte ihn Álvaro. Die Suche zeitigte ein Ergebnis: Aus den vernichteten Akten seines Geistes tauchte schattenhaft ein Erlebnis auf, das ihn mit diesem Individuum verband. Der Sicherheitschef war einer der härtesten politischen Polizisten der Diktatur in ihrer Endphase gewesen, alt genug, daß von ihm noch Folterungen bekannt wurden, aber nicht allzu viele, und er erwarb sich einen gewissen Ruf als eklektischer, postmoderner Polizist, der als einer der ersten begriffen hatte, daß Gerechtigkeit und Ungerechtigkeit, Legalität und Illegalität, Krieg und Frieden vom Staat immer mehr in private Hände übergingen. Es war Eis, was seine Augen ausstrahlten, wenn der junge Conesal die Funktion Carvalhos erläuterte und ihn als Libero bezeichnete, der sich nach Belieben im gesamten Bereich der Preisverleihung bewegen dürfe, aber keinerlei Befehlsgewalt besitze, es sei denn, er selbst, Álvaro Conesal, würde seine Beobachtungen in Maßnahmen umsetzen. Álvaro erläuterte dies voller Geduld angesichts des offensichtlichen Verdrusses des Personalchefs, dessen Gesicht und Haltung Carvalho wiedererkennen wollte und nicht konnte, bis Álvaro den Namen aussprach. Es gehöre, so betonte er, zu den Obliegenheiten des Personal- und Sicherheitschefs Sánchez Ariño, die Polizei über die Bewegungsfreiheit des Privatdetektivs zu informieren. Sánches Ariño alias «Dillinger», jener faschistische Jungpolizist aus der Anfangsphase der *transición*, der damals noch die Stirn gehabt hatte, sich in linksextreme Gruppen einzuschmuggeln, um ihnen hernach in die Leber zu treten. Carvalho erinnerte sich plötzlich an die wachsamen, aus den Höhlen tretenden Augen neben Kommissar Fonseca, damals, als er den *Mord im Zentralkomitee* untersucht hatte. «Dillinger», der junge Mann mit dunkler Vergangenheit und

Spezialist für die Infiltrationsversuche des KGB im Universum, nahm jetzt Álvaro Conesal beiseite, um ihm etwas unter vier Augen zu sagen. Der Winkel eines Auges von Carvalho erhaschte eine Frage, die «Dillinger» an Conesal junior richtete.

«Als was kommt der denn jetzt? Als Gaffer?»

«Genau, als Voyeur.»

Kein Polizist, der einmal zur *Brigada Político Social* gehört hat, verliert den Blick für Kommunisten. Carvalho, der sich gemustert fühlte, als sei er einer, wurde dadurch dreißig Jahre zurückversetzt, als er wirklich einer war und Blicke wie diesen erdulden mußte. Wie oft hatte er sich schon die Angst, Frustration und schlechte Laune der Antikommunisten in einer Welt vorgestellt, in der es kaum noch Kommunisten gab, und wie sie sich daher der Überlebenden bedienen mußten, um die eigene Identität aufrechtzuerhalten. Álvaro war der tiefsitzende Haß seines Personalchefs nicht verborgen geblieben.

«Señor Carvalho hat auf ausdrücklichen Wunsch meines Vaters völlige Bewegungsfreiheit.»

«Das hat gerade noch gefehlt.»

Wäre Carvalho zehn Jahre jünger gewesen, hätte er ihm zwischen die Beine getreten, aber als er überlegte, wie lange eine gewaltsame Auseinandersetzung mit «Dillinger» dauern würde, fühlte er sich seiner selbst nicht sicher. Er holte die Erlaubnis ein, anhand eines Lageplans auf eigene Faust einen Rundgang durch die Dependancen des *Venice* zu unternehmen, und das erste, was er feststellte, war, daß der große Speisesaal, in dem das Galadiner und die Verkündung des Urteils der Geschworenen stattfinden sollten, über einen großen Eingang und einen Ausgang von kleineren, aber ebenfalls beachtlichen Dimensionen verfügte. Der Ausgang führte in den Bereich weniger repräsentativer Geschäfte und zu zweien der vier Aufzüge, die die Verbindung zu den oberen Stockwerken herstellten. Der Eingang verband den Saal mit der spektakulären Dschungelvorhalle und ihren erlesenen Boutiquen, die dem Gast den Eindruck vermittelten, mitten im tropischen Urwald bei Tiffany's einzukaufen. Jedenfalls machte einen die Dekoration auf ein Kinderabenteuer zwischen kindlich gezeichneten Objekten und Signalen gefaßt, als sei das Design von einer Horde melancholischer, im Urwald verirrter Kinder in Auftrag gegeben worden. Wie sich dieser Stil wohl nannte? Das fragte sich Carvalho, den alles an die Gestaltung des Hunde-Maskottchens der Olympischen Spiele von Barcelona erinnerte, aber der melancholische Cobi war von plattgedrückter Struktur, wie auf der Flucht vor sich selbst. Dagegen spottete das, was ihn hier umgab, der eigenen Funkton. Die Tische sahen zum Beispiel wie Spiegeleier aus. Von wem mochte die Idee dieser Dekoration stammen? Zunächst hatte Carvalho sie Álvaro zugeschrieben, aber nachdem er seinen Vater gehört hatte, war er sich nicht mehr sicher, ob nicht alles eine Laune des Finanziers war, der das Design der Welt seiner Kindheit wiederfinden wollte. Dieser Mann spielte ständig eine Rolle, die sich für ihn während der letzten fünfzehn Jahre als lohnend erwiesen hatte, der Epoche des modernisierungsgläubigen Abenteurertums, während der das Stichwort «Moderne» und das Verb «modernisieren» genügt hatten, um Türen jeder Art zu öffnen. Aber Carvalho besaß ein gutes Gespür für die Abgenutztheit von Posen, vielleicht weil ihm seine eigene Verbrauchtheit immer stärker bewußt wurde, die fortschreitende Erschlaffung einer Muskulatur, die ihm zwei Jahrzehnte lang erlaubt hatte, sich in ironischer Weise mächtig zu fühlen. Aufgrund dieser Fähigkeit zur Selbsterkenntnis spürte er den Verfall der Muskulatur Lázaro Conesals auf, sosehr sich dieser auch noch in der Anfangsphase befand und neue Verhaltensmodelle, die das seine ersetzen würden, noch nicht aufgetaucht waren. Er hielt am Fuß der Aufzüge inne für den Fall, daß es ihn einzusteigen gelüstete, wie damals, vor über dreißig Jahren, als er den Außenlift des Hotel *Fenimore* in San Francisco genommen hatte, um zum schwedischen Büffet des Restaurants im obersten Stockwerk zu gelangen. Alles war dreißig Jahre her, und bald würde fast alles vierzig Jahre her sein. Als er zur Sicherheitszentrale des Hotels zurückkehrte, sah er die Silhouette von «Dillinger», die von der Innenbeleuchtung des Raumes scharf herausgearbeitet wurde. Er rauchte und beobachtete ihn, die Nasenflügel wahrscheinlich bebend in der Witterung eines Antagonisten. Er machte ohne große Lust Platz, als Carvalho das Zimmer betrat, um nachzuschauen, ob Álvaro da war. Er war es nicht, und Carvalho kehrte zum freien Umherschweifen zurück, um einem erzwungenen Tête-á-tête mit dem Personalchef zu entgehen, als er hörte, wie dieser hinter ihm pfiff. Nicht gewillt, auf Pfiffe zu reagieren, setzte er seinen Weg fort, bis der Ruf eine menschliche Stimme annahm.

«He! Sie! Ich kann mich nicht an Ihren Namen erinnern.»

Niemand erinnerte sich an seinen Namen in diesem Haus.

«Carvalho, Pepe Carvalho.»

«Ihr Name klingt mir bekannt, und ich weiß nicht warum. Sind wir uns schon einmal begegnet?»

«Ich verlasse Barcelona selten.»

«Aber ich weiß genau, daß ich Sie schon einmal gesehen habe.»

«Waren Sie bei der *Brigada Político Social*?»

Er schloß die Augen und öffnete sie mit aufgepflanzten Fragezeichen und gezücktem Mißtrauen.

«Warum fragen Sie mich das?»

«Vielleicht war ich einer Ihrer Klienten. Waren Sie nicht die rechte Hand von diesem Kerl da, Kommissar Fonseca?»

«Dillinger» sah sich um und stellte fest, daß sie weit außer Hörweite der anderen waren, dennoch senkte er die Stimme.

«Und wenn das so wäre? Ich war sehr jung und arbeitete mit Kommissar Fonseca, er und ich waren treue Diener des Staates, und wir hatten *cojones*, wir und der Staat.»

«Ja, ja, diese *cojones* waren sehr bekannt.»

«Was haben Sie an meinen *cojones* auszusetzen?»

«Ich meinte nicht Ihre, sondern die des Staates.»

«Jetzt erinnere ich mich an Sie, dieser unverschämte Ton! Sie haben sich damals, in den achtziger Jahren, in Madrid rumgetrieben, als der Generalsekretär der PCE ermordet worden war. Sie waren dieser rote Schnüffler, den die PCE angeheuert hatte. Die Zeiten haben sich geändert, *amigo*. Wie ist Ihnen der Untergang des Kommunismus bekommen?»

«Sehr gut, und Ihnen?»

«Also, ich vermisse die Kommunisten, und ich kann Ihnen sagen, ich bin deshalb ins Privatgeschäft eingestiegen, weil es ohne Kommunisten nicht lohnt, Polizist zu sein.»

«Man verdient mehr als Privater.»

«Sie sagen es. Und ich spreche noch nicht mal von mir, denn Don Lázaro ist sehr großzügig und hat immer ein paar Extras parat: mal heißt es, laß dir ein paar Anzüge schneidern, «Dillinger», mal sagt er, wie wär's mit vierzehn Tagen Thailand, zu den Masseusen, ich finde, du siehst sehr deprimiert aus, «Dillinger». Aber sogar die Kollegen, die im normalen Privatgeschäft arbeiten, verdienen heute das Doppelte von denen, die immer noch für den Staat schuften. Der Staat ist ein sicherer, aber knickeriger Arbeitgeber. Dabei haben Sie, die gegen den Terrorismus gekämpft haben, bis heute noch Knete aus den *fondos reservados* gekriegt und können immer was für sich abzweigen. Aber jetzt ist das mit den Anti-Terror-Geldern mies geworden, ganz mies, die Sozialisten sind ein Haufen Gauner, und ein paar Nieten haben sich aus den *fondos reservados* die Taschen vollgestopft. Ihr habt doch die Demokratie gewollt? Bitte sehr, wir stecken sie euch in den Arsch, bis sie euch zu den Ohren wieder rauskommt. Zu meiner Zeit war das mit den *fondos reservados* tabu und geheim, außerdem machte das repressive System selbst solche *fondos* weniger notwendig, weil alles unter Kontrolle war. Aber dann, mit den ganzen Freiheiten und den ständigen Drogengeschichten, da mußte man schon ab und zu in die Kasse greifen, um hier einem das Maul zu stopfen, da einen zum Reden zu bringen oder mal hier, mal da ein Telefon anzuzapfen. Ich bin ja nicht gegen Modernität und auch keiner von denen, die sich die Zeiten zurückwünschen, als sich der Staat noch mit ein paar Ohrfeigen und gut gezielten Tritten in die Eier Respekt verschafft hat. Aber irgendwo ist Schluß mit der Rechtsstaatshuberei und ihrem ganzen Rechtsverdreherpack.»

«Jede Zeit hat ihre eigene Moral.»

«Dillinger» ahnte, daß er soeben einen Freund gewonnen hatte. Die vorquellenden graugrünen Augen des Polizisten wurden groß, und ein totales Grinsen ließ die aufeinander lastenden, gefolterten Gesichtszüge leichter werden.

«Sie nehmen mir das Wort aus dem Mund.»

Damit brach er in ein schrilles Falsett-Gelächter aus, das Carvalho durch den Tunnel der Zeit zurückversetzte, dieses Lachen, über das sich Fonseca damals, 1980, im Büro der *Dirección General de Seguridad* empört hatte. *Was gibt's da zu lachen, he?* Aber dann war Fonseca ebenfalls in Gelächter ausgebrochen. Warum? Der Anlaß war etwas gewesen, das Fonseca gesagt hatte, etwas Ironisches. *Daß bloß die Demokratie nicht in die Hosen geht! Ist doch klar!* Darüber hatte er sie lachen gehört. Er versuchte sein Glück.

«Vor allem, daß bloß die Demokratie nicht in die Hosen geht!»

«Oh, leck mich am Arsch!»

Aber obwohl er bei seinem Ausruf Halt suchte, um nicht in lautes

Gelächter auszubrechen, fand er ihn nicht, und er explodierte in krampfartige Lachsalven, die ab und zu von der Losung unterbrochen wurden: «Oh, leck mich am Arsch!»

Der eben eintretende Álvaro kannte den Grund der großen Verbrüderung nicht. Seine Kleidung hatte sich verändert, er trug ein dunkles, fast smokingartiges Jackett zu zerknitterten Jeans und einer violetten Fliege, die ihm erlaubte, den mächtigen Adamsapfel in Ruhestellung zu halten.

«Mein Vater kann jeden Moment eintreffen. Er will sich mit den ausgewählten Manuskripten einschließen und wird kaum Zeit haben, etwas mit uns zu besprechen. Die Sicherheit liegt weiterhin in Ihren Händen, Señor Sánchez Ariño, aber vergessen Sie nicht, daß die Eskorten der offiziellen Persönlichkeiten hinzukommen werden. Ich wiederhole noch einmal, Señor Carvalho genießt vollkommene Bewegungsfreiheit. Um Zuständigkeitsprobleme zu vermeiden, führen Sie das operative Kommando, aber wie ich schon sagte, jede Entscheidung Carvalhos muß mir mitgeteilt werden, und ich werde sie an Sie weiterleiten.»

«Zu Befehl, Don Álvaro!»

«Dillinger» besaß die Seele eines staatlichen Folterers und privaten Sklaven. Dies ließ in Carvalho einen alten und erneuerten Groll erwachen, weshalb er sich von ihm entfernte. Álvaro folgte ihm.

«Haben Sie etwas gegen Sánchez Ariño?»

«Ich kannte ihn bereits. Als ich ihn kennenlernte, wurde er ‹Dillinger› genannt und war ein junger hoffnungsvoller Folterknecht des Franquismus. Eins muß man ihm lassen, er ist erst in den letzten Jahren der Diktatur zu diesem Metier gestoßen, ohne jede Rechtfertigung in der Vergangenheit oder Zukunft. Wie ich sehe, hat er es zu etwas gebracht.»

«Er versteht sein Handwerk.»

«Foltert er noch?»

«Nein. Er sorgt in der Umgebung meines Vaters, der Pressionen und Drohungen aller Art ausgesetzt ist, für Ordnung. Mein Vater steht auf der Schwarzen Liste der ETA. Können Sie sich die Summe vorstellen, die bei einer Entführung meines Vaters fällig würde?»

«Normalerweise trinke ich, um mich zu erinnern, und esse, um zu vergessen. Ich brauche ein Gläschen.»

Álvaro warf mechanisch den Blick auf die theoretische Position von Carvalhos Leber, ein Blick, der Carvalho wie ein stachelbesetzter Bußgürtel in den verletzlichsten Punkt seines Körpers fuhr, aber er besaß keine andere Entscheidungsfreiheit mehr als die, zu sagen, wann er ein Glas trinken oder nicht trinken würde, und kein Doktor in dieser oder jener Wissenschaft durfte ihm an die *cojones* seiner Leber gehen, die die empfindlichsten *cojones* des menschlichen Körpers sind. So steuerte er entschlossen zur Hotelbar, die den Maschinenraum des gelben U-Boots der Beatles in Szene setzte, falls gelbe U-Boote überhaupt Maschinenräume haben. Er hatte bis zur Mittagszeit bereits so viel und so gute Dinge zu sich genommen, daß er eigentlich die Geschmacksrichtung bestellen wollte, die in seinem Mund vorherrschte. Whisky. Aber er bildete sich ein, er sei es leid, Whisky zu trinken, und täuschte sich selbst mit dem Gedanken, ein Longdrink mit Kräutern, egal mit welchen, würde keine Aggression gegen seine Leber darstellen. Alle Kräuter sind heilsam. Er bestellte also beim Barkeeper einen *mojito* mit Minze und entdeckte, als ihm dieser das Glas servierte, daß er einen Schwarzen vor sich hatte, der wohl aus Kuba stammte, so wie er die Wörter in die Länge zog, aber daß es ein falscher Schwarzer und falscher Kubaner war. Es war ‹Einfach José›, der nur verhalten lachte, damit sein Make-up keine Risse bekam.

«Don Lázaro bepißt sich vor Lachen, wenn er mich hier als schwarzen Barmann sieht, und ein Zubrot ist nicht schlecht in diesen Zeiten.»

Das eiskalte Glas an der Stirn entriß ihn seiner Benommenheit, hinterließ aber den Eindruck einer Farce, die seine Lust auf Farcen weit überstieg. Plötzlich überkam ihn der Wunsch, nach Hause zu fahren. Dort wäre Biscuter und würde ihn fragen, wie es ihm in Madrid ergangen sei, und er gab sich selbst das Versprechen, ihm alles haarklein zu schildern, sobald er wieder in Barcelona wäre. Das Gefühl der Fremdheit eines Hoteltieres überfiel ihn, ebenso die Furcht, sich nicht beherrschen zu können, zuviel zu trinken und dann die in letzter Zeit so gewohnte Situation zu erleben, daß in seiner Erinnerung ganze Sequenzen des jüngst vergangenen Alltags fehlten, als hätte der Alkohol sie gekidnappt und an einen Ort verschleppt, der in der Kloake seines Bewußtseins lag. Er würde einen Arzt dazu befragen. Warum vergesse ich in letzter Zeit, was ich tue, wenn ich mit einer gewissen, notwendigen Gier getrunken habe? Aber er war Hauptdarsteller einer sehr gut bezahlten professionellen Sequenz, und es war angebracht, bei klarem Verstand zu bleiben und nicht zu trinken.

«Noch einen *mojito*, bitte!»

«Jawohl, Señor.»

Die Antwort kam in perfekt kubanischem Akzent, aber unter der vermeintlich schwarzen Haut des Gesichtes steckte «Einfach José».

Jawohl, Señor! Gefällt Ihnen mein Akzent, Señor? Don Lázaro ist begeistert, wenn ich mich kostümiere, und meine Nummer als schwarzer Barkeeper und Literaturwissenschaftler findet er toll.»

Durch das vor ein Auge gehaltene Glas sah er, wie Celso Regueiro die Bar betret. Das geschminkte Gesicht war verdüstert und ähnlich angespannt wie am Morgen. Er suchte nach jemandem, und Carvalho bekam Neugier darauf, nach wem. Er verließ die Bar, und Carvalho folgte ihm, ohne den zweiten *mojito* im Stich zu lassen, der ihm angenehm die Hand kühlte, während er dem wie unter Zwang stehenden Celso Regueiro folgte. Dieser ging über den Flur zwischen den jetzt leeren und endgültig im Dunkel liegenden Konferenzräumen, stieß eine Tür auf und wurde von einem Schwall elektrischen Lichtes überflutet, welches nur auf seine Befreiung gewartet zu haben schien. Er betrat das Zimmer und ließ die Tür angelehnt, so daß Carvalho näher treten und beobachten konnte, was drinnen vor sich ging. Es war ein kleines Büro, von dem nur ein Stück Schreibtisch zu erkennen war und dahinter ein drehbarer Polstersessel mit Álvaro Conesal, der den Hintern auf der Sesselkante abstützte und die Beine nebeneinander auf die Tischplatte gelegt hatte. Regueiro sagte kein Wort. Álvaro erhob sich mit trägen Bewegungen und lächelte. Regueiro umrundete den Tisch, bis er vor dem Jungen stand, legte ihm den Arm um die Taille und küßte ihn gierig auf den Mund, während sich Álvaros Körper voller Hingabe von diesem Arm um seine Taille halten ließ. Carvalho verließ seinen Beobachtungsposten und kehrte zu seinem Ausgangspunkt zurück, während er das Glas vollends leerte. Er erreichte die botanische Hotelhalle zeitgleich mit dem Herrn des Ganzen, der eben eintraf. Eingerahmt von seinen Leibwächtern, sprach Lázaro Conesal gedämpft auf ein aktenkoffertragendes Individuum ein, das neben ihm ging und mit ernster Miene seinen Worten lauschte. Conesal ließ während seiner temperamentvollen Ausführungen den Blick nach allen vier Himmelsrichtungen schweifen, als suche er nach etwas oder jemandem. Der Antwort seines Gesprächspartners lauschend, drückte er einen Knopf eines tragbaren Telefons und fuhr mit schizophrener Entschlossenheit fort, die Aufmerksamkeit seines Gesprächspartners festzuhalten, ohne die Erwartung dessen aufzugeben, was er erwartete. Endlich tauchte Álvaro hinter Carvalho auf, betrat die von den Leibwächtern abgeschirmte Sphäre und hörte noch den Schluß des Gesprächs seines Vaters mit dem anderen Mann, der sich verabschiedete und das Hotel mit kurzen, leichten Schritten verließ, die nicht zur Schwere des Aktenkoffers paßten. Der Finanzmann berichtete nun seinem Sohn, und Álvaro schien darauf konzentriert, was er hörte, ließ sich aber in keinster Weise anmerken, ob es ihn beeindruckte oder nicht; sein Vater bemühte sich zwar ebenfalls um Beherrschung, bewegte aber den Unterkiefer wie die Backe eines Schraubstocks, mit dem er die Wörter zerquetschen wollte. Er überhörte den Vorschlag seines Sohnes, im Personalraum vorbeizuschauen, und gab ihm durch Gesten zu verstehen, daß er einen Aufzug nehmen und sich in die oberen Stockwerke begeben wollte. Álvaro zuckte die Achseln, und Lázaro Conesal ging mit zwei Leibwächtern zum Aufzug. Er wünschte allerdings keine weitere Eskorte und fuhr als einziger Passagier zum Himmel der gestählten, harten Manager auf. Die Beine leicht gegrätscht, als kämpfe er gegen das Gewicht des kolossalischen Hotelbaus an, wurde er klein und kleiner, je weiter er gen Himmel fuhr, aber am Ende empfand Carvalho diese Reise nicht als Apotheose, sondern als bedrohlichen Größenverlust unter dem Gewicht des riesigen Hotels, und als der Aufzug eine unglaubhafte Schachtel auf dem Gipfel des Hotels war, war Lázaro Conesal niemand und nichts mehr.

«Keine Leibwache?»

«Auf jedem Stockwerk gibt es Sicherheitsagenten. Aber er ist sehr müde und hat alles sehr satt. Ich kenne ihn. Wenn er so ist, hält er nicht einmal sich selbst aus.»

Sie durchquerten, ohne anzuhalten, den Speisesaal, denn Aufruhr lag in der Luft, und um Leguina und die Ministerin scharte sich die zahlreichste Gruppe und forderte eine Erklärung.

«Als würdigen Abschluß der Stümpereien der sozialistischen Ära erleben wir nun die Geiselnahme von Intellektuellen!»

Leguina verlor die Geduld.

«Wer hat Sie denn auf den Arm genommen und Ihnen weisgemacht, daß Sie ein Intellektueller sind?»

Mancher fühlte sich durch die verdrossene Miene des amtierenden Präsidenten der *Comunidad Autónoma de Madrid* zu Buhrufen herausgefordert, während die Frau Ministerin mit ironischen Vorhaltungen reagierte und sie wie Kinder behandelte.

«Bedenken Sie, daß man so etwas nur einmal im Leben erlebt!»

Carvalho wollte zu Ramiro, aber vor der Tür des Raumes, der für die Verhöre vorgesehen war, kam ihm der Inspektor entgegen.

«Ich vertraue Ihrer Beobachtungsgabe, will aber die Zeugen unter Druck setzen. Wir werden ihnen gegenüber behaupten, daß jede ihrer Bewegungen von der Videoüberwachung aufgezeichnet wurden. Sie und ich wissen, daß das nicht stimmt, aber ansonsten weiß fast niemand von Conesals Sorglosigkeit. Ein weiteres wichtiges Fakt ist das Prozac. Nur wer die Gewohnheiten Conesals genau kannte, konnte den Plan aushecken, die Prozac-Kapseln durch andere, mit Strychnin gefüllte, zu ersetzen. Wir können diese Frage aber nicht systematisch stellen, denn jeder Verhörte würde sie hinterher weitertragen, und die Nachfolgenden wären gewarnt.»

Carvalho war einverstanden. Einige Leute waren dabei, das Büro des Hotel-Geschäftsführers zum Luxuskommissariat umzubauen, als Ramiro und Carvalho hereinkamen, und der Polizist begann, in die Hände zu klatschen, um den Fortgang der Arbeiten zu beschleunigen. Schreibmaschine und Rekorder mußten einen Platz bekommen, und die Beleuchtung, die alles viel zu genau zeigte, mußte gedämpft werden.

«Bei einer Beleuchtung wie im Operationssaal kann man keine Verhöre führen. Ich brauche eine Beleuchtung wie im Puff!»

Sosehr sie sich auch bemühten, die Puffbeleuchtung wollte nicht gelingen, und Ramiros Laune wurde immer miserabler.

«Am Ende spielen wir hier noch Boule! Diese Deckenbeleuchtung da, schafft es denn keiner, die Birne herauszudrehen?»

Der für die Instandhaltung des Hotels zuständige Mann mußte kommen und schaffte es nach einer Reihe von Extraktionen, einen Beleuchtungshintergrund von weichem Chiaroscuro zu schaffen, dem sich nur noch eine helle Lampe widersetzte, die wie das Auge Gottes in der linken Ecke der Decke prangte und einen Strahl heiligender Gnade über den Raum des *Venice* ausgoß. Die Birne war in die Decke eingekapselt und ließ sich nicht herausdrehen. Angesichts der ohnmächtigen Gesten des Handwerkers stieg Ramiro, mit einem Hammer bewaffnet, auf einen Stuhl und schlug damit in das erleuchtete Auge. Eine Milchstraße von Glassplittern fiel zu Boden.

«Schicken Sie die Rechnung an die *Jefatura Superior*! Und jetzt her mit der Liste!»

Ramiro ging, flankiert von zwei Polizisten, selbst zur Tür, wo Álvaro wartete.

«Lassen Sie im Saal bekanntgeben, daß es sich um eine freiwillige Aussage zur Klärung der Situation handelt, die keinen verbindlichen Charakter hat. Wenn jemand nur in Anwesenheit seines Anwalts aussagen will, sind wir gelackmeiert, also müssen wir die Bedeutung der Sache herunterspielen. Je eher man sich meldet, desto eher darf man gehen. Sie sind in der Lage, die Metaphern Ihres Detektivs zu übersetzen, also können Sie auch den Protokollchef spielen.»

Zu seinen Kollegen gewandt, fuhr er streng fort:

«Ihr seid höflich und zuvorkommend! Die Leute, die hier hereinkommen, sind keine kleinen Lichter! Am besten, ihr haltet den Mund!»

Ramiro kam wieder ins Zimmer. Carvalho hatte sich auf den Schreibtisch gesetzt, wobei er das eine Bein gegen den Boden stemmte und das andere, halb aufgelegt, in der Luft baumeln ließ. Die beiden Untergebenen saßen mit einer Resignation, die durch die Aussicht auf eine endlose Nacht nicht geringer wurde, vor Schreibmaschine und Rekorder. Ramiro war mit der erzielten Beleuchtung zufrieden.

«Das ist etwas ganz anderes.»

Ein Polizist kam herein, gab ihm ein Blatt mit einem Fax und ging weiter. Ramiro las es und steckte es ein.

«Ich hatte das Vorstrafenregister der Verdächtigen auf unserer Liste angefordert; Señor Oriol Sagalés ist der einzige, der eine hat. Ein Dummejungenstreich.»

Er schnippte mit den Fingern in Richtung Tür, wo einer der Inspektoren auf Befehle wartete, und dieser teilte Álvaro Conesal mit, daß die Vorladung beginnen konnte. Es dauerte, bis der erste kam, und Ramiro ging ungeduldig noch einmal zur Tür, wo er beinahe frontal mit Lorenzo Altamirano zusammengestoßen wäre. Er tat, als sähe er ihn nicht, und forderte Álvaro auf: «Sagen Sie schon mal den nächsten Bescheid, damit hier keine unnützen Pausen entstehen!»

Dann forderte er Altamirano auf, einzutreten und sich zu setzen. Der Kritiker schwitzte und stellte, als er den ihm zugewiesenen Stuhl einnahm, fest, daß ein lästiger Lichtstrahl seine hohe, weiße, schweißbeperlte Stirn beschien. Er wich mit dem Hintern, so weit er konnte, zurück, um dem Todesstrahl zu entgehen, und schaffte es schließlich, daß dieser vor seiner Nase herunterfiel und seinen Hosenschlitz beleuchtete, doch auch in dieser Stellung war die Lichtquelle noch quälend für ein Augenpaar, das zwanzigtausend gelesene Bücher malträtiert hatten. Er schaute hilfesuchend zu dem Polizisten, doch Ramiro war anscheinend nur verbal solidarisch.

«Es wird alles ganz einfach sein, Señor Altamirano.»

Der Dicke, der geschraubt daherredet, las Carvalho in seinen Notizen, während sein Geist Auszüge aus dem Gespräch von Altamirano und seiner Tischgenossin wiedergab, die er während seiner Rundgänge als unbekannter Peripatetiker mit dem Geräuschescanner aufgefangen hatte. Carvalho war es auch, der die Frage stellte: «Sind Sie mit Marga Segurola zusammen zum Dinner gekommen?»

Altamirano nahm eine Haltung ein, die eher einem Zeugen der Anklage als einem Mitarbeiter der Wißbegier dieses peripatetischen Polizisten anstand.

«Eigentlich nicht. In der Tat trafen wir erst auf ausdrücklichen Wunsch der Organisatoren an unserem Tisch zusammen, obwohl sich unsere Berufe gleichen. Ich bin Literaturkritiker, und Marga Segurola ist tatsächlich eine Literaturexpertin, die spanische und ausländische Verlage, Literaturzeitschriften und Kulturprogramme in Radio und Fernsehen berät. Von allen vorhandenen Berufen entspricht ihrer am ehesten dem einer potentiellen Medieneinkäuferin, und ich bin Literaturkritiker *in sensu stricto*.»

Ramiro wollte die Hauptrolle zurückerobern.

«*In sensu stricto*. Sehr gut. Ich glaube, ich habe einige Ihrer Kritiken gelesen, mit großem Vergnügen, natürlich.»

«Sehr liebenswürdig von Ihnen!»

«Was genau verband Sie mit Lázaro Conesal und führte Sie am heutigen Abend hierher?»

«Ich erledigte einige Aufträge für Conesal.»

Es behagte ihm gar nicht, dies zuzugeben, ebensowenig wie ihm das Eingeständnis behagte, daß es ihm gar nicht behagte, dies zuzugeben.

«Muß das öffentlich bekannt werden?»

«Warum?»

«Es wäre mir unangenehm. Obwohl ich nichts zu verbergen habe, würde es in der Medienwelt nicht gut ankommen, wenn ich als eine Art literarischer Mentor von Señor Conesal erschiene. In der Tat war ich es, der ihm eine Reihe von Schriftstellern für diesen Preis verschlug, damit er auf sicherem Terrain sein Urteil fällen konnte, und ich war ihm auch behilflich, die komplexe Mechanik dieser Veranstaltung aufzubauen. Selbst die Jury organisierte ich für ihn, nach Maßgabe seiner Wünsche.»

«Was wünschte er?»

«Er wollte der einzige Preisrichter sein.»

«Haben Sie die eingereichten Romane gelesen?»

«Nein. Ich weiß nicht einmal, wer die Kandidaten sind, und ich habe keine Ahnung, ob er bei der Auswahl der Schriftsteller meine Ratschläge berücksichtigte.»

«Haben Sie diese Ratschläge notiert?»

«Nein. Aber ich erinnere mich an einige Namen.»

«Bitte, waren Ihre Auserwählten heute abend im großen Saal?»

«Nein, kein einziger der fünf preiswürdigen Schriftsteller im Saal – Alma Pondal, Ariel Remesal, Andrés Manzaneque, Oriol Sagalés und Sánchez Bolín – gehörte zu meinen Favoriten. Als ich sie sah, war mir klar, daß Lázaro sie ausgesucht hatte. Meine anderen Empfehlungen waren von der Liste gestrichen.»

«Wie viele hatten Sie empfohlen?»

«Elf. Ich empfehle stets elf Schriftsteller, egal, für welche Auswahl.»

«Warum?»

Altamiranos Blässe wurde von einem jähen Erröten abgelöst, und es dauerte, bis er die Worte in Bewegung setzte.

«Aus einander ergänzenden, bisweilen sogar überraschend komplementären Gründen. Elf Spieler ergeben eine Fußballmannschaft, richtig?»

Ramiro fühlte sich überlegen genug, um ironisch Carvalhos Meinung einzuholen.

«Ich glaube, das stimmt, nicht?»

Carvalho nickte unanfechtbar.

«Gut, aber das ist nicht der einzige Grund. Elf ist eine äußerst symbolträchtige Zahl. In der Zahlensymbolik ist Zehn die Zahl der Erfüllung, und Elf steht für Übermaß, Maßlosigkeit, den Umsturz jeglicher Ordnung, Konflikt und den Beginn einer neuen Dekade. Verstehen Sie? Deshalb behauptet der heilige Augustinus, die Elf sei das Wappenschild der Sünde. Aus theosophischer Sicht ist Elf eine besorgniserregende Zahl, denn addiert man die beiden Ziffern, die sie bilden, eins und eins … dann ergibt sich zwei. Die Zwei.»

«Was ist damit?»

«Es ist die unheilvolle Zahl des Kampfes und der Opposition. Elf ist also das Symbol des inneren Kampfes, der Dissonanz, der Rebellion, der Ausschweifung, des Rechtsbruchs, der Sünde des Menschen, des Aufstands der Engel.»

Altamiranos Stimme war immer lauter geworden. Nun schien er leer und mit sich selbst zufrieden. Ramiro wußte nicht, womit er fortfahren sollte. Carvalho dachte über die intellektuellen Verrenkungen nach, die gewisse Leute brauchen, um zu verschleiern, daß sie Fußball lieben, eilte jedoch dem Polizisten zu Hilfe.

«Haben Sie Ihre Theorie der Zahl elf Señor Conesal erläutert?»

«Ja, und er war begeistert. Er sagte zu mir: Lorenzo, damit muß die innere Spannung der Literatur gemeint sein. Und weiter: Weißt du, daß in den Geheimgesellschaften der Freimaurer elf Fahnen aufgestellt werden? Er erklärte mir, sie würden in zwei Gruppen zu je fünf aufgestellt, und eine extra, als symbolische Darstellung der beiden Gründergenerationen: fünf plus fünf.»

«Und die Eins?»

«Das ist sonnenklar. Die Eins bedeutet die Verschmelzung der beiden Fünfergruppen. Sie steht für die Einheit, die freimaurerische Synthese.»

Carvalho schien sehr zufrieden mit dem Gehörten und prüfte aufmerksam, ob Ramiro aus seiner Verunsicherung aufgetaucht war. Er war nicht.

«Sie haben sehr tiefschürfende Gespräche geführt.»

«Lázaro war ein Mensch mit vielfältigen kulturellen Interessen.»

«Sie haben heute abend versucht, mit ihm zu sprechen.»

Das war die Frage, die Altamirano gefürchtet und Ramiro erwartet hatte, um sich wieder einzuschalten.

«War es so dringend, mit ihm zu sprechen?»

Altamirano versuchte, die Beine übereinanderzuschlagen, aber er schaffte es selbst unter Zuhilfenahme der Hände kaum, das eine über das andere zu heben, und der Druck der beiden aufeinanderliegenden Extremitäten übertrug sich auf Unterleib und Magen. Er atmete nicht frei und brachte die Beine wieder in ihre Ausgangslage. Er schwitzte stärker als zu Beginn und fuhr sich mit einer Hand übers Gesicht.

«Es gibt ein Videoüberwachungssystem, nicht wahr?»

«Jawohl», bestätigte Carvalho dreist.

«Gut. Dann werden Sie auch festgestellt haben, daß ich nicht mit Conesal sprechen konnte.»

«Worüber konnten Sie nicht mit ihm sprechen?»

«Ich wollte ihm dringend empfehlen, keine Dummheit zu begehen. Mir gefielen die Kandidaten nicht, die im Saal saßen. Jeder einzelne von ihnen wäre als Gewinner eine Enttäuschung gewesen, und selbst, wenn der würdigste unter ihnen, Sánchez Bolín, Sieger geworden wäre, hätte dies nicht den Wünschen des Mäzens entsprochen. Er hatte sozusagen eine platonische Idee von dem Gewinner, die unmöglich zu erfüllen war.»

«Wer war Ihr Kandidat?»

«Ein lateinamerikanischer Schriftsteller. Mehr kann ich dazu nicht sagen.»

«Hat er kandidiert?»

«Er hatte es nicht geschafft, den Roman rechtzeitig fertigzustellen, was aber kein Problem war, denn zwischen Preisverleihung und Veröffentlichung sollten zwei oder vielleicht drei Monate liegen,

Zeit mehr als genug, um ihn fertigzustellen. In der Tat wäre mir Conesal für diesen Rat und meine Beobachtung Dank schuldig gewesen. Ich habe ihm bis zum heutigen Abend geholfen, und in gewissem Sinne war der Preis eine Herausforderung, die mich zwang, eine Menge Kröten zu schlucken. Hundert Millionen Peseten sind eine Zumutung. Ich glaube, kein Roman der Welt ist diese Summe wert. Nicht einmal fünftausend. Keine einzige. Der Wert der Literatur ist emblematisch, niemals finanziell, und da wir nach einem emblematischen Wert suchten, der den poetischen Ansprüchen Conesals entsprach, mußte der siegreiche Roman einige Charakteristika aufweisen, die zu meiner Vorstellungswelt gehören und zu denen ich meinem Kandidaten riet. Er schrieb mir einen Roman nach Maß, die Geschichte einer gescheiterten Suche nach einer Goldader im Peru des ausgehenden achtzehnten Jahrhunderts. Aber anscheinend hat Conesal nicht auf mich gehört.»

«Er hörte nicht auf Sie, und heute abend konnten Sie nicht mit ihm sprechen. Es ist überraschend, daß Sie sich gegen einen Teil der Schriftsteller aussprechen, die Sie selbst ausgesucht haben.»

«Ein Kritiker mit dem Anspruch der Universalität, der zum Orientierungspunkt der gesamten literarischen Gesellschaft Spaniens geworden ist, muß bei der Auswahl bis zu einem gewissen Punkt berücksichtigen, wer gelesen wird. Es sickert immer durch, für wen und gegen wen man sich entschieden hat. Aber ich habe meine Vorlieben. Unbestechlich. Und die wollte ich Lázaro mitteilen.»

«Mit ihm konnten Sie nicht sprechen. Konnten Sie mit der Jury reden?»

«Die Jury war reine Fiktion. Eine potemkinsche Jury. Die Fotografie einer Jury. Sie hatte nichts zu entscheiden.»

Ramiro fiel nichts mehr ein, und der tippende Polizist trug eine gelangweilte Miene zur Schau. Carvalho dachte, daß Altamirano tatsächlich hochgestochen daherredete und die Möglichkeit bestand, daß er einen hochgestochenen Mord begangen hatte. Der Inspektor betrachtete die Sache zunächst als erledigt, und der Kritiker hatte einen befremdlichen Zustand des Friedens erreicht, der ihm erlaubte, eine moralische Schlußfolgerung zu ziehen.

«Die Reichen sind einfach anders.»

«Ja. Sie haben mehr Geld», entgegnete Carvalho aus der dunkleren Zone.

«Die Antwort stammt von Hemingway», sagte Altamirano anerkennend, erstaunt über das literarische Zitat, das aus dem Dunkel kam. Carvalho beobachtete, ohne sein Dunkel zu verlassen, wie Ramiro den Kritiker verabschiedete und ihm empfahl, heiterer zu werden.

«Sie müssen etwas gegen Ihre schlechte Laune tun, Señor Altamirano! Nehmen Sie ein paar Prozac!»

Altamiranos Miene verzog sich angewidert.

«Meine Laune bessert sich, wenn ich Erstausgaben in Antiquariaten entdecke und mir ab und an einen Rioja genehmige.»

Ramiro kam im Gefolge der Schriftstellerin mit den Krampfadern wieder und versuchte, ihren Namen auf dem Zettel zu entziffern, auf dem Álvaro Carvalhos Metaphern übersetzt hatte.

«Señora Alma Pondal. Ich muß Ihnen im Vertrauen sagen, daß ich einen Ihrer Romane gelesen habe, *Manchmal am Morgen*.»

«*Manchmal, des Morgens.*»

«Das meinte ich. Er hat mir sehr gut gefallen. Meine Frau ist eine große Verehrerin Ihres Werkes.»

Die weißhäutige, üppige Frau mit der durchscheinenden, von blauen Äderchen durchzogenen Haut, die sich an den Schläfen besonders vielfältig verzweigten, hatte mit der ganzen Majestät ihres langen Rockes Platz genommen und schien von dem Licht, das ihr voll ins Gesicht schien, nicht beeinträchtigt. Sie blinzelte nicht einmal.

«Wir benötigen nicht allzu viele Antworten, denn wir haben nicht übermäßig viele Fragen. Sie hatten im Lauf des Abends ein Gespräch mit Señor Conesal. Das wissen wir. Und wir möchten wissen, warum.»

Die Schrifstellerin sah zuerst die Protokollanten, dann Ramiro und schließlich Carvalho an wie eine junge Mutter, die weiß, in welchen Nöten ihre Kinder stecken, und schenkte ihnen ein huldvolles Lächeln, vertraut mir, ich stehe auf eurer Seite, wer könnte es besser mit euch meinen als eine Mutter mit verödeten oder noch zu verödenden Krampfadern an den Beinen, Narben ihrer Mutterschaft.

«Lázaro Conesal hatte mich rufen lassen. Ein Kellner bat mich, in die Räume unseres Gastgebers zu kommen, und ich kam der Bitte nach. Ich dachte, er würde mir im voraus den Gewinner verraten, um mich entweder zu beglückwünschen oder zu trösten. Ich habe für diesen Preis kandidiert.»

«Wo ist das Original Ihres Romanes?»

Sie ignorierte die Frage gelassen und antwortete mit einer Gegenfrage: «Befindet es sich nicht in Ihren Händen?»

«Nein.»

Carvalho ging noch weiter.

«Der Roman ist verschwunden. Sie werden uns eine Kopie beschaffen müssen.»

Die Mutter hatte plötzlich an Alter und biologischer Würde gewonnen. Sie sprach nun wie eine reifere Mutter mit ihren Kindern.

«Ich muß ein offenes Wort mit Ihnen reden. Meinen Roman gibt es nicht. Altamirano bat mich, für die Preisverleihung zu kandidieren, und wenige Tage später – das war jetzt vor fünf Monaten –, bot mir Lázaro Conesal zehn Millionen Peseten dafür, daß ich den Roman nicht schrieb, aber so tat, als hätte ich ihn eingereicht. Ich nahm an. Ich trat an mit dem Thema «Wiener Sänger» und einem nicht ganz aus der Luft gegriffenen Titel – *Traurig ist die Nacht* –, denn das wird der Titel meines nächsten Romanes sein.»

Ramiro umzingelte seine Adoptivmutter.

«Sie bekommen Geld dafür, daß Sie einen Roman nicht schreiben. Aber am Abend der Preisverleihung ruft Conesal Sie zu sich. Warum? Wozu?»

Die Mutter rückte auf der Leiter der biologischen Rangordnung noch weiter nach oben, alterte für einige Momente und antwortete dann mit der Würde einer betagten Mutter, die das Recht hat, diese Würde zu wahren:

«Das ist meine Privatangelegenheit.»

«Ich muß Ihnen leider sagen, daß Sie vollkommen im Irrtum sind, wenn es Ihnen auch freisteht, die Antwort zu verweigern und dieses Gespräch zu einem normalen Verhör in Gegenwart eines Anwalts zu machen. Tatsächlich wollen wir es Ihnen so weit als möglich erleichtern, so schnell als möglich hier herauszukommen.»

Sie hatte Haltung und Worte schon parat, faltete die Hände im Schoß, schaute den Inspektor fest an und sagte: «Er forderte mich auf, mit ihm zu schlafen.»

Die Blicke der Anwesenden stellten ausnahmslos komplexe Beziehungen her zwischen den zehn Millionen, die Conesal ihr für das

Nichtschreiben ihres Romans gegeben hatte, dem Äußeren der hübschen, aber von der Mutterschaft zu sehr mitgenommenen Dame und der Aufforderung zur Unzucht seitens eines Mannes, der zehn Millionen Peseten bezahlen konnte und die Bedingung stellte, daß sie das Schreiben eines Romans unterließ.

«Natürlich sagte ich nein.»

«Wo kam es zu dieser Bitte und dieser Ablehnung?»

«Es war keine Bitte. Es war ein roher Befehl, als gebe es nichts anderes. Er ging von der Bitte, ihm ein Foto meiner Kinder zu zeigen, das ich immer in der Tasche trage, ziemlich abrupt zu der Aufforderung über, mit ihm zu schlafen. Er befand sich in einer Suite im x-undzwanzigsten Stock, in sehr erregtem Zustand, wenn auch seine Aggressivität rein verbaler Art war, und als ich im konkreten Fall dagegen war, beruhigte er sich und sagte etwas zugleich Rätselhaftes und Unausstehliches.»

«Was sagte er?»

«*Um so besser*. Mehr sagte er nicht, und darauf ignorierte er meine Gegenwart.»

«Hatte er den Pyjama bereits an?»

«Natürlich nicht. Wenn ich ihn im Pyjama gesehen hätte, wäre ich auf keinen Fall in sein Zimmer gekommen.»

«Könnte man Lázaros Erregtheit einem Mißbrauch von Stimulanzien zuschreiben? Ich glaube, er nahm Prozac.»

«Prozac hat nicht diese Wirkung. Ich nehme es selbst, weil ich zu Depressionen neige.»

Ramiro baute sich vor ihr auf und sah ihr ins Gesicht, als er sie fragte: «Wußten Sie, daß Ihr Mann im Lauf des Abends ebenfalls ein Gespräch mit Conesal hatte?»

Nein. Das habe sie nicht gewußt. Und es blieb unklar, ob sie es tatsächlich nicht wußte oder das Gegenteil. Mit derselben gesuchten Bestürzung akzeptierte sie die Beendigung des Gesprächs und hatte nicht einmal Zeit, ein Wort mit ihrem Gatten zu wechseln, der sie im Verhör ablöste und versuchte, in ihrem angespannten Gesicht zu lesen. Ramiro war die gescheiterte Kommunikation dieses Blickwechsels nicht entgangen, und kaum hatte sich Roberto Murga gesetzt, ein krampfadergeplagter Ehemann, ein ganzer Kerl mit bläulichem Bartanflug, ein gründlicher Schwängerer mit goldener Krawattennadel und starker Faustkämpfer mit weißem Hemd und initialengeschmückten Manschettenknöpfen, schleuderte er ihm entgegen: «Was suchten Sie heute abend bei Lázaro Conesal?»

Der Ingenieur holte Luft, hob die Brauen und trat dem Inspektor entgegen.

«Einen Ausweg aus meiner Ungewißheit.»

«Sahen Sie Don Lázaro vor oder nach Ihrer Frau?»

Er wußte nicht, daß seine Frau mit Conesal gesprochen hatte, versuchte aber, das zu verheimlichen.

«Sicherlich vor ihr. Sie war aufgrund der ungewöhnlichen Situation äußerst nervös. Sie wußte nicht, woran sie war. Bekam sie den Preis? Bekam sie ihn nicht? Altamirano hatte ihr gesagt, sie sei die bestplazierte Kandidatin.»

«Sind Sie sicher, daß Ihre Frau für den Preis kandidierte?»

«Wieso nicht? Meine Frau bespricht alles mit mir!»

«Was antwortete Conesal, als Sie ihn nach seinen Absichten mit dem Roman Ihrer Frau fragten?»

«Er reagierte ganz merkwürdig: Er begann zu lachen und fragte mich nach meiner Arbeit, nach meiner Firma, und wieviel ich verdiente. Ob ich auf Kostenvoranschläge von Bauvorhaben Prozente bekäme. Was ich vom Eindringen ausländischer Multis in die Zementindustrie halte. Ich sagte ihm, ich sei für den Staat im Brücken- und Straßenbau tätig und bekäme deshalb mehr Gehalt, natürlich innerhalb der Grenzen für die höhere Beamtenschaft, aber unter Berücksichtigung der Tatsache, daß ich ohne falsche Bescheidenheit sagen darf, einer der besten zu sein.»

«Klärte Sie Conesal nicht über seine Absichten mit dem Roman Ihrer Frau auf?»

«Nein, und ich war nach dem Gespräch etwas niedergeschlagen. Deshalb sagte ich Mercedes, Pardon, Alma nichts davon. Mercedes duldet es nicht, daß man sie Mercedes nennt.»

«Sie sagten, Sie hätten Conesal vor Ihrer Frau aufgesucht. Sie erzählte Ihnen also danach, daß sie bei ihm war. Was teilte Ihnen Ihre Frau über dieses Gespräch mit?»

Wahrscheinlich konnte er in ziemlichem Tempo Brücken und Straßen entwerfen, aber im Lügen war er langsam.

«Das weiß ich nicht mehr genau.»

«Damit bin ich einverstanden, denn Ihre Frau scheint bereits vor Ihnen bei Conesal gewesen zu sein, und nicht danach.»

Er kam aus dem Keller seiner spärlichen, wenn auch zermarterten Phantasie heraus.

«Ich muß Ihnen ehrlich sagen, ich wußte gar nicht, daß Alma und Lázaro Conesal miteinander gesprochen hatten.»

«Haben Sie den Roman Ihrer Frau gelesen, mit dem sie sich um den Preis bewarb?»

«Selbstverständlich.»

«Wie ist es möglich, daß Sie ihn gelesen haben, wo er doch gar nicht existiert?»

«Was sagen Sie da, um Gottes willen! Wenn er nicht geschrieben wurde, wie könnte er dann…»

«Wie ist es möglich, daß Ihre Frau bereits einen Vorschuß von zehn Millionen bekommen hat?»

Während der Ingenieur sein inneres System von Wahrheiten und Alarmsignalen in alphabetische Ordnung brachte, wechselte Ramiro die Taktik, und Carvalho applaudierte ihm innerlich. Dieser Bulle war nicht so berechenbar, wie er geglaubt hatte.

«Wo empfing Sie Conesal?»

«In seiner Suite.»

«Trug er einen Pyjama?»

«Nein. Aber ich war überrascht von seiner Nachlässigkeit, und die Art seiner Kleidung ließ nicht erkennen, daß er im Begriff stand, einen derart bedeutenden Preis zu verleihen. In der Tat war ich wie vor den Kopf gestoßen, kehrte in den Saal zurück und wagte nicht, meiner Frau etwas von der Begegnung zu erzählen.»

«Sie von der ihren auch nicht. Familiengeheimnisse, wie?»

Ramiros Hand wies dem ebenso hochgewachsenen wie niedergeschlagenen Ingenieur den Weg zur Tür, wo als Superstar des Marketing der Sanitärfabrikant Puig auftauchte, lustig wie ein Paar nächtlicher Kastagnetten, mit breitem Grinsen seines falschen Gebisses und dem Gebaren eines Zigarrenrauchers, der an alle Welt Havannas verteilen kann. Aber er hatte keine Zigarren in den dickadrigen Händen, die er seinen vier Stammtischkumpels reichte, um sich wie ein weiterer Stammtischbruder an den Tisch zu setzen, ein Lächeln im Gesicht, und die weiß umrahmte Glatze nackt dem Lichtkegel darzubieten.

«Worüber sprachen Sie heute abend mit Conesal?»

«Wir sind Freunde. Gute Freunde, und ich wollte ein bißchen

plaudern, *pegar la hebra*, wie man bei uns in Kastilien sagt, oder *petar la xarrada*, wie es auf katalanisch heißt. Sehen Sie, mein Lehrer im Managerwesen war ein großer katalanischer Publizist namens Estrada Saladich, und der hat uns eingebläut: Ein Geschäftsmann ist entgegen allem Anschein ein menschliches Wesen, und wenn du es schaffst, menschlich zu sein, kannst du gute Geschäfte machen. Drücke ich mich verständlich aus? Ich ging zu Lázaro und sagte: Lázaro, wie geht's, *maco*? Denn wir hatten so ein gutes Verhältnis, daß ich katalanische Wörter einstreuen konnte, und er verstand sie und lachte sehr. Er war schon x-mal unser Gast auf meiner Finca in Llavaneras, und ich war es auch, der ihn mit den solidesten katalanischen Finanzkreisen zusammenbrachte, ja, da staunen Sie; auch in Katalonien gibt es Geld, verteilt auf zwar wenige, aber sehr solide und solvente Leute. Und Lázaro war, obwohl man ihm eine gewisse Frivolität im Umgang mit Geld nachsagte, begeistert von kleinen, zähen, soliden Unternehmern wie mir. Im Gegenzug lieferte er uns Information. Hör mal, Quimet, sagte er einmal zu mir, die Information wird in Kreisen verteilt, und diese Kreise werden immer enger. Am äußeren Rand ist der größte mit denen, die wenig wissen, und innen der kleinste um die vier oder fünf Leute, die alles wissen, wie ich. Ja, gut, Quimet, fast alles. Und darauf kam es an. Mit Lázaro zu reden war ein Hochgenuß, und wir waren mitten im Gespräch, während sich die Leute hier unten die Köpfe zerbrachen und spekulierten, ob Krethi oder Plethi gewinnen wird. Wenn ich ehrlich sein soll, mich langweilen diese Versammlungen, obwohl ich in meiner Jugend jede Menge gelesen habe. Ich habe die gesamte Trilogie von Gironella über den Bürgerkrieg gelesen, über viertausend Seiten, viertausend, eh!, das sagt man so locker. Aber meine Frau schwärmt für diese kulturellen Partys, denn sie liest wirklich gerne und geht zu allen Vorträgen und kennt einen Haufen Intellektuelle, die sie ab und zu nach Hause mitbringt, und ich hab gar nichts dagegen, wirklich, aber ich weiß nicht viel mit ihnen zu reden. Meistens wissen die Intellektuellen wenig Interessantes, was das normale Leben angeht.»

Er hatte während des Sprechens kaum Atem geholt, trotz seines Alters, das zwischen fünfundsechzig und siebzig liegen mochte, und nachdem er Luft geholt hatte, wollte er fortfahren, aber Carvalho schaltete sich aus dem Halbdunkel heraus ein.

«Welche besondere Information wollten Sie von ihm?»

«Besondere? Nein, nein, nichts Besonderes. Einfach reden, nur so.»

Carvalho trat ins Licht und schaute bärbeißig.

«Was war so dringlich? Was war so unaufschiebbar, daß Sie es heute abend mit Conesal besprechen mußten?»

«Dinglich, dringlich – das ist ein großes Wort. Richtig ist, daß ich manchmal eine Verbindung zwischen der katalanischen Unternehmerschaft und Conesal oder anderen großen Finanziers der Hauptstadt herstellte, und alle Welt weiß, daß die politische Situation des Landes kritisch ist. Kurz gesagt, das Schicksal der sozialistischen Regierung hängt von den Wählerstimmen der katalanischen Abgeordneten von *Convergència i Unió* ab, und diese Wählerstimmen reagieren sehr sensibel auf das, was wir katalanischen Unternehmer von der politischen Situation und der Bündnispolitik halten.»

«Das heißt also, Sie fungierten heute abend als politischer Kurier.»

«Ich bin ganz unpolitisch, eh! Aber in gewissem Sinne stimmt es. Wir hatten heute nachmittag noch miteinander telefoniert, in letzter Stunde. Aber heutzutage kann man ja nicht mal mehr dem Telefon trauen, es wird angezapft oder von irgendwelchen staatlichen oder privaten Spionagegruppen abgehört.»

«War Lázaro Conesal nach dem Gespräch mit dem Leiter der Staatsbank sehr angeschlagen?»

Sowohl Puig als auch Ramiro betrachteten Carvalho mit Respekt.

«Ich sehe, Sie sind bestens informiert. Ja. Es war ein turbulentes Gespräch, das gab er mir mehr oder weniger verschlüsselt zu verstehen, als ich ihn vom Hotel aus anrief, kurz bevor ich zu dieser Preisverleihung kam, und wir waren so verblieben, daß wir die Sache unter vier Augen besprechen, ohne Dritte. Wie ich es dann auch getan habe.»

«Lázaro Conesal stand mit dem Rücken zur Wand.»

«Schlimmer.»

Señor Puig wurde jetzt lakonischer, seine Augen kleiner, sein Lächeln selten, und sein Skelett hatte sein Rückgrat wiedergefunden.

«Sie teilten ihm mit, daß die katalanischen Unternehmer beschlossen haben, der Regierung ihre Unterstützung zu entziehen, nannten ihm das genaue Datum, und er war Ihnen sehr dankbar, denn diese Information erlaubte ihm, seine Trümpfe auszuspielen.»

«Vielleicht, ja. Aber ab jetzt werde ich nicht mehr so großzügig sein mit dem, was ich sage. Selbst wenn mein Gespräch mit Conesal auf Video aufgenommen wurde, weiß ich noch genau, was ich ihm sagte und was nicht, denn ich befürchtete eine der tpyischen Fallen Lázaros. Er zeichnete alles auf. Er kann noch andere Leute kompromittieren, selbst den Präsidenten der *Generalitat* von Katalonien.»

«Ich verstehe Ihre Diskretion.»

«Mein Lehrer, Estrada Saladich, pflegte zu sagen: ‹Der Mensch ist der Sklave seiner Worte und der Herr seines Schweigens.› Brauchen Sie mich noch?»

Carvalho reichte Ramiro das Protokoll seiner Antworten, und dieser empfahl wieder dringend das gewohnte Ritual, während Puig mit vollkommen wiederhergestelltem Lächeln lauschte.

«Sie waren äußerst liebenswürdig! Hier, bitte, nehmen Sie!»

Er überreichte jedem der vier Zimmerbewohner eine Visitenkarte und zog sich zurück mit einer leichten Verbeugung, wie der Kammerherr eines unwirklichen Hofes. Ramiro folgte ihm energischen Schrittes und verhandelte vor der Tür mit den Wächtern und Álvaro selbst. Señora Puig erwartete, daß sie nun hereingerufen würde, aber Ramiro schien eine Programmänderung zu wollen. Er kam mit seiner privaten Wahrheit wieder herein, ohne Carvalho davon in Kenntnis zu setzen. Wen hatte Ramiro ausgesucht, um die Liste fortzusetzen? Wenn es nach Carvalho gegangen wäre, hätte er sich für zwei Namen entschieden, vielleicht drei: Hormazábal, Sagazarraz, Álvaro Conesal. Und der Polizist enttäuschte ihn nicht. So übel war die staatliche Polizei gar nicht. Die «Goldene Glatze», der «Telefonmörder», Hormazábal, berechnend, aber mittlerweile entspannt, es war bereits nach Mitternacht. Zwei Uhr genau. Ja, er sei in einigen Unternehmungen Conesals Partner, verfolge aber auch durchaus eigene Finanzinteressen, und man sei im Begriff, eine Interessensentflechtung durchzuführen, was durch zu erwartende Schwierigkeiten in der strategischen Situation von Conesal bedingt wäre.

«Können Sie mir das ins Spanische übersetzen?»

«Meiner Meinung nach spreche ich Spanisch, wenn auch vielleicht nicht Polizeispanisch.»

«Daran wird es wohl liegen.»

«Aber der Polizeipräsident, mit dem ich mich auf unserem gemeinsamen Golfplatz unterhalte, versteht mich immer.»

«Die Chefs, vor allem die politischen, sind normalerweise schlauer als die Untergebenen und spielen wesentlich besser Golf.»

Bewundernswert, dachte Carvalho und schickte Ramiro im Geist einen Applaus.

«Nun gut. Lázaro hatte ein ernstes Problem in der Beziehung zur Staatsbank. Er war ein brillanter Stratege, aber vielleicht für stabilere Zeiten. Mitten im Ausverkauf der triumphalistischen Philosophie einer von diversen Korruptionsskandalen angeschlagenen Regierung konnte ihm die Staatsbank nicht durchgehen lassen, daß das Bankunternehmen, dem er vorstand, eine Lücke von über fünfhunderttausend Millionen aufwies.»

«Sie sind mitverantwortlich für dieses Loch.»

«Nicht mehr. Heute morgen beim Squash teilte ich ihm die Lösung der Bande mit, die mich mit seinem Finanzunternehmen verbinden.»

«Sie sahen die Katastrophe kommen.»

«Sagen wir mal, ich hatte weniger Veranlassung als Lázaro, mir etwas vorzumachen. Er war in jedem Fall zu einer persönlichen Reaktion imstande, er ist ein steinreicher Mann, aber er hätte Unangenehmes gewärtigen müssen, denn die Regierung war nicht bereit, noch einmal beide Augen zuzudrücken. Das kann sie sich nicht leisten.»

«Bei dem Gespräch, das Sie hatten, warf Ihnen Lázaro Conesal vor, sie hätten ihn im Stich gelassen.»

«Mehr oder weniger.»

«Aber das war nichts Neues für ihn. Welche weiteren Vorwürfe erhob er nach dem Gespräch mit dem Leiter der Staatsbank?»

«Er war überzeugt, daß ein Teil der Informationen, über die der Leiter der Staatsbank verfügte, aus meiner Quelle stammte. Ein krasser Irrtum. Die Regierung besitzt ihr eigenes Abhörsystem, und Lázaro muß davon gewußt haben, denn er hat seine Maulwürfe innerhalb der offiziellen Geheimdienste. Es besteht sogar die Möglichkeit, daß Sie in der Polizeiführung von Maulwürfen umgeben sind.»

Ramiro musterte Hormazábal. Der Polizist hatte gelernt, solchen Blicken standzuhalten, sich ebenso integer zu geben wie dieser reiche Arsch, und schaffte es, in ruhigem Ton zu fragen: «Welcher Art war die Drohung, mit der Lázaro Conesal Sie unter Druck setzte? Was wußte er von Ihnen?»

«Nichts, was ich nicht unter Kontrolle hätte.»

Die «Goldene Glatze» war der Umzingelung entkommen und stellte einen Fuß vor die Füße des umhergehenden Ramiro, was diesen nötigte, einen Schritt zurückzuweichen und in die Defensive zu gehen.

«Sie werden verstehen, daß ich, wenn ich mit einem Läufer ziehe, den König und die Königin decke.»

«Aber er hat Sie bedroht.»

«Sagen wir mal gewarnt.»

«Wie endete Ihre Begegnung?»

«Zivilisiert. Er setzte mir eine Frist von einer Woche, um alle unsere Verbindungen abzuwickeln. Ich teilte ihm mit, es sei bereits alles in die Wege geleitet, und ich würde keine drei Tage brauchen.»

«Ich beneide Sie nicht um Ihr Leben, nein danke. Sie müssen ausgebrannt sein von dem ständigen Hin und Her zwischen Erregung und Depression. Nehmen Sie ein Stärkungsmittel? Etwas auf Rezept?»

«Täglich eine Dosis Aspirin für Kinder, und Sport. Das Kinderaspirin wirkt großartig gefäßerweiternd. Das ist alles.»

«War Conesal ebenso spartanisch wie Sie?»

«Nein. Conesal war in nichts spartanisch. Er war gierig. Er hatte eine Phase der Kokainsucht, in letzter Zeit allerdings nicht mehr.»

«Nahm er eine Ersatzdroge?»

«Das weiß ich nicht. Wir waren keine Busenfreunde.»

Ramiro wartete ab, bis die «Goldene Glatze» gegangen war, um bei Carvalho Gesellschaft und Rat zu suchen.

«Es ist unmöglich. Es kann nicht sein, daß ein so geriebener, mißtrauischer und gut unterrichteter Mensch wie der Lázaro Conesal, der uns geschildert wird, nicht über die Manöver seines wichtigsten Partners im Bild war. Ich verstehe nicht allzu viel von diesen Tricks, Carvalho, aber wie kann es angehen, daß in drei Tagen ein ganzes Geflecht von gemeinsamen Geschäften aufgelöst wird?»

Carvalho bezeugte durch Nicken seine Übereinstimmung mit dieser Überlegung, schon aber betrat die Señora Puig den Raum, ohne mit dem übereinzustimmen, was Ramiro aufgrund der Metapher «die Frau des Sanitärfabrikanten» erwartet hatte. Die Reife der Señora Puig zerbröckelte mit der Bekanntgabe ihres Alters, trotz der augenscheinlichen Bemühtheit, sich gut zu konservieren, und der Robe eines Vamps aus Hollywoodfilmen, die die fünfziger Jahre wiederaufleben lassen, die letzte Dekade, die Vorbilder für Vamps lieferte.

«Ich muß mich bei Ihnen bedanken, daß ich eine so interessante Erfahrung machen darf! Das hier ist ein Verhör, nicht wahr? Mein Sohn Josep Maria war Anfang der siebziger Jahre bei einem Verhör, als er noch zur Universität ging und bei den Marxisten-Leninisten mitmachte. Es war schrecklich, aber sehr bewegend. Er spricht nicht viel von dieser Erfahrung, aber mehr als einmal hat er mir anvertraut, daß er großen Nutzen daraus gezogen hat. ‹Zur Wahrheit durch Irrtum› ist sein Motto, und jetzt ist er die rechte Hand seines Vaters im Geschäft. Außerdem interessiert er sich für alles und wird vielleicht eines Tages in die Politik gehen oder den Vorsitz des Arbeitgeberverbandes übernehmen. Was weiß ich! Ich liebe die jungen Leute, und dabei ist mein Sohn schon über vierzig. Obwohl, sehen Sie mich an! Nicht wahr, das hätten Sie nicht gedacht? Seien Sie charmant, bitte!»

«Natürlich nicht, Señora.»

«Erstaunlich, Señora!»

«Selbstverständlich nicht.»

Die beiden untergeordneten Beamten schlossen sich der Initiative Ramiros an, nur Carvalho blieb stumm, setzte aber eine liebenswürdige Miene auf für den Fall, daß die Dame ihn ansehen sollte. Sie tat es.

«Sie waren heute nacht bei Lázaro Conesal.»

«Mein Gott! Ich bin entdeckt!»

Sie lachte singend und sah alle Anwesenden maliziös an.

«Raten Sie! Strengen Sie Ihre hellseherischen Fähigkeiten an! Was suchte die Señora Puig in der Privatsuite des Señor Conesal? Meine Herrn, Sie sind doch Kavaliere – denken Sie an meinen Ruf!»

Ramiro antwortete nicht, aber sein Gesicht blieb ernst, ein Hinweis, den Señora Puig berücksichtigte.

«Gut, gut, ich verstehe ja, daß Sie um diese Nachtzeit nicht zu Scherzen aufgelegt sind. Ich besuchte Lázaro, um ihn um eine Empfehlung zu bitten, ganz einfach. Ich finde, es wäre gerecht, wenn der Preis dem hervorragenden katalanischen Schriftsteller Sagalés zufiele, einem jungen, genialen, minoritären Schriftsteller. Wir sind vielleicht nur ein kleines, aber erlesenes Häuflein, die ihn zu lesen verstehen. Schauen Sie mal – es ist zwar schlecht, daß ich das sage, denn ich entstamme einer Familie, die seit dem letzten Jahrhundert aus Industriellen und Kaufleuten besteht –, aber in Literatur und Kunst ist das Gute doch immer das Minoritäre. Vor vielen Jahren, als García Márquez *Hundert Jahre Einsamkeit* veröffentlichte, las ich es und war hingerissen. Was für ein Wunderwerk! Aber einige Monate später erfuhr ich, daß er dreihunderttausend Exemplare verkauft hatte. Sieh mal einer an! Wenn das dreihunderttausend Leute lesen, kann es doch nicht so gut sein. Und dabei kenne ich Gabo gut und habe ihn schon mehr als einmal zu *arrós amb fesols i naps* eingeladen – ein valencianisches Reisgericht mit Bohnen und weißen Rüben, das er sehr liebt.»

«Welche Antwort gab Ihnen Conesal?»

«Er muß schlecht oder allzu gut gelaunt gewesen sein, manchmal berühren sich ja die Extreme, denn er sagte: ‹Sagalés? Ach, der Junge, dessen Helden zwanzig Seiten brauchen, um eine Treppe hinaufzusteigen? Ich fand das, was soll ich Ihnen sagen, *una poca soltada!*›»

«*Una poca soltada*? Was heißt das?»

«Blödsinn», übersetzte Carvalho aus dem Halbdunkel heraus.

«Sind Sie Katalane?»

«Ich wohne und arbeite in Katalonien.»

«Dann sind Sie Katalane, und das sage *ich*, eine Borrell mit erstem und Riudetons mit zweitem Familiennamen! Mein Mann ist ein Puig Llagostera, und so geht das weiter, bis ins ich weiß nicht wievielte Jahrhundert zurück.»

«Hat Conesal nicht noch mehr gesagt?»

«Die Wahrheit ist, ich fand ihn ziemlich unaufmerksam – dabei war er immer so eine Seele von Mensch. Er mußte sehr eilig irgendwohin und sah überraschend schlecht aus. Noch eine *poca soltada*! Wie kann man in diesem Zustand so einen Preis verleihen?»

Schon an der Tür, wollte sie ihre eigene Frage beantworten, aber ihr fiel nichts ein, und so nahm sie die Frage unbeantwortet mit. Für Carvalho nahmen die störenden Nebengeräusche im Lauf des Verhörs allmählich überhand.

«Es geht um Ihr Interesse an der Frage, ob Lázaro Conesal schon den Pyjama trug oder nicht. Ich habe verstanden, daß es ein Vorher und ein Nachher gibt, obwohl man auch davon ausgehen kann, daß

Conesal zwischen beiden Zeitpunkten eine kleine Nummer geschoben hat. Ein paar Leute baten um Audienz, andere wurden von ihm hergebeten. Man müßte nur die zeitliche Abfolge bestimmen, und das haben wir bis jetzt nicht getan.»

«Bevor der Gerichtsmediziner die nicht bestimmt, kann man mit diesem «vor» und «nach» dem Pyjama nicht arbeiten. Conesal muß etwas geplant haben, was den Preis betraf.»

«Ein Preis, von dem uns kein Original bekannt ist, aber sehr wohl, daß für eine Nicht-Bewerbung Geld bezahlt wurde.»

«Lassen Sie mir meine Methode, Carvalho! Ich bin damit beschäftigt, Verhöre zu führen, und sie liefern mir Teile eines Puzzles. Ein paar Teile sind unbrauchbar, und nach und nach treffe ich meine Auswahl. Heute sind die Zeugen noch frisch. Morgen sehen wir weiter!»

Carvalho respektierte, daß Andrés Manzaneque gerufen wurde – bleiche nachtumschattete Blüte, welk den rosa Foulard an seinem Hals, violette Schatten unter den Augen von dem Martyrium einer Angst, die sich in seinen schweißfeuchten und ständig flatternden Händen zeigte. In der Tat, er habe sich um den Preis beworben und dabei eine private Klausel eingehalten, die ihm Marga Segurola aufgezwungen habe: die notarielle Beglaubigung, daß von dem Werk nicht mehr als ein einziges gedrucktes Exemplar und eine gleichzeitig ausgehändigte Diskette existierten.

«Dabei schreibe ich immer noch auf einer mechanischen Olivetti! Es gibt eine rhythmische Beziehung zwischen Denken und Schreiben, die das mechanische Gerät übertragen kann. Ein Textverarbeitungsprogramm ist zu schnell, und die spätere Tätigkeit des Korrigierens wird pervers, distanziert, als forme man ein fremdes Werk.»

«Sie trafen sich mit Lázaro Conesal in seiner Suite. Hat er Sie etwa zu sich gebeten?»

«Nein. Ich konnte es vor Ungeduld nicht mehr aushalten. Die Stunden vergingen. Man wußte von nichts. Ich ging hinaus, um vielleicht etwas zu erfahren, und eine Floristin sagte mir, das Hauptquartier der Preisverleihung befinde sich im sechsundzwanzigsten Stockwerk. Ich ging dorthin und fand fast zufällig Conesals ständige Suite.»

Seine Stimme erstarb, und er legte sich eine Hand zuerst auf die Brust, dann auf die Augen.

«Entschuldigen Sie meine Aufgewühltheit, aber es war eine so menschliche Begegnung...»

Das Wort «menschlich» löste bei Ramiro eine Art Muskelschwäche aus, er fing sich aber sofort wieder.

«Señor Conesal war sehr traurig. Er nahm ein Getränk zu sich, das ich nicht näher identifizieren konnte, aber es war nicht das erste. Er sagte, dies sei die traurigste Nacht seines Lebens, wobei er eine Metapher verwendete, die mir ins Herz traf: ‹Manzaneque, heut nacht kann ich die trübsten, traurigsten Verse schreiben.› Verstehen Sie? Sie werden kaum wisssen, woher dieses Zitat stammt.»

«*Dreißig Liebesgedichte und ein Lied ohne Hoffnung*, von Pablo Neruda», entschied Ramiro und konnte nicht umhin, mit den Augen Carvalhos Bestätigung einzuholen.

«Eines der ersten Bücher, die ich in meinem Kamin verbrannte.»

Carvalho hatte die Aufmerksamkeit aller auf sich gelenkt.

«Das ist mein Laster. Ich verbrenne Bücher.»

«Wie ist das möglich? Wie kann man ein Buch verbrennen?»

«Erst zerreiß ich's, dann verbrenn ich's.»

Es war mehr als Verachtung, was Manzaneques Gesicht ausdrückte, und die anderen versuchten, wieder in die Welt und ins Zimmer zurückzufinden.

«Lassen wir die Hobbys des Detektivs Carvalho beiseite! Nennen Sie uns die Bedingungen, unter denen Sie für den Preis kandidierten, und worüber Sie sich mit Señor Conesal unterhielten!»

«Ich bekam das Angebot, für den Preis zu kandidieren. Ich hatte einen Roman fast fertig vorliegen, über die Desillusioniertheit der Generation X, wie sie ein junger Dichter meines Alters erlebt, der beschließt, einen sicheren Platz im kulturellen Leben seines Geburtsortes aufzugeben und nach Madrid zu gehen. Dort stürzt er in die Kultur des Stockfischs und der städtischen Stammesfehden, erlebt dies aber nicht in einer losgelösten, antiliterarischen Haltung wie Loriga, Mañas oder Grasa. Ich respektiere die literarische Tradition, das sprachliche Erbe, und obwohl mein Roman von gnadenlos realistischem Zuschnitt ist, fordere ich das sprachliche Erbe auch für die Generation X ein.»

«Und Sie haben diesen Roman abgegeben.»

«Ich schickte ihn mit einem Kurier an die angegebene Adresse und wartete ab, was geschehen würde. Vor einigen Tagen erfuhr ich, daß ich zum heutigen Festakt eingeladen sei, und schloß daraus, daß ich in die engere Wahl gelangt war, doch im Verlauf des Abends haben mich die Kälte der Menschen und die Tatsache, daß nicht das geringste Gerücht kursierte, zuerst geängstigt und dann deprimiert, und schließlich führte ich die Begegnung mit Conesal herbei. Hören Sie, mir ist es inzwischen nicht mehr wichtig, ob ich den Preis bekomme oder nicht. Das alles wurde unwichtig dank dieser wunderbaren Aussprache, die mich dem Selbstmord entrissen hat, denn heut nacht war ich an dem Punkt, mich vom höchsten Stockwerk dieses Hauses zu stürzen. Ich habe Conesal davon erzählt, und er sagte etwas ganz Wundervolles: Wetten, daß du den Cervantes- oder Nobelpreis bekommst, bevor du siebzig Jahre alt bist? Meinst du nicht, es lohnt sich, so alt zu werden? Nein, es war nicht wegen des Preises, sondern weil mir die distanzierende Wirkung dieses Zukunftsversprechens, dieser Hoffnung auf die Zukunft, dieser Zukunft als Hoffnung, mir wieder Mut machte.»

«Sagte Señor Conesal etwas zu Ihrem Roman?»

«Mein Roman trägt den Titel *Robinsons Überlegungen angesichts einer Kiste Stockfisch*, und Conesal sagte mir nur, er habe die dialektische Spannung zwischen den beiden Mumien großartig gefunden: zwischen der Mumie des Robinson, des jungen Mannes, der nach Madrid kommt, Robinson Borgia, um es genau zu sagen, und der Mumie des eingesalzenen Stockfischs, der als Metapher für die Stockfischkultur der Generation X steht, die in den Ruinen einer Intelligenz, die sie nie besessen hat, in Costa Polvoranca dahinvegetiert. Großartig! Was für ein Scharfblick! Genau darum ging es. Beide müssen gewässert werden, über Nacht und mit Tränen, Robinson und der Stockfisch.»

«Hat er Ihnen Hoffnung gemacht?»

«Er hat mir den Cervantespreis verliehen», antwortete Manzaneque, leuchtend, hoheitsvoll, mit Augen voller Tränen der Freude und Großmut. Ramiro wußte nicht, wohin er in diesem Gesicht schauen sollte, und setzte das Verhör im Profil fort.

«Gab es in dem Gespräch mit Conesal etwas Überraschendes?»

«Mich hat die Liebe überrascht.»

«Natürlich. Das liegt nahe. Aber ließ Señor Conesal nicht irgendeine Bemerkung fallen, die auf einen ungewöhnlichen Gemütszustand schließen ließ – Furcht, Angst, Bedrohtheit? Trug er Pyjama?»

«Das ist mir nicht aufgefallen. Ich glaube nicht. Ich kann Ihnen nur sagen, als ich ging, küßte ich ihm die Hand.»

«Das war alles. Sie können gehen.»

Der Whiskyliebhaber trat mit kontrollierter Bedachtsamkeit ein. Der Whisky war verflogen und hatte keine weiteren Spuren als eine Rötung der Augäpfel hinterlassen. Er hielt mit dem Grund seiner offensichtlichen Befriedigung nicht hinterm Berg.

«Ein Hurensohn weniger! Wenn jeden Tag ein Hurensohn vom Kaliber eines Lázaro Conesal verschwinden würde, dann würde es mit diesem Land aufwärts gehen! Die kleinen Hurensöhne zählen nicht. Was zählt, sind diejenigen, die die Möglichkeit haben, andere, und zwar egal wen, zu ruinieren.»

«In diesem Gemütszustand haben Sie die Einladung zum heutigen Festakt angenommen?»

«Ich kam hierher, um das da aufzuhängen.»

Was an diesem mageren Körper wie ein unvorteilhaft aufgetriebener Bauch aussah, magerte im Bruchteil einer Sekunde ab, so schnell hatte Sagazarraz eine Wurst aus Stoff hervorgezogen, die er nun auf dem Fußboden ausbreitete, so daß dieser völlig bedeckt war. Ein Transparent, auf dem zu lesen stand: *Lázaro Conesal ist der Staatsfeind Nummer 1!* Die Schrift wirkte professionell. Der Reeder betrachtete das Werk zufrieden und ging davon aus, daß die anderen dies genauso taten; allerdings entging ihm nicht, daß ihn Carvalho etwas mitleidig betrachtete.

«Wie schlecht muß es euch spanischen Kapitalisten gehen, daß ihr schon Transparente entrollt!»

«Ich wußte, daß dieses Transparent ihm heute abend großen Schaden zufügen würde. Er wollte sich als Mäzen aufspielen, und ich wollte ihm die Sache gründlich vermiesen.»

Ramiro bedeutete ihm mit einer Handbewegung, sein Transparent wieder einzurollen, um es dann einer seiner Hilfskräfte zu übergeben.

«Er wird es nicht mehr benötigen.»

«Nein. Und dieser Verräter auch nicht. Er hat die Firma Sagazarraz ruiniert, nach allem, was wir für ihn getan haben, vor allem mein Vater. Als ich ihn kennenlernte, war er nicht mehr als ein kleiner Anwalt, der Ministerialrat werden wollte und in Düsseldorf einen Spezialkurs für Management absolvierte. Ich besuchte denselben

Kurs und ließ mich so sehr von ihm blenden, daß ich ihn meinem Vater empfahl, und damit begann die Karriere des brillanten Lázaro Conesal, der die internationalen Aufträge unserer Tiefkühlflotte bearbeitete. Dann gründete er eine Reihe von Vertriebsunternehmen, mit unseren Produkten und unserem Kredit, bis er sich seiner selbst sicher fühlte, und als das Netz stand, begann er mit dem Import von Produkten der Konkurrenz. Er nutzte seine politischen Gaunereien für Importe, die von Anfang an knapp an der Grenze der Legalität waren, welche sie später aber dank perfekt geschmierter Komplizen in der Verwaltung weit hinter sich lassen konnten.»

«Wann war das?»

«Ende der siebziger Jahre.»

«Das ist fast zwanzig Jahre her. Waren Sie auf Rache aus?»

«Der Mensch ist das einzige Tier, das zwei- und drei- und dreihundertmal über denselben Stein stolpert. Vor etwa fünf Jahren begegneten wir uns bei einer Regatta. Er nahm mit seiner Jacht daran teil, und ich fuhr auf der Jacht von Freunden aus der Konservenbranche. Er konnte eine einnehmende Person sein, wenn er wollte, und streckte seine Fangarme nach mir aus. Später verstand ich, daß er es tat, weil er die prekäre Situation meines Unternehmens kannte. Er wußte, daß ich bei dem Prozeß der Flottenrenovierung und Konzentration nicht mithalten konnte, den ein barbarischer Wettbewerb in der Ausbeutung der Fischgründe unumgänglich macht. Er machte mir ein traumhaftes Angebot: Er unterstützte einen Plan der Ausrüstungserneuerung und Vertrustung kleiner Reedereien mit Krediten einer Bank aus Panama, an der er eine maßgebliche Beteiligung besaß. Das heißt ein Aktienpaket, das einen bestimmten Machtblock gegen einen anderen darstellte. Wir führten die Operation durch, und vor sechs Monaten, als wir das Ende des Tunnels erreicht zu haben glaubten, stellt sich heraus, daß die Bank in Panama bankrott ist, wir haben kein Geld, um die Gläubiger zufriedenzustellen, und Conesal hatte sich nicht nur längst aus dieser Bank zurückgezogen, sondern wir wissen sogar genau, daß er uns in dieses Manöver hineinzog, um uns zu ruinieren, und in einem Kuhhandel mit anderen Reedern vereinbart hatte, uns als Konkurrenten auszuschalten. Vor zwei Wochen sprachen wir uns aus, und er gab mir die zynische Antwort, warum ich, wenn ich schon 1978 dumm gewesen sei, es 1995 nicht mehr hätte sein sollen? Ich versuchte den ganzen Tag, mit ihm zu reden, eine Lösung zu finden. Es war nicht möglich. Endlich entschied ich mich für die Sache mit dem Transparent. Ich wollte es in dem Moment entrollen, wenn Lázaro das Urteil der Preisrichter verkünden würde, aber dieser Moment kam nicht mehr.»

«Und dann gingen Sie zum Angriff auf Lázaro Conesal selbst über?»

«Wer hat das behauptet? Ich wußte gar nicht, wo er war. Außerdem schleppte ich einen Rausch mit mir herum, der mich an nichts weiter als meinen vom Transparent aufgeblähten Bauch denken ließ.»

«Aber Sie verließen den Speisesaal, wie die entsprechenden Überwachungsgeräte beweisen, und versuchten, Lázaro Conesal zu treffen.»

Er tat verblüfft oder war es wirklich.

«Ich wollte nichts weiter als das Transparent im obersten Stockwerk aufhängen, und zwar über der Hotelhalle, damit es alle sehen, wenn sie nach dem Festakt herauskommen, aber diese beschissene Architektur spielte nicht mit. Es gab keine Möglichkeit, das Transparent irgendwo festzumachen, und so kehrte ich in den Saal zurück, entschlossen, mich in Geduld zu üben. Zu diesem Zeitpunkt hörte man das Gerücht, daß etwas passiert sei.»

«Haben Sie nicht das erste Stockwerk betreten, als Sie hinausgingen, um das Transparent anzubringen?»

«Das weiß ich nicht mehr genau. Ich glaube, ich irrte eine Weile umher. Vielleicht stieg ich ein Stockwerk zu weit hinauf, aber dann konzentrierte ich mich auf die erste Etage, weil man von dort aus das Transparent noch hätte lesen können. Die ganze Familie hat daran mitgearbeitet. Meine Frau, die Kinder und ich.»

«Dafür ist es zu gut gemacht.»

«Meine Tochter studiert graphisches Design.» Er begann zu schluchzen.

«Sie müssen diese Depression überwinden! Sie wissen genau, daß Conesal depressiv war und Mittel nahm. Prozac heißt es, glaube ich.»

Sagazarraz fand diese Feststellung surrealistisch.

«Ich behandle mich selbst mit den besten Whisky-Reserven der Welt.»

Damit verließ er den Raum, ohne die Polizisten um Erlaubnis zu bitten. Ramiro dachte laut nach:

«Diese Haifische haben für alles ihre Söldner. Um Feinde auszuspionieren. Um einen zusammenschlagen zu lassen, der ihnen im Weg steht. Um Dossiers zu sammeln. Und trotzdem tut sich die Familie zusammen, um ein Transparent herzustellen, als wollten sie *palé* spielen oder den Rosenkranz beten, also das ist doch unglaublich!»

«Wir sind tatsächlich noch sehr weit von der Moderne entfernt. Die Verpackung der Dinge hat sich geändert, aber die Dinge selbst sind praktisch gleichgeblieben.»

So sehr waren sich Ramiro und Carvalho einig, daß es wie das Happy-End eines Films wirkte, der unmöglich und außerdem noch nicht zu Ende war. In der Art eines mechanischen Ballwerfers beim Tennis- oder Baseballtraining hatte ihnen Álvaro bereits die «Kirchendienerin» (wegen der vielen lateinischen Brocken, die Carvalho von ihr gehört hatte) ins Zimmer geschickt. Mona d'Ormesson hatte den Wunsch, so schnell wie möglich fertig zu werden, wobei sie verächtlich ignorierte, daß ein Gespräch mit Polizisten ein kommunikatives Band knüpfen konnte.

«Ja. Ich war oben, um Lázaro zu besuchen. Aus keinem anderen Grund als meinem Interesse an der Bereitschaft einiger Gäste des heutigen Abends, sich für eine Stiftung zu engagieren, für deren Gründung ich mich einsetze.»

«Eine karitative?»

«Nein, eine kulturelle. Ich glaube, es gibt einen bedeutenden weißen Fleck in der spanischen Kultur, und das ist die Generation von '36, die unter dem Ruhm und der Legende der Generation von '27 begraben wird. So bemerkenswerte Schriftsteller wie Barea, Vivancos, Rosales, Sender, Max Aub, auf beiden Seiten der kämpfenden Bürgerkriegsparteien, sind nicht in eine Generation eingeordnet, wie es ihnen zustünde, und wenn in Spanien ein Schriftsteller keiner bestimmten Generation angehört, existiert er nicht. Lázaro war sehr aufgeschlossen für diesen Gedanken und ein großer Bewunderer des fast vergessenen Schriftstellers Max Aub. Wir sprachen über Max Aub.»

«Ausgerechnet heute abend sprachen Sie über einen Mann namens Max Aub!»

«Jawohl. Und außerdem über meine Studien der orphischen Dichtung. Aber vorzugsweise über Max Aub.»

Carvalhos Stimme trat in den Vordergrund.

«Erinnern Sie sich an ein konkretes Bruchstück dieses Gesprächs?»

«Sind Sie etwa Max-Aub-Experte?»

«Nein, aber Experte für Gespräche.»

Das Mißtrauen verkörperte sich in zwei nach- und hochgezogenen Augenbrauen über den vollkommen runden Augen der «Kirchendienerin».

«Ich erinnerte ihn daran, daß der Duque de Alba im Saal war, ein ehemaliger Jesuit, Aguirre hieß er, als er noch Zivil trug, und da wir bereits beim Thema der Generation von '36 und Max Aub waren, haben wir uns an einem Fragment aus Max Aubs *La gallina ciega* ergötzt, dieser Buchdokumentation über seine Rückkehr nach Spanien, das immer noch Francos Spanien war, und über seine Begegnungen mit der zivilen und kulturellen antifranquistischen oder afranquistischen Bewegung. Von besonderem Interesse war das Gespräch mit einem jungen progressiven Jesuiten, Anhänger des Paters Arupe, der zu ihm sagt: ‹Man kann nicht Priester sein, ohne Mensch zu sein.›»

Sie mußte wirklich Kirchendienerin sein.

«Noch schöner: Dieser Priester zitiert einen Pfarrer, der als Guerillero kämpft, Camilo Torres, und zeichnet ihm ein Bild dessen, was ein Priester sein soll, und Max Aub fühlt sich, genüßlich und mit der für ihn typischen Boshaftigkeit geschildert, an die Politkommissare aus dem Bürgerkrieg erinnert. Zum Lachen. Und Lázaro lachte herzlich. Mona, sagte er zu mir, ich möchte der Politkommissar der Theologie der Ausbeutung sein. Lázaro besaß wirklich Esprit.»

«Trug Lázaro Conesal einen Pyjama?»

«Wie konnte er einen Pyjama tragen, wo er im Begriff stand, einen Literaturpreis zu verleihen!»

«Was führt Sie zu der Annahme, er hätte sich bereits entschieden gehabt, wer den Preis bekommen sollte?»

«Er zeigte mir ein paar kabbalistische Notizen und einen Kreis, der ein Wort umschloß.»

«Welches Wort?»

«Uroboros.»

Sie war sich der destabilisierenden Wirkung ihres Wortes bewußt. Strahlend betrachtete sie die erwartete Verwirrung und ließ ihnen Zeit, sich zu erholen und auf Knien zu ihr gekrochen zu kommen, um ihre Unwissenheit tumber Polizisten einzugestehen, die aus ihrer Hand die Aufklärung des Rätsels empfangen mußten. Da zog Ramiro ein gefaltetes Stück Papier aus der Jackentasche und reichte es ihr.

«War es das?»

«Ja, das war das Blatt. Hier, sehen Sie, da steht, was ich gesagt habe: Uroboros.»

«Eine Scharade?»

Ramiro hatte sorgfältig ein Wort gewählt, das für seine Begriffe bedeutungsvoll und ebenso vielsagend klang wie Uroboros. Scharade!

«Nein, nichts dergleichen. Eine Scharade ist ein Spiel, bei dem man ein Wort erraten muß, welches in Einzelteile zerlegt wird, die für sich genommen andere Wörter sind. Uroboros hingegen ist ein auserlesenes Wort für den Mythos von der Schlange, die sich selbst in den Schwanz beißt und in sich zurückgekrümmt einen Zyklus der Evolution symbolisiert. Das Wort vermittelt die Idee von Bewegung, Kontinuität, Selbstbefruchtung, ewiger Wiederkehr. Oder auch die schicksalhafte Begegnung der Extreme, des Guten und des Bösen, die den Kreis des Lebens bilden. Tag und Nacht, Yin und Yang, Himmel und Erde, was man mit Uranos, dem Himmelsgott, in Verbindung bringen kann, von dem die Erde befruchtet wird.»

«Uroboros. Ist das ein galicisches Wort?»

Mona schnalzte mit der Zunge, um ihre Geringschätzung auszudrücken und Ramiro zu demütigen.

«Es hat überhaupt nichts mit dem Galicischen zu tun. Das Wort hat griechische Wurzeln, nämlich *ouro*, was im *Codex marcianus* aus dem zweiten nachchristlichen Jahrhundert soviel wie ‹Schwanz› bedeutet, und einige Symbolexperten bezeichnen es als emblematische Variante von Merkur oder Hermes, den Göttern, die doppelt sind, also zwei Gesichter haben.»

«Uroboros. Da haben wir den Gewinner. Oder Conesal hat das Wortungetüm in einem Moment der Euphorie niedergeschrieben. Wirkte er euphorisch? Hatte er seine tägliche Dosis Prozac eingenommen?»

«Er? Das weiß ich nicht. Ich ja.»

Ramiro erging sich in Sarkasmen, als Mona draußen war.

«Die einzige Schlange, die sich in den Schwanz beißt, ist diese Tussi! Stellt euch vor, ihr seid mit so einer verheiratet!»

«Oder man kriegt so eine als Schwiegermutter!»

Die Polizisten lachten und versuchten, sich zu entspannen, aber Carvalho applaudierte ihnen nicht, sondern blieb konzentriert und versuchte, in diesen Kreis einzudringen, der Gegensätze wie Gut und Böse verband und sie zu einem Kontinuum machte, sie miteinander verkettete. Conesal hatte damit etwas sagen wollen, als er dieses Wort und Symbol Uroboros ausgesucht hatte, und er blieb in diesen Gedanken versunken, bis der Enzyklopädievertreter den Stuhl einnahm und ihnen anvertraute, daß er Julián Sánchez Blesa hieß, der beste Vertreter der westlichen Hemisphäre Spaniens, nicht nur des Helios-Verlages, seiner Firma, sei und aus einem Weiler in der Nähe von Brihuega stamme, weshalb er bei Don Lázaro jederzeit ein gerngesehener Gast gewesen sei.

«Gern gesehen, weil Sie ihm dies beschafft haben?»

Ramiro reichte ihm den Bericht über die Helios GmbH und blätterte dann angesichts der zurückhaltenden Reaktion des Vertreters darin, zeigte ihm die Tabellen von Verkaufszahlen und Trends des Buchmarktes, um schließlich auf das Motto der Umschlagseite zu zeigen: Vertraulicher Bericht. Dem besten Buchvertreter der westlichen Hemisphäre Spaniens zitterten die Hände, als er den Bericht entgegennahm, studierte und mit noch auffälligerem Zittern zurückgab.

«Ich habe Don Lázaro keinen Bericht gegeben! Es war ein Besuch von Landsmann zu Landsmann und auch geschäftlich, denn er hatte bei mir fünfhundert Buchkollektionen des Verlages, für den ich arbeite, zu einem vernünftigen Preis in Auftrag gegeben, denn Don Lázaro will die Büchereien seiner Büros bereichern, sowohl im Bankfach als auch in den anderen Firmenzweigen.»

«Darüber mußte ausgerechnet heute geredet werden?»

«Die Stunden wurden lang und länger. Ich langweilte mich. Ich bin an einen Tisch mit Snobs geraten, mir wurde dort alles zu eng, und da sagte ich mir: ‹Warum gehst du nicht und besuchst deinen Landsmann?›»

«Warum hatte er ausgerechnet Sie eingeladen?»

Julián sah sicheres Land, und die Ellbogen und Hände, mit deren Hilfe er sich verzweifelt Gesicht, Haare, Nase und Hals gerauft hatte, wurden von Lähmung befallen.

«In meinem Verlag bekommen wir verschiedene Einladungen, jeweils eine pro Abteilung, und die Einladung, die die Abteilung der westlichen Hemisphäre bekommt, pflege ich zu nutzen. Immer. Heute und an jedem anderen Tag, denn es ist für mich eine gute Gelegenheit, Beziehungen zu Schriftstellern, Verlegern und anderen Vertretern zu pflegen. Diese Mischung ist für mich sehr vorteilhaft, bringt mich auf neue Ideen, inspiriert mich zu Werbekampagnen und Verkaufsargumenten. Außerdem betrachtet der Direktor meiner Firma Conesals Annäherung an den Kulturbetrieb mit Argwohn. Er wollte heute abend nicht hierher kommen, und auch kein Vertreter der Literatur- und Verwaltungsabteilungen sollte der Einladung folgen. In der Tat stehe ich hier in jedem Sinne als Vertreter des Helios-Verlages.»

Ramiro legte den Bericht wieder in die Hände von Julián, und das Zittern brach erneut aus seinem Versteck.

«Schlagen Sie bitte den Ordner auf und lesen Sie, was auf der ersten Seite steht.»

Der Vertreter holte die Brille heraus, die er in der oberen Jackentasche trug, und las.

«*Für die Strategie der aggressiven Übernahme des Helios-Konzerns.* Das steht da.»

«Sie arbeiten für den Helios-Konzern.»

«Sicher.»

«Zu welchem Ergebnis käme eine vergleichende Untersuchung dieser handschriftlichen Notizen und Ihrer eigenen Handschrift, Señor Sánchez?»

«Wahrscheinlich wird meine Schrift dieser hier ähneln, obwohl ich nicht so ordentlich schreibe, auf jeden Fall habe ich keinen Grund zuzugeben, daß ich es war, der Lázaro Conesal diesen Bericht gab.»

«Sie besuchen Lázaro Conesal. Jemand bringt ihn um, und in der Folge entdecken wir am Tatort einen Ordner, der Ihren Verlag betrifft, mit einer handgeschriebenen Notiz in einer Schrift, die der Ihren gleicht wie ein Wassertropfen dem anderen. Finden Sie diesen Zusammenhang an den Haaren herbeigezogen?»

Der Verkäufer machte schlaue Äuglein und zog sich in seinen Schildkrötenpanzer zurück, der durch Tausende von täglichen Verkaufsbesuchen gehärtet worden war. *Ich habe die Lösung für die schulischen Probleme Ihres Sohnes. Und woher wissen Sie, daß mein Sohn schulische Probleme hat? Was zählt, ist allein die Tatsache, daß ich die Lösung habe, Señora. Kennen Sie schon die Große Thematische Enzyklopädie von Helios?*

«Ich bin nicht hier, um diese Frage zu beantworten. Ich weiß nicht, von welchen Ursachen und Wirkungen Sie da reden. Viele Leute können bezeugen, daß ich durch gemeinsame Herkunft und, ich sage mal, Freundschaft mit Lázaro Conesal verbunden war. Señor Conesal wollte ins Verlagswesen vordringen, über das hinausgehend, was er bereits in Veröffentlichungen und Radio- und Fernsehsender investiert hatte. Da ist es nur naheliegend, daß er sich von einem Experten beraten läßt. Ich bin der beste Buchvertrter der westlichen Hemisphäre Spaniens. Hier allerdings gibt es eine Ursache und eine Wirkung.»

«War Helios durch Señor Conesal mit einer aggressiven Übernahme oder Ähnlichem bedroht?»

«Nicht daß ich wüßte. Aggressive Übernahme kommt nicht in Frage, denn der Verlag ist nicht an der Börse notiert. Dafür ist aber bekannt, daß der Verlag zu hohe Wachstumsrisiken eingegangen ist, und wie es heißt, wird gegenwärtig über eine Sanierungsmaßnahme ausländischer Investoren verhandelt. Es wäre ein Jammer, wenn ausländisches Kapital in eine große spanische Verlagsgruppe eindringen würde. Damit sage ich nichts, was Sie nicht heute noch in der Wirtschaftszeitung *Cinco Días* nachlesen könnten.»

«Und wenn Conesal sich eingeschaltet hätte, wäre alles schön in der Familie geblieben, ist das Ihre Auffassung?»

«Es war die Auffassung von Conesal, kein Zweifel. Meine eigene behalte ich für mich.»

Carvalho wollte die Fortschritte beim Zusammensetzen des Puzzles, so wie es Ramiro betrieb, nicht in Frage stellen, aber das Ganze wirkte allzu routinemäßig, und den Verhörten blieb zuviel persönlicher Spielraum, um sich aus Argwohn in die Defensive zu begeben. Selbst eine scheinbar so selbstsichere Person wie Marga Segurola trat ihnen nicht offen gegenüber, sondern verschanzte sich hinter einer Sicherheitslinie und antwortete aus dieser Position heraus mit Vagheiten. In der Tat, sie sei einer Aufforderung Conesals gefolgt, denn in gewissem Sinne sei sie die Verantwortliche für die Organisation des Abends.

«Lázaro hatte mich gebeten, ihn bei der Zusammenstellung der Gästeliste zu beraten. Er befürchtete, was dann auch geschah, daß ihn die Verleger boykottieren und auch die Schriftsteller ihres jeweiligen Hauses mitziehen würden. Sie haben nicht allzu viele einheimische Schriftsteller aufzuteilen. Knapp ein Dutzend sind wirklich kommerziell und davon gerade mal fünf oder sechs medienwirksam. Für Lázaro war die Sache ganz klar: Ich will einen Schriftsteller, der medienwirksam und kommerziell interessant ist, denn das Publikum wünscht, daß die hundert Millionen bei einem der Prominenten landen. Ich war nicht dieser Ansicht.»

«Das alles haben Sie nicht erst heute abend besprochen, nehme ich an. Warum also wollte er Sie sprechen?»

«Er war sich über den Gewinner noch nicht im klaren.»

Sie schien nicht die Wahrheit zu sagen, doch Carvalhos Wahrnehmung entsprach offensichtlich nicht der von Ramiro, der die Antwort akzeptierte.

«Gab es für Sie einen klaren Sieger?»

«Sie wissen doch sicherlich, wer den Preis bekommen hat! Sie haben doch mit der Jury gesprochen.»

«Ja, wir haben eine ungefähre Vorstellung.»

Die Frau wagte sich hinter ihrer Verteidigungslinie hervor. Die breiten Brüste atmeten wie zwei Lungenflügel über der eingearbeiteten Brustbinde ihres blauen Kleides. Carvalho erinnerte sich plötzlich an ein Bruchstück des Gesprächs zwischen Marga und Altamirano, das er zu Beginn des Abends aufgefangen hatte.

«Sie könnten die Gewinnerin sein!»

Margas ganze Aufmerksamkeit und Atemnot wandten sich Carvalho zu.

«Könnte sein? Ist das alles? Hat Lázaro etwa seine Meinung geändert?»

Es war ihr gleichgültig, ob sie zu weit ging, glaubte sie doch, dieser Weg führe sie zum Podest der ersten Gewinnerin des Venice-Preises, und fast alles sei ihr erlaubt.

«Wollte er Ihnen nicht den Preis zusprechen, als Sie bei ihm waren?»

Ramiro hatte Carvalhos Ansatz aufgegriffen. Sein farb-, geruchs- und geschmacksneutrales Gesicht begann Marga zu beunruhigen, aber sie war bereits mitten im Salto mortale und konnte nicht mehr zurück.

«Nein. Er ließ mich rufen, um mir zu sagen, daß er ihn nicht mir zusprechen würde. Daß er den Roman unmotiviert finde. Er sei sehr gut geschrieben, mit guter Literatur befrachtet, erscheine ihm aber wie schon einmal gelesen, eben ein guter Roman über den Abschied von der Kindheit. Wie viele gute Romane sind schon über den Abschied von der Kindheit geschrieben worden? Ich war nicht einverstanden, aber er saß am längeren Hebel. Daß er sich die Rolle eines obersten Richters anmaßte, nur weil klar war, daß der Roman mir, die hundert Millionen aber ihm gehörten, machte mich etwas ärgerlich.»

Carvalho entwickelte im Labor seines Gedächtnisses ein weiteres Fragment des Gesprächs zwischen Marga und Altamirano.

«Hatten Sie es nötig, Ihr Werk für hundert Millionen zu verkaufen? Steht das nicht in Widerspruch zu Ihren Gedanken über die Beziehung zwischen Geld und guter Literatur?»

«Diese Beziehung ist bei anderen festzustellen, muß aber in meinem Fall nicht gelten. Ich bot ihm meine Karriere an. Der Preis hätte das Ende meiner Rolle als literarische Prophetin bedeutet, dieses erhebenden Gefühls, die Gertrude Stein mehrerer Generationen zu sein.»

«Führte Ihr Gespräch zum Streit?»

«Conesal stritt sich nie mit Intellektuellen. Das hatte er nicht nötig. Er versuchte mich zu kaufen. Er sagte, wenn ich den Preis nicht bekäme, würde er mich zu entschädigen wissen. Dabei blieb es. Ich verließ die Suite und dachte, ich könne den Preis vergessen, aber jetzt…»

«Machen Sie sich keine Illusionen! Nichts weist darauf hin, daß Sie ihn gewinnen könnten, ganz im Gegenteil.»

«Diesem verdammten Hurensohn war es durchaus zuzutrauen, daß er ihn diesem unausstehlichen Akademiemitglied zuspricht!»

«Meinen Sie den Nobelpreisträger?»

«Er hatte überlegt, ihn dem real existierenden Nobelpreisträger zuzusprechen, aber als er ihm das anbot, antwortete dieser, er kandidiere nur für Preise, die mit zweihundert Millionen dotiert seien.

Das sei sein Tarif für Preise von Millionären, genau wie er eine halbe Million für die Einweihung von Billardtischen verlange. Lázaro amüsierte sich königlich darüber, sortierte ihn aber aus. Er erwog die Möglichkeit, den Preis, um ihn im Prestige aufzuwerten, an einen anderen aus der Akademie zu vergeben. Mudarra Daoiz kannte er ziemlich gut, denn er gehörte zu den Akademiemitgliedern, mit denen er Kontakt aufgenommen hatte, um einmal selbst einen Sessel in der Königlichen Akademie zu ergattern. Lázaro besaß großen Ehrgeiz auf dem Gebiet des institutionalisierten Intellekts und stand bereits kurz vor der Ernennung zum Mitglied der *Real Academia de Ciencias Morales y Políticas*.»

Ramiro zog ein Prozac-Döschen aus der Tasche, das Carvalho nicht auf seiner Liste hatte. Er zeigte es Marga.

«Möchten Sie eine?»

«Sie bieten mir Prozac an, als sei es ein Joint!»

«Ich denke, es ist eine Modedroge.»

Ramiro nahm eine Kapsel, wog sie in der Hand und warf sie unversehens in seinen offenen Mund. Carvalho zwinkerte stark, Marga nicht.

«So, so, Mitglied der *Academia de Ciencias Morales y Políticas*!»

Die Frage, die sich aufdrängte, konnte nicht von Marga Segurola beantwortet werden, die die Fortsetzung des Verhörs erwartete. Statt dessen rief Ramiro das Akademiemitglied Mudarra Daoiz herein, und die Frau mußte ihren Platz räumen. Leichenblaß und mit schwerer Zunge erklärte Mudarra, er werde gleich das Bewußtsein verlieren; zu zahlreich seien die Aufregungen der Nacht gewesen, und es sei nicht die Zeit, ihnen noch weitere hinzuzufügen.

«In meinem Labor der Worte und Träume halte ich bis in die spätesten Nachtstunden aus, aber nicht in solch angespannter Lage, jenseits des Lebens, im Angesicht des Todes von Lázaro Conesal. Was für ein Schicksalsschlag!»

Noch einer, der geschraubt daherredete. Carvalho fühlte sich in dieser Wortflut wie in einem Sumpf versinken.

«Es gibt ernsthafte Hinweise darauf, Señor Mudarra, daß Sie heute abend den Preis hätten gewinnen können.»

«Hätte, das ist richtig. Aber ich habe meine Schiffe nicht ausgesandt, um gegen diese Elemente zu kämpfen. Mein Leben lang schrieb ich über das Werk anderer, detailliert, ja detaillistisch, und gleichzeitig schrieb ich an *meinem* Roman, *dem* Roman, mit der schöpferischen Unschuld des ersten und der Weisheit des letzten Romanschreibers. Es war mein erster Roman nach dem Sezieren von Hunderten, die ich unter den vollkommensten Werken ausgewählt hatte. Wer wäre besser geeignet als ich, diese Verschmelzung des Ersten mit dem Letzten zu erreichen?»

«Uroboros?»

Aber Ramiros Ahnung bestätigte sich nicht.

«Was sagten Sie?»

«Uroboros. Ein Symbol. Die Kontinuität.»

«Vielleicht habe ich mich nicht richtig ausgedrückt. Ich versuchte, Señor Conesal meinen Standpunkt darzulegen und ihm klarzumachen, daß der Preis jemandem gebühre, der für die Unsterblichkeit steht, einem Akademiemitglied, einem Akademiemitglied im wahrsten Sinne, vom Scheitel bis zur Sohle. Aber wahrscheinlich galt Señor Conesals Intuition einem Gewinner, der seinen vielschichtigen Strategien zusagte.»

«Sie hegen den Verdacht, er hätte den Preis aus Gründen strategischer Zweckmäßigkeit verliehen?»

«Ich will es ganz schnörkellos ausdrücken. Ich glaube, er wollte ihn einem Katalanen verleihen; mehr sage ich nicht. Sie können mich nicht zwingen, etwas zu enthüllen, das auf einer Vermutung beruht, nicht auf einem Verdacht.»

«Einer Vermutung, die von etwas Bestimmtem ausgeht.»

«Natürlich.»

«Von etwas, das Conesal sagte oder das Sie sahen. Trug Señor Conesal einen Pyjama?»

«In der Tat. Eine merkwürdige Art, sich auf die Verleihung des höchstdotierten Preises der Weltliteratur vorzubereiten.»

«Vielleicht würden Sie sich selbst und anderen viele Unannehmlichkeiten ersparen, wenn Sie klarstellen könnten, was Sie während Ihrer Begegnung mit Señor Conesal gehört und gesehen haben.»

«Man nennt die Sünde, aber nicht den Sünder. Aufgrund des Gesehenen kann ich Ihnen sagen, daß Señor Conesal zu diesem Zeitpunkt das Opfer, das willfährige Opfer sicherlich, von etwas war, das unerlaubter Einflußnahme sehr nahekam.»

«Señor Daoiz, Sie sind nur einen halben Satz davon entfernt, uns alles zu sagen, was Sie wissen.»

Das auf Diminutive der barocken Prosa spezialisierte Mitglied der Königlichen Akademie seufzte und entledigte sich damit der Luft, der Angst und der Diskretion.

«Eine Frau war bei ihm, und Lázaro war im Pyjama. Ich sah nicht, wer es war, aber ich sah die Silhouette einer nackten Frau im Schlafzimmer, im Gegenlicht, wahrscheinlich im Schein der Nachttischlampe.»

«Sahen Sie nicht, wer es war?»

Er verneinte mit den Augen, den Mund fest geschlossen, die Arme abwehrend über der Brust verschränkt, und zog sich so geschwächt, wie er gekommen war, zurück. Ramiro ging wieder und wieder die Liste von Carvalhos Metaphern durch, als überlege er, welche Karte er nun ausspielen sollte. Beba Leclercq. Blond, umschattete Augen, in der vorgerückten Morgenstunde etwas aufgegangen und in einem süßen Stadium der Auflösung, was Carvalho blinzeln ließ und im Raum für gesteigerten männlichen Respekt sorgte. Mit angerauhter Stimme drückte ihr Ramiro sein Bedauern über die Frage aus, die zu stellen er gezwungen sei; als er sie aber stellte, war seine Stimme wieder stählern.

«Sind die Andeutungen der Regenbogenpresse über die gefühlsmäßigen Bande zwischen Ihnen und Lázaro Conesal zutreffend?»

Beba schlug die Beine übereinander; die Männeraugen wurden lauernd, konnten sich doch Szenen aus dem Kino oder den ausklappbaren Mittelseiten von Zeitschriften mit nacktem Fleisch wiederholen. Aber Beba Leclercq hatte bereits in der Pubertät gelernt, wie man die Beine übereinanderschlägt, und als sie es tat, zeugte das Geräusch vom präzisen Schluß der nylonbestrumpften Schenkel.

«Es ist Teil meines Privatlebens, und ich will meine Intimsphäre wahren. Ich bin eine verheiratete Frau. Ich habe zwei heranwachsende Töchter, die in diesem Jahr am Debütantinnenball in Sevilla teilnehmen. Glauben Sie, ich würde Ihnen freiwillig meinen guten Ruf opfern?»

«Sie besuchten Conesal heute nacht in seiner Privatsuite. Sie gehören doch nicht etwa zu den Schriftstellerinnen, die für den Preis kandidierten?»

«Nein, ich schreibe nicht einmal ein Tagebuch.»

«Welcher dringende Grund veranlaßte Sie dann, Conesal in

einer so unpassenden Situatuion aufzusuchen, wie sie die Verleihung eines Literaturpreises darstellt?»

«Dieser hier.»

Mit zwei ihrer fleischigen, aber langen Finger, die zwei so vollkommene Fingernägel krönten, daß sie wie aufgeklebt aussahen, reichte ihm Beba ein Stück Papier, das mehrfach gefaltet war, als enthalte es eine Botschaft, die unmöglich zu entschlüsseln sei. Ramiro las sie und legte den Zettel, ohne eine Miene zu verziehen, in die Mitte zwischen Carvalho und den Protokollanten an der Schreibmaschine, damit der Detektiv lesen und der andere den Inhalt abschreiben konnte: *Dein Mann wird Beweise für deine Beziehung zu Lázaro Conesal bekommen. Erinnere dich:* Hotel Drei Könige, *Basel. Fortsetzung folgt.*

«Ist dies eine falsche Aussage?»

«Überhaupt keine Aussage. Eine heimtückische Intrige. Eine Intrige, die nur aus der Umgebung von Lázaro kommen kann. Das ist es, was ich ihm klarzumachen versuchte. Würden Journalisten dahinterstecken, hätten sie es veröffentlicht, oder der Chefredakteur hätte uns die Gefälligkeit, daß er die Sache verschwiegt, zu einem für Lázaro erschwinglichen Preis verkauft. Wäre die Intrige dagegen Resultat einer politischen Verschwörung, hinter der die Geheimdienste stehen, dann wäre das Ziel nicht ich, sondern Lázaro. Diese Botschaft aber ist ein persönlicher Anschlag gegen mich. Wenn sie veröffentlicht wird, bin ich das Opfer. Lázaro wird Applaus bekommen und eine weitere Kerbe in seinen Colt schnitzen – der Finanzmagnat, der alles erobert, selbst die Frau von Pomares & Ferguson, dem prominenten *Opus*-Mitglied und sicheren Kandidaten des *Partido Popular* für das Amt des Bürgermeisters von Jerez.»

Carvalho machte sich stimmlich bemerkbar.

«Sie sagten, Sie hätten versucht, dem verstorbenen Señor Conesal die wirkliche Stoßrichtung dieser Notiz klarzumachen. Sie haben es also ohne Erfolg versucht?»

«Tatsächlich hörte er mir kaum zu.»

«Heute vormittag zum Beispiel wollte er Sie nicht einmal empfangen.»

Beba ließ sich von Carvalhos unerwarteten Kenntnissen nicht beeindrucken und wiederholte das Beineübereinanderschlagen mit derselben Präzision wie zuvor.

«Und auch gestern nicht. Auch vorgestern nicht. Und auch nicht… Deshalb wollte ich ihn mir heute schnappen.»

«Wie verlief das Gespräch?»

«Turbulent, denn daß er so verschlossen war, machte mich hysterisch. Die Sache war ihm nicht wichtig. Andere Dinge bereiteten ihm Kopfzerbrechen, und er sagte etwas, das mir imponierte: ‹Man will mich ins Gefängnis stecken und alles ruinieren, was ich aufgebaut habe, und da kommst du mit deinem Ehebruchsproblem wie aus dem spanischen Kino der fünfziger Jahre, das meine Frau aus gekränkter Ehre angezettelt hat. Merkst du nicht, daß sie es ist, die hinter dieser anonymen Intrige steckt?›»

Ramiro schaltete sich wieder ein.

«Was haben Sie ihm geantwortet?»

«Daß der Film, auch wenn seine Frau dahintersteckt, in den neunziger Jahren spielt, vor der Jahrtausendwende sozusagen, und daß er und ich die Hauptrollen spielen. Der Haß seiner Frau sei ein Grund zum Fürchten. Vielleicht kompensiere sie damit, wie sehr sie Lázaro geliebt und wieviel sie ihm gegeben habe, seit er damals mit dem großen oder kleinen Vermögen der Familie seiner Frau und der Familie Sagazarraz zu spekulieren begann. Beide Familien, die seiner Frau, Jiménez Fresno, und die Sagazarraz', hat er in den Ruin getrieben.»

«Sie und Ihr Mann verkehrten mit dem Ehepaar Conesal, das ist aus der Regenbogenpresse bekannt. Sie waren also gut Bekannte.»

«Im Rahmen des Möglichen. Es handelte sich um eine rein konventionelle Bekanntschaft auf der Basis eines Vokabulars, das zwei- bis dreihundert Wörter umfaßt.»

«Darf man erfahren, ob Sie und Conesal einmal zur gleichen Zeit im Hotel *Drei Könige* in Basel abgestiegen sind? Es ist etwas geschehen, Señora. Ein Mensch wurde ermordet, und jemand hat sich dabei die genaue Kenntnis seiner Gewohnheiten zunutze gemacht – was er aß, was er trank, welches Mittel er gegen den Druck, unter dem er stand, einnahm. Nehmen Sie auch Prozac?»

«Mein Mann. Ich bin nicht depressiv.»

«Nahm Lázaro Conesal Prozac?»

«Woher soll ich das wissen!»

«Trug Lázaro Conesal den Schlafanzug schon, als sie ihn heute nacht besuchten?»

Die Verwirrung überfiel Beba plötzlich, als sei bei ihr eine innere Widerstandslinie zusammengebrochen. Ramiro wies in eine Ecke der Zimmerdecke, wo Beba eine TV-Minikamera bewundern konnte, die möglicherweise aufzeichnete, was Sie sprachen. Noch verunsichert und empört, empfing sie eine weitere moralische Attacke von Ramiro.

«Das ganze Hotel ist gespickt mit Fernsehkameras.»

Beba seufzte wütend, aber resigniert.

«Also gut. Ja. Er war im Pyjama, aber ich kann Ihnen versichern, daß er ihn nicht auszog, wenn es das ist, was Sie wissen wollen.»

«Vielleicht legte er ihn nicht in Ihrer Gegenwart ab, aber es gibt Beweise, daß er Sexualverkehr hatte, kurz bevor er starb. Witterten Sie während ihrer Auseinandersetzung in seinem Zimmer die Anwesenheit einer anderen Frau?»

«Weder sah ich diese Frau, noch kam mir der Verdacht, daß irgendeine Frau dort sein könnte.»

Sito Pomares Ferguson ging wie ein rotblonder und etwas übergewichtiger irischer Torero, setzte sich hingegen wie ein Dickwanst, schlug die Hände vors Gesicht und brach in Tränen aus. Ramiro achtete sein Schluchzen und sogar das darauffolgende Schweigen, ohne daß der Sherryproduzent deshalb die Hände vom Gesicht genommen hätte. Er murmelte etwas vor sich hin, das klang wie eine obsessive Litanei, bis er das Gesicht von den Händen befreite und allen vernehmlich die Frage stellte: «Mein Gott, warum hast du mich verlassen?»

Er betrachtete die vier, die seinen Kalvarienberg bevölkerten, mit einem verständnisinnigen Blick. Einem christlichen, wie Carvalho vermutete.

«Ich erhebe keinerlei Anspruch auf Ihr Verständnis. Das Unverstandensein ist von der Vorsehung geschickt, damit unser Opfer um so bedeutender sei. Im verborgenen.»

Ramiro war nicht auf der Höhe von Pomares Fergusons innerer Größe.

«Ich verstehe – und bedaure dabei, dieses Wort zu benutzen –, daß Sie sich einen Teil Ihres Opfers vorbehalten wollen, um Ihre Seele zu bereichern. Aber ich muß darauf bestehen, daß Sie nicht alles im verborgenen lassen. Welches Opfer boten Sie heute nacht Lázaro Conesal an?»

«Ich ging hin, um ihm den Teufel auszutreiben, aber lachen Sie nicht, ich hatte keinen Exorzismus im Sinn, sondern wollte ihn mit dem Zeugnis meiner inneren Ruhe konfrontieren. Mir waren Gerüchte angeblicher Beziehungen zwischen meiner Frau und ihm zu Ohren gekommen, und ich wollte ihm ordentlich ins Gewissen reden – daß es mich schmerzt, wenn ein Kind Gottes dem Laster verfällt, aber viel mehr noch, wenn dieser Mensch aus weltlicher Lauheit und Verantwortungslosigkeit handelt. Lázaro, sagte ich, ich opfere dir meine Ehre als Ehemann, wenn du deine Haltung änderst! Damit würdest du deine Seele retten und wir unsere Ehe.»

«Was gab er Ihnen zur Antwort?»

«Er fing an zu lachen.»

«Und wie reagierten Sie?»

Wieder versank Pomares in tiefer Zerknirschung, obwohl Ferguson versuchte, ihn am Riemen zu reißen, aber es war stärker als er, und er verfiel in wildes Schluchzen, wobei er mit Unterbrechungen hervorstieß:

«Ich sagte, ich scheiße auf alle seine Toten!»

Dieser Mann, dachte Carvalho, übertrug offensichtlich die Zerrissenheit seines zusammengesetzten Familiennamens auf die instabile Beziehung zwischen Form und Inhalt seines geistigen Lebens.

«Meine Missionierungsabsichten in eigenem Interesse waren gescheitert. Ich kann mich nicht beherrschen. Unser großer Gründer hätte mir geantwortet: Hast du etwa alle Mittel ausgeschöpft? Natürlich, es ging um meine Ehre – aber was war mit der Ehre Gottes?»

Ramiro nickte mit dem Kopf, um die völlige Übereinstimmung mit der Frage zu demonstrieren, die sich der Sherryerzeuger stellte.

«Auf jeden Fall sind Sie ein Mann, der bewundernswerte Integrität bewiesen hat. Ich weiß nicht, was ich an Ihrer Stelle getan hätte. Das muß ich gestehen. Soviel ich weiß, sind Sie ein depressiver Mensch, der auf Antidepressiva zurückgreifen muß, genau wie Conesal. Das verband sie beide.»«

«Ja. Wir haben bei irgendeinem Anlaß darüber gesprochen.»

«Ihr Umgang war also in hohem Maße vertraut.»

«So ist es. Bis ich entdeckte, was ich entdeckt habe.»

«Die angebliche Untreue…»

«Nein. Ganz und gar nicht. Was zum Abbruch meiner Beziehungen zu Conesal führte, war sein Versuch, durch den Kauf der Aktien meiner Schwester Tota in mein Unternehmen einzudringen. Ich konnte es noch rechtzeitig verhindern, war aber außerordentlich empört darüber, daß er mich mit keinem Wort von seinen Absichten in Kenntnis gesetzt hatte – gerade als hätte er unsere Beziehung ausgenutzt, um herauszufinden, wo unsere Achillesferse war. Meine Schwester ist eine arme Seele, die laufend Therapien zur Deprogrammierung ihres religiösen Sektierertums beginnt und wieder abbricht. Nicht einmal davor hatte Lázaro Conesal Achtung.»

«Wir können nicht von allen Menschen dieselbe moralische Reife erwarten.»

Er hatte sich, wieder im Toreroschritt, bereits zum Gehen gewandt, als er sich noch einmal umdrehte, um ein kleines Lichtlein im Raum zu hinterlassen.

«Wieder gestrauchelt?... Und wie! Verzweifeln? Nein, demütig das Haupt senken und im Namen Marias bei der Mutter, der Erbarmenden Liebe Jesu Christi, Zuflucht suchen! Ein Miserere, und Kopf hoch!»

Es war mühsam, die leichten Schwaden des Miserere zu verscheuchen, aber Álvaro Conesal hatte Eintritt verlangt, um ihnen mitzuteilen, daß einer der Festgehaltenen, der Verleger Fernández Tutor, einen Nervenzusammenbruch erlitten habe, der sich wiederholen könne, wenn sein Verhör nicht vorgezogen werde.

«Machen Sie sich auf einen Auftritt gefaßt!»

Fernández Tutors Krawatte hatte den richtigen Sitz verloren, sein Scheitel die gerade Linie und er selbst sogar den Blick und das Maß der Stimme, obwohl er versuchte, sich zusammenzureißen und die Situation unter Kontrolle zu bringen, indem er sich nicht zu Boden warf, obwohl es das war, wonach sein Körper eigentlich verlangte.

«Wie lange noch, Señores? Wie lange noch? Ich leide unter Klaustrophobie. Keine Minute länger ertrage ich diese Situation!»

«Wir bedauern sehr, was geschehen ist, Señor Fernández!»

«Wenn Sie Fernández sagen, weiß ich gar nicht, daß ich gemeint bin. Mein ganzes Leben lang heiße ich Fernández Tutor!»

«Entschuldigen Sie bitte, Señor Fernández Tutor! Wir versuchen, es so kurz wie möglich zu machen. Gehen Sie! Aber nicht in den Saal, sondern ab nach Hause! Solche wie Sie brauchen wir für keinen Scheißdreck!»

Fernández Tutor war verdutzt und ersetzte die Nervenkrise durch Empörung.

«Ach so ist das! Da mache ich hier also die schlimmsten Stunden meines Lebens durch, und das alles ohne jeden Grund! Nein, nein, so leicht kommen Sie mir nicht davon!»

Ramiros Tonfall war nicht liebenswürdig.

«Dann wollen Sie also lieber aussagen?»

«Natürlich. Sofort! Kurz, aber sofort.»

«Gut. Aus welchem Grund sprachen Sie heute abend mit Lázaro Conesal?»

«Als Herausgeber einzigartiger, seltener Bücher, die mit besonderer Sorgfalt hergestellt werden, war ich damit befaßt, ausgewählte Kollektionen für Señor Conesal zusammenzustellen, der einen exquisiten Geschmack besaß und Kunden beschenken oder den Bestand der Bibliotheken seiner Finanz- und Handelsfirmen bereichern wollte. Das Ganze hing etwas in der Luft. Es kursierten Gerüchte über schreckliche Finanzschwierigkeiten. Ich hatte Angst.»

«Und nach dem Gespräch, hatten Sie da immer noch Angst?»

«Señor Conesal sagte: ‹Fernando, stell dich gut mit den Leuten, die die nächsten Parlamentswahlen gewinnen, denn du wirst Subventionen brauchen. Ich stehe weiterhin zu meinen Verpflichtungen, aber ich muß allmählich Prioritäten setzen. Keine Bange, unser Geschäft ist das letzte, das ich platzen lasse!› Das sagte er zu mir.»

«Das heißt also: ja, aber nein, nein, aber doch.»

«Genau.»

«Was würde ein Scheitern dieses Projekts für Sie bedeuten?»

«Den Ruin.»

Seine Gestik war in wilder Auflösung begriffen, doch hatte er genügend Standfestigkeit gesammelt, um die Wurzel seiner Angst bloßzulegen, und eine Art wäßriger Schleier legte sich über seine Augen, während der Adamsapfel auf und ab ging wie ein Kolben. Ramiro forderte ihn mit übertriebener Liebenswürdigkeit zum Gehen auf. Er tat es und setzte beim Gehen die Füße von der Spitze bis zur Ferse auf, um ein angesichts der Situation überzogenes Selbstbewußtsein zu demonstrieren. Ramiro seufzte.

«Ich kann fassungslose Männer nicht ertragen.» Mit einem Seitenblick überzeugte er sich von der Wirkung seiner Worte und setzte hinzu: «Fassungslose Frauen übrigens auch nicht.»

So gegen jeglichen Vorwurf des Sexismus gefeit, versuchte er sich mit gymnastischen Bewegungen alter Chinesen zu entspannen. Die beiden Polizisten sahen einander ironisch an, ohne sich jedoch zu erklären. Carvalho war ein unversöhnlicher Gegner der Gymnastik, aber tolerant gegenüber denen, die sie ausübten.

«Die Hitze hier ist unerträglich, aber ich glaube nicht, daß die Heizung schuld ist. Die Worte heizen die Luft auf.»

Er legte die Hände wie einen Schalltrichter an den Mund und rief: «Der nächste Geier bitte! Regueiro Souza!»

Als sich Regueiro Souza auf dem Stuhl niederließ, gewann die Atmosphäre wieder etwas von der Kälte zurück, die sie seit Hormazábals Abgang verloren hatte. Der Neuankömmling strahlte die Kühle eines Mannes aus, der Subalternen ein Verhör gewährt, um sie bei der Erfüllung ihrer subalternen Pflichten zu unterstützen.

«Ich sage mal, ich war bei Lázaro, da er sich den ganzen Tag geweigert hatte, mich zu empfangen. Er befand sich in einer Phase der persönlichen und geschäftlichen Ablösung, die zu respektieren ich keinen Grund hatte. Überdies interessierte ich mich für das Schicksal eines der Romane, den ein Freund von mir eingereicht hatte, in der Tat habe ich ihn dazu inspiriert, denn ich liebe es, über das Leben meiner selbst und anderer Leute zu fabulieren, sogar über das Leben, das die anderen in mir führen. Wünschen Sie, daß ich Ihnen die Handlung erzähle?»

Ramiro zeigte keine Begeisterung, solidarisierte sich aber mit dem kategorischen «Ja» von Carvalho.

«Gut, lassen Sie hören!»

«Es ist ein Roman über die Geschäftswelt. *Unter den Raubvögeln der Finanz- und Geschäftswelt*, lautet der Titel, den uns Señor Ekaizer beisteuerte. Einer dieser Raubvögel will seinen Geschäftspartner loswerden, weil er in der Wachstumsphase, in der wir uns gegenwärtig befinden, nicht mehr an ihm interessiert ist. Der Räuber pflegt Dossiers über das Privatleben seiner Feinde zu nutzen, um sie zu erpressen und ausgesaugt im Straßengraben der Highways der Moderne liegenzulassen. Er erhält ein Dossier mit den Beweisen, daß sein Partner ein sexuelles Doppelleben führt, tagsüber hingebungsvoller und makelloser Ehemann, nachts oder auf Auslandsreisen homosexuell. Besonders hart trifft den Aasgeier die Entdeckung, daß sein eigener Sohn einer der Liebhaber des bisexuellen Geschäftsmannes ist, und dies zwingt ihn zu handeln. Die Erpressung kehrt sich gegen ihn selbst, und er begeht Selbstmord. Mein schreibender Freund war von der Idee begeistert, er schrieb den Roman, bewarb sich damit um den Preis, und ich wollte erfahren, ob er Aussichten hatte zu gewinnen.»

Carvalho betrat den erhellten Bereich, und Ramiro überließ ihm Raum und Zeit.

«Die Kunst imitiert das Leben.»

Regueiro Souza nickte.

«Gleicht Ihr Liebesleben dem des von Ihnen inspirierten Romans?»

«Sie meinen mein persönliches Liebesleben?»

«Jawohl. Das wirkliche, nicht das erdachte.»

«Ich weiß nicht, ob Ihnen kar ist, was Sie da eben gesagt haben.»

«Vollkommen.»

«Ist Ihnen klar, wohin das führt, wenn Sie hergehen und den Gestalten unseres Romans Namen geben?»

«Absolut.»

«Haben Sie vor, ebensoweit zu gehen wie Ihr Assistent?»

Ramiro war ganz darauf konzentriert, die Gestalten des Romans mit realen Namen zu versehen, aber Regueiro vereitelte seine Absicht, indem er sich erhob.

«Von diesem Moment an glaube ich, mich jeglicher Aussage enthalten zu müssen, es sei denn, Sie erklären mich ausdrücklich für verhaftet und ich kann die Anwesenheit meines Anwalts einfordern.»

Ramiro entließ ihn mit einer Handbewegung, aber Carvalhos Stimme hielt ihn auf.

«Wir wollten nichts weiter, als daß Sie uns mit einer einzigen Information etwas die Arbeit erleichtern.»

«Ich bin ganz Ohr.»

«Könnten Sie uns den Namen des heute kandidierenden Schriftstellers nennen, bei dem Sie den Roman in Auftrag gegeben haben?»

Regueiro grinste von einem Ohr zum anderen, als er den Namen in den Raum stellte.

«Ariel Remesal.»

«Es ist anzunehmen, daß der Roman Ihnen, Ariel Remesal und Don Álvaro bekannt ist. Sonst noch jemand?»

Regueiro kehrte ihnen wieder den Rücken und ging ohne Hast zur Tür.

«Ich gab ihn Milagros, Señora Conesal, zu lesen.»

Ramiro folgte ihm rasch, legte eine Hand auf die Schulter und nötigte ihn brüsk, sich ihm zuzuwenden.

«Ich möchte lieber, daß mir die Leute das Gesicht zeigen, nicht den Arsch. Aus welchem Grund gaben Sie den Roman Señora Conesal?»

«Ich wollte, daß sie ihren Mann für die Lektüre interessiert.»

Das Gesicht war nicht nur geschminkt, es bestand aus einem undurchdringlichen Material. Der Polizist ließ die Schulter los und verzog angewidert das Gesicht, was den Finanzier nicht weiter beeindruckte. Er wurde von Ariel Remesal abgelöst, der nicht überrascht war, als ihn Ramiro nach seinem Roman fragte. Er schien von Regueiro Souza präpariert worden zu sein und erklärte, er habe sich unter dem Pseudonym Ayax und mit dem Titel *Telemachos* beworben. Die Rolle, die Regueiro bei der Entstehung des Romans spielte, wollte er allerdings herunterspielen.

«Es war ein Auftrag und auch wieder keiner. Der Handlungsembryo, kaum fünfzehn Zeilen, stammt von ihm, und meine Arbeit bestand darin, aus der fünfzehnzeiligen Zusammenfassung des Plots eine Romanarchitektur von fast vierhundert Seiten zu schaffen. Und dabei handelte es sich diesmal nicht um ein gemächliches Vor-sich-hin-Schreiben, die Befreiung der verbalen Masse, um einmal die Befreiung der malerischen Masse, von der Kandinsky sprach, zu paraphrasieren. Nein. Es war ein proteinreiches Schreiben, reines Protein, denn es beinhaltet Information über die Macht des Geldes, was bis heute in der spanischen Literatur sehr wenig Raum einnimmt. Wir sind so primitiv, daß uns literarisch die Macht der Religion, der Politik oder des Militärs interessiert. Aber welchen Platz nimmt schon die Macht des Geldes in der spanischen Literatur ein?»

Carvalho wußte eine Antwort.

«Es gibt eine großartige *zarzuela*, die dem Geld gewidmet ist.»

«Darf man erfahren, welche?»

«*Los gavilanes*. Es ist die Geschichte eines *indiano*, eines Mannes, der es in den südamerikanischen Kolonien zu Geld gebracht hat. Er kehrt in sein Dorf zurück und versucht, mit seinem Geld die Liebe eines Hirtenmädchens zu erringen. Der *indiano* ist der Bariton.

Glücklicherweise ist der Tenor ein Idealist, verachtet das Gold des anderen und führt das Mädchen mit dem Schlachtruf heim:

> *Soy joven y enamorado*
> *nadie hay más rico que yo*
> *no se compra con dinero*
> *la juventud y el amor.»*

Bei Ariel Remesal kam diese Einmischung nicht gut an, und er verlangte mit Blicken eine stumme Erklärung für den Redebeitrag dieses vermeintlichen Untergebenen des Inspektors. Als Ramiro nicht darauf reagierte und sogar über den tiefen Sinn der Romanze des *zarzuela*-Tenors nachzudenken schien, widersprach der Schriftsteller Carvalho.

«*Zarzuelas* sind dummes Zeug. Gefühlsmäßig und gesanglich eine Widerspiegelung des bäuerlichen Spanien. Die Verse, die Sie zitieren, enthalten mehr Lügen als Worte.»

«Das bestreite ich nicht.»

«Ich habe einen Roman über die verkörperte Macht des Finanz-kapitals geschrieben, verkörpert, das heißt, ich habe sie als Ge-schöpfe aus Fleisch und Blut gestaltet, mit allen ihren Widersprü-chen.»

«Uroboros?»

Ramiros Frage fand ebensowenig Gnade vor den Augen des Schriftstellers. Er schätzte es nicht, unterbrochen zu werden.

«Was sagen Sie da?»

«Das ist das Symbol der Kontinuität. Ein Fisch oder eine Schlange, die sich in den Schwanz beißen.»

«Wenn Sie es sagen…»

«Nun gut. Wir sind zu dieser vorgerückten Stunde dankbar für jede erholsame Abschweifung wie diese *zarzuela*, aber das alles hat sich lange genug hingezogen, und wir haben nur noch wenige Perso-nen auf der Liste. Wissen Sie, welche Liste ich meine?»

«Da es sich um ein Gespräch mit der Polizei handelt, kann nur die Liste der Verdächtigen gemeint sein.»

«Nein, ganz und gar nicht. Die Liste derjenigen, die mit Lázaro Conesal heute nacht persönlich Kontakt aufnahmen. Es geht uns nicht darum, jemanden zu beschuldigen, sondern um Informatio-nen, die uns eine annähernde Vorstellung vom Ablauf der Ereignisse liefern. War es seine oder Ihre Initiative, Conesal zu besuchen?»

«Sie kam von mir, auf Anraten von Señor Regueiro Souza. Er hatte gerade mit Lázaro gesprochen und sagte: ‹Geh hoch und besuch ihn, die Sache hängt an einem Faden.› An was für einem Faden, sagte er nicht, aber ich nahm an, er meinte einen seidenen. Normalerweise sind diese feststehenden Redewendungen immer die gleichen. Hätte er gesagt: ‹Die Sache steht am Rande›, hätte ich es sofort als den Rand des Abgrunds interpretiert. Logisch.»

«Logisch.»

«Also ging ich hinauf. Ich traf Conesal lesend und trinkend an. Allein. Keine Spur einer Jury. Keine Anzeichen einer Preisverleihung. Außerdem wirkte er völlig ungepflegt. Befremdend. Ich fragte ihn: ‹Hör mal, wollt ihr den Preis etwa sausenlassen?› Er grinste verschlagen und antwortete: ‹Nichts da!› Aber auch seine Lektüre war kein Originalmanuskript, sie sah eher aus wie irgendein Bericht. Ich wartete darauf, daß er auf das Thema meines Romans zu sprechen käme, er aber verbreitete sich über dieses und jenes, und ich verlor immer mehr den Mut. Schließlich wollte ich gehen, und er widersprach nicht, stellte aber, bevor ich ging, eine rätselhafte Frage. ‹Ariel›, sagte er, ‹weißt du, um welche wirklichen Personen es in der Geschichte geht, die du in deinem Roman erzählst?› Offen gesagt, ich hatte keine Ahnung. In diesem Sinne war Regueiro Souza maßgeblich für den Inhalt verantwortlich, daß sich beispielsweise der moralische Druck der Erpressung auf Homosexualität bezieht. Jetzt begann ich allerdings, zwei und zwei zusammenzuzählen.»

«Und, haben Sie es schon geschafft?»

Hatte Ariel Remesal bereits der erste, zarzuelabegeisterte Einwurf Carvalhos mißfallen, so mißfiel ihm jetzt der ganze Mensch.

«Und wenn dem so wäre?»

Carvalho bat Ramiro um Erlaubnis, sich einzuschalten. Der Polizist war erschöpft und rieb sich mit den Händen das Gesicht, als wolle er voller Haß seine Züge auswischen, überraschenderweise besaß Ramiro ausgeprägte Gesichtszüge. Mit einer heftigen Handbewegung gab er Carvalho den Einsatz zu einem Solo.

«Wenn dem so wäre, könnte Ihr Roman als Erpressungsinstrument verstanden werden. Ich habe den Verdacht, daß Señor Conesal Ihnen dies zu verstehen gab, und ich nehme an, die Begegnung verlief ziemlich bewegt.»

«Wenn das hier ein Verhör wird, ziehe ich die Konsequenzen und spreche nur in Gegenwart meines Anwalts.»

Ramiro ließ ihn gehen und begann, im Zimmer umherzuwandern.

«Die Gespräche werden plötzlich immer kürzer. Entweder ich hab's satt oder ich finde das System absurd.»

«Wir wissen eine Menge Dinge, die wir nicht wußten, und es sind nur noch vier zu verhören: Sánchez Bolín, der Toilettenliebhaber, die melancholische Betrunkene und der Sohn seines Vaters.»

«Na gut.»

Sánchez Bolín hatte müde Füße, so viel war er im Saal unterwegs gewesen, um an den hysterischen Anfällen und Intrigen der anderen teilzuhaben und die eigenen hinunterzuschlucken wie zuvor die gewaltigen Mengen Tomatenweißbrot, die er ebenso großzügig an die gesamten Gäste und Angestellten dieses so postmodernen Hotels verteilt hatte. Auch seine Augen und Ohren waren müde, weshalb er sich in den Sessel fallen ließ, als sei es eine Heimat.

«Was sagt Ihnen der Begriff Uroboros?»

«Er gehört zu der unendlichen Vielzahl von Begriffen, die mir überhaupt nichts sagen.»

«Haben Sie sich um den Lázaro-Conesal-Preis beworben?»

«Ja. Ich bewarb mich unter Pseudonym mit einem Roman, dessen Arbeitstitel *Die Leiden eines Russen in China* heißt. Mein Pseudonym ist Matteo Morral.»

«Sie sind ein anerkannter Schriftsteller und haben sich daher wohl nicht unüberlegt um diesen Preis beworben.»

«Sie sagen es. Aus diesem Grund habe ich mich unter Pseudonym beworben.»

«Brauchten Sie den Preis? Zur persönlichen Befriedigung? Aus Geldmangel?»

«Klar, wegen des Geldes, ich befinde mich in einem schwierigen Lebensalter. Jedermann denkt, ich sei ein reicher, unanfechtbarer Schriftsteller, aber das ist wohl der Grund, warum mir das Publikum bald seine Gunst entziehen wird. Man wird viel von mir sprechen, mich aber immer weniger lesen, bis ich sterbe. Dann, so um das Jahr 2015 oder 2020, wird mich irgend jemand wiederentdecken, und meine Erben werden üppige Tantiemen einstreichen, ich selbst aber muß jetzt in den besten Jahren dem Niedergang ins Auge blikken. Die Tantiemen, die ich bekommen habe, sind ziemlich beträchtlich, aber die Rechnung ist schnell gemacht: Nehmen Sie an, ich verkaufe hunderttausend Exemplare eines Romans à dreitausend Peseten, wovon ich im Durchschnitt zehn Prozent erhalte. Mit dieser außergewöhnlichen Verkaufszahl kann ich um die dreißig Millionen verdienen, davon kassiert der Fiskus die Hälfte, und um diesen Roman zu schreiben und seine globalen Benefize wahrnehmmehn zu können, brauchte ich drei, vier oder fünf Jahre. Teilen Sie das mal in Monatsraten!»

Da Ramiro sich nicht dazu durchringen wollte, die Summe in Monatsraten zu teilen, begann Sánchez Bolín, geistige Rechenübungen zu veranstalten.

«Seien wir großzügig mit den Käufern: dreißig Millionen, von denen fünfzehn bleiben, durch sechsunddreißig Monate, das heißt drei Jahre. Das ergibt durchschnittlich fünfhunderttausend Peseten, was reicht, um in Anstand zu leben, aber nicht, um genügend anzusparen, damit mir eine letzte Krankenschwester mit einem Lächeln den Hintern wischt und sagt, Señor Sánchez Bolín, heute ist ein schöner Tag, die Vöglein singen und die Wolken reißen auf.»

«Na, wenn Sie wüßten, was ich im Monat verdiene...»

«Aber Sie haben sich Ihrer Mentalität – Ihrer vermutlichen Mentalität – entsprechend eine konventionelle familiäre Situation geschaffen, und das ist bei mir nicht der Fall. Ich bin Junggeselle.»

«Ja, schon, aber manchmal habe ich auch schon gedacht: Was wird aus dir, wenn du nicht mehr arbeiten kannst? Wenn du nicht mehr aus eigener Kraft für dich sorgen kannst? Und außerdem, daran ist mein Metier schuld, ich erlebe das Elend der Menschen und stelle fest, daß diejenigen, die am meisten Geld machen, am bedauernswertesten sind.»

«Sie sagen es. Genauso ergeht es einem Schriftsteller, der nachdenkt, wie er seine Gestalten zu Geld kommen oder ihr Geld verlieren läßt, und er selbst bleibt in der Mehrzahl der Fälle arm wie eine Kirchenmaus.»

«Das ist nicht gerecht.»

Alle Welt war sich einig, daß das ungerecht war, und sogar die Subalternen stellten Berechnungen an über die Dienstjahre, die sie auf der Habenseite verbuchen konnten, und den voraussichtlichen Termin ihrer Pensionierung.

«In meinem Fall kommt erschwerend hinzu, daß kürzlich ein neuer Verlagsmanager aufgetaucht ist, der sogenannte Terminator Belmazán, der all jenen im Verlag den biologischen Krieg erklärt hat, deren historisches Gedächtnis von seinem eigenen abweicht. Für ihn beginnt die spanische Literatur mit dem Tag, an dem er die Verkaufszahlen und Remissionen des Verlags unter Kontrolle bekam.»

«Also, wenn Sie die Personalchefs kennen würden, die uns die vom Innenministerium vor die Nase setzen… Die haben genausowenig historisches Gedächtnis.»

Carvalho, der genau wußte, wie sehr es Sánchez Bolín liebte, Situationen an den Rand des Absurden zu treiben, erinnerte sich des Grundes seiner Anwesenheit.

«Hat Ihnen Señor Conesal eröffnet, daß Sie der Preisträger sind?»

«Ganz im Gegenteil. Er rief mich zu sich und sagte, ich bekäme den Preis nicht, bot mir aber einen phänomenalen Vertrag für seine Autobiographie an. Das heißt, ich sollte so tun, als sei ich Lázaro Conesal und als solcher meine angebliche Autobiographie schreiben. Nie habe ich etwas Derartiges getan, aber das Angebot war verlockend.»

«Sie haben sich doch schon so viele Kriminalromane ausgedacht…»

«Es ist zwar nicht mein Genre, aber es kommt dem nahe.»

«Nun gut. Es wurden ja eine Menge Vermutungen angestellt und Gerüchte verbreitet, und Sie haben im Saal alles mögliche erörtert – zu welchen Schlüssen ist man gekommen? Wer könnte der Mörder sein?»

«Es fällt mir sehr schwer, im wirklichen Leben die Mörder zu finden. In den Romanen weiß ich stets, wer der Mörder ist, denn es ist immer derselbe.»

«Wer?»

«Der Autor.»

Während die Antwort Carvalho zu denken gab, überging sie Ramiro und fuhr, nachdem er sich von seiner biologischen und finanziellen Angst erholt hatte, mit seiner Untersuchungsarbeit fort.

«Da es sich um Ihre Person handelte, nehme ich an, daß Señor Conesal seinen abschlägigen Bescheid auf sehr liebenswürdige Weise formuliert hat.»

«Da es sich um meine Person oder um jeden Beliebigen handelte. Ich hatte ja nicht viel Umgang mit ihm, aber Conesal war stets ein liebenswürdiger und in vernünftigen Maßen gebildeter Mensch.»

«Was soll das heißen, in vernünftigen Maßen gebildet?»

«Gebildet genug, um die Namen der unnützen Dinge zu kennen, und praktisch genug, um zu Geld zu kommen, obwohl er gebildet war und die Namen der unnützen Dinge kannte.»

«Fiel Ihnen an Señor Conesal oder seiner Umgebung nichts Ungewöhnliches auf?»

«Die Tristesse. Señor Conesal war tieftraurig, und der Preis schien ihm gleichgültig. Er war nachlässig gekleidet. Noch erstaunlicher: Ich hatte sogar den Eindruck, er wisse nicht, wer den Preis bekommen sollte, und er habe keinerlei Interesse daran, dies zu entscheiden. Zumindest zu diesem Zeitpunkt.»

Hatte Sánchez Bolín ein entspanntes Nervensystem bewahrt, hielt Oriol Sagalés das seine wie einen Baum aufrecht, aber angespannt, und seine Zunge war allzusehr vom Nachgeschmack des Alkohols getränkt. Er hob seine Lieblingsbraue und schickte sich an, das Offensichtliche zu beweisen, nämlich, daß er viel intelligenter war als diejenigen, die ihn verhörten; allerdings beunruhigte ihn die im halbdunklen Hintergrund erspäte Gestalt jenes Whiskyexperten, den er auf der Toilette kennengelernt hatte.

«Wie es die Dienstboten des Systems, die Journalisten, mit ihrem Berufsgeheimnis halten, so gestatten Sie mir bitte, es mit dem meinen zu halten! Ob ich mich um den Preis beworben habe oder nicht, ist meine Sache.»

Der Polizist-Sekretär reichte Ramiro das Fax mit den Vorstrafen, und der Inspektor las es ziemlich lustlos.

«Oriol Sagalés. Sie haben ein merkwürdiges Delikt in Ihrem Vorstrafenregister. Sie attackierten in der Buchhandlung «Áncora y Delfín» in Barcelona einen Kunden und schützten vor, der Angriff sei der Tatsache zuzuschreiben, daß er ein Buch mit dem Titel *Lucernario en Lucerna* gekauft habe, dessen Autor Sie selbst sind. Wie aus dieser Notiz hervorgeht, sagten Sie, der Autor sei der alleinige Besitzer des Werkes, und jeder angehende Leser sei in Wirklichkeit ein Eindringling in fremdes Eigentum und ein Idiot, der versuche, wie ein Vampir die Intelligenz des Autors auszusaugen.»

«Genau. Ich sah, wie jener Mensch, ganz sicher ein Analphabet, meinen Roman kaufte und, als er an die Kasse trat, fragte: ‹Ist das Buch gut? Gute Unterhaltung?› Einen derartigen geistigen Mißbrauch hätte ich ja noch hinnehmen können, aber im folgenden erklärte er: ‹Ohne ein Buch in der Hand kann ich nicht einschlafen.› Ich ging zu ihm hin und warnte ihn fairerweise: ‹Ich werde Ihnen zwei Ohrfeigen verabreichen, mein Herr.› Und das tat ich.»

«Und der Angegriffene?»

«Er war kräftig wie ein Vorstadtlümmel und bar jeder Eleganz. Er versuchte, mir einen Tritt in die Eier zu versetzen, und als ihm dies mißlang, trat er mir gegen das Schienbein. Ich weiß nicht, warum Sie dieser Episode so große Bedeutung beimessen.»

«Es überrascht, daß ein Schriftsteller, der so hohe Forderungen daran stellt, was er schreibt und wer ihn liest, sich um einen Literaturpreis wie diesen hier bewirbt.»

«Der Stab der anspruchsvollen spanischen Literaten hat sich um eine Geschmacklosigkeit beworben, die sich Planeta-Preis nennt, von Juan Benet bis Mario Vargas Llosa, und das sind bekannte Namen, aber ich weiß genau, daß sich unter Pseudonym auch Schriftsteller beworben haben, die in diametralem Gegensatz zur Philosophie des Preises und des Verlages stehen. Wenn ich überhaupt kandidiert hätte, dann um die geschmackloseste aller Geschmacklosigkeiten, das heißt, um den teuersten Preis. Ich verkaufe mich schon billig genug, wenn ich Nachrufe schreibe. Wollen Sie einen Nachruf von mir?»

«Wozu, um Gottes willen?»

«Wie ist Ihr werter Name?»

«Antonio Ramiro, Inspektor des *Cuerpo Superior de Policía*.»

«Wir trauern um Antonio Ramiro, Chefinspektor des *Cuerpo Superior de Policía*, der mit dem starken Arm des Gesetzes die Unordnung aufrechterhielt. Seine trauernde Gattin mit Kindern und Angehörigen danken für die Beleidsbezeugungen von Polizisten und Gaunern aller Art…»

«Einen Tritt in die Eier, Tonio», empfahl einer der Statisten aus dem Polizeidienst, die bislang geschwiegen hatten, aber Ramiro ersuchte ihn nachdrücklich, weiterhin zu schweigen, während er Sagalés anschaute, als sähe er ihn zum erstenmal.

«Worüber sprachen Sie heute abend mit Señor Conesal?»

«Muß ich daraus schließen, daß Sie mir nachspioniert haben?»

«Dieses Hotel ist voller Videokameras.»

Die Blässe von Sagalés war dreidimensional und beeinflußte sogar sein Gesicht, indem sie die Wangen einfallen ließ und die Falten in den Mundwinkeln vertiefte. Carvalho meinte: «Sie sollten mehr Kriminalromane lesen!»

«Bei Conan Doyle – das sind die Krimis, die mir gefallen – gibt es keine geschlossenen Video-Kreise.» Er hob die Braue bis zum Anschlag und ging zum Gegenangriff über. «Also gut. Wenn Sie alles wissen, werden Sie Verständnis dafür haben, daß mein Gespräch mit Conesal nicht wirklich ersprießlich war. Ich sagte ihm, wenn er schon an meiner Statt meine Frau vögele, sei es wohl das Mindeste, was er tun könne, mir den Preis zu verleihen.»

«In welcher Beziehung stand Ihre Frau zu Lázaro Conesal?»

«Fragen Sie sie selbst. Ich spreche nur für mich.»

Ein Zittern in den Lidern und den Reisen, die die Augen machten, um mal nach rechts, mal nach links auszuweichen, wanderte vom Gesicht hinunter zu den kleinen Händen, die trotz der langen und schlanken, fast durchsichtigen Finger mißgestaltet waren.

«Ihre Frau war ebenfalls bei Conesal.»

«Das hatte ich befürchtet.»

«Gewußt haben Sie es nicht?»

Sagalés hatte bereits beide Brauen in Höchstposition gehoben und stand abrupt aus dem Sessel auf, um zu verkünden: «Ich will alles gestehen. Wenn Sie einen Mörder brauchen – hier haben Sie ihn: Oriol Sagalés.»

Lázaro Conesal trat aus dem Aufzug und strebte seiner Suite entgegen. Die Aktentasche war ihm zu schwer. Die Schulter schmerzte. Ebenso die Brust, aus der eine gasförmige, doch unzweifelhaft nach Salz schmeckende Substanz nach außen drängte.

Das Wort «Intervention» erfüllte sein Gehirn, aber sein gesamter Körper war auf den Zweck des Abends ausgerichtet: die Entscheidung des Venice-Literaturpreises. Der Leiter der Staatsbank hatte ihm ein Dokument zur Unterschrift übergeben – «erhalten und zur Kenntnis genommen» –, das ihm vorläufig den Vorsitz des Verwaltungsrates der Bank entzog und neue Geschäftsführer bestimmte. Hatte er bislang den Leiter der Staatsbank mit Argumenten und humorigen Bemerkungen überflutet, so verbannte ihn das ihm zur Unterschrift vorgelegte Papier ins Land des Schweigens, des Endgültigen. Seit zwei Jahren hatte er sich auf diesen Moment vorbereitet und wußte, wie er in den kommenden Wochen zu reagieren hatte, aber zunächst mußte er sich darauf gefaßt machen, daß sein Image leiden und er als in die Ecke getriebener und entthronter Sieger dastehen würde. Das System hatte zu ihm gesagt: «Schwarz bist du, und schwarz sollst du wieder werden», und sobald er sein Auto erreicht hatte, verschloß er sein Gehör den aufmunternden Argumentationen seiner Anwälte, und seine Hände verlangten nach dem mobilen Telefon. Der Regierungschef – nicht da. Der König – nicht da. Zum Entsetzen seiner Anwälte rief er den Papst an, und Seine Heiligkeit konnte nicht an den Apparat kommen. Ebensowenig Jacques Delors, der ehemalige Präsident der Europäischen Gemeinschaft. Wem sonst noch hätte er mitteilen können, daß man ihn soeben in einem der entscheidendsten Examina seines Lebens hatte durchfallen lassen? Der UNO.

«Remedios, gib mir die Privatnummer von Butros-Ghali, Generalsekretär der UNO.»

«Wen bitte, Don Lázaro?»

Das war der richtige Moment für den Anwalt, ihm die Hand auf den Arm zu legen, der das Telefon hielt, und zu sagen: «Komm zurück nach Spanien, Lázaro! Nach Madrid! In dieses Auto! Bleib auf dem Teppich!»

«Da stehe ich doch mit beiden Beinen!»

Aber er bat seine Sekretärin, Butros-Ghali nicht anzurufen, schaltete das Handy aus und zog sich in die geschützte Bucht des Bentley zurück, als sei er ein Ruhebett, eine Heimat, in der man die Augen schließen und hingegeben und vertrauensvoll zwischen wohlwollenden Koordinaten leben konnte.

«Man treibt mich in die Enge! Und versucht mir dabei noch weiszumachen, daß ich es selbst bin, der sich in die Enge treibt, die Schlange, die sich in ihrer Dummheit schließlich selbst in den Schwanz beißt. Uroboros. Wahrscheinlich vergebe ich den Preis an einen Roman, der unter Pseudonym vorgelegt wurde und den Titel *Uroboros* trägt. Er gefiel mir sofort sehr gut, als ich ihn zu lesen begann, denn er enthält die glasklare Transposition eines Literaturpreises, der nach Ansicht seines Autors dem meinen gleicht. Die Handlung hatte mich bereits zu interessieren begonnen, als ich beschloß, ihn bis zum Ende aufzusparen und diejenigen zu eliminieren, die mir nicht gefielen. Heute abend, wenn ich im *Venice* bin, setze ich mich hin und lese ihn zu Ende. Weißt du, was Uroboros bedeutet?»

«Nein.»

«Es ist das Symbol des geschlossenen Kreislaufs, das man als schicksalhafte Kontinuität oder ein Fluidum verstehen kann, das alles Lebendige durchdringt und alles mit allem verbindet. Das erklärte mir eine meiner Beraterinnen, Mona d'Ormesson, eine sehr gebildete, sehr pedantische, sehr symbolistische Person. Vielleicht bin ich selbst ein endgültig geschlossener Kreislauf, aber eben nicht leer. Dieser Kreislauf ist voll, und ich verfüge über Informationen genug, um die ganze herrschende Klasse aus Wirtschaft und Politik ins jämmerlichste Elend zu stürzen. Ich werde vor jedem Scheißhaufen, den ich kenne, einen Ventilator aufstellen, und dem entgeht nicht einmal der liebe Gott und noch viel weniger dieser Idiot von Staatsbankleiter, der vor dem Diktat aller Mafias der Macht und aller Herren des Geldes im Staub kriecht. Diese Drei-Groschen-Spezialisten scheißen sich vor den Herren des Geldes in die Hosen. Ich bin nicht zu dem Zweck der geworden, der ich werden wollte, daß jetzt dieser Haufen verkrachter Existenzen daherkommt, um mich mit ins politische Grab hinunterzuziehen. Wenn sie die Staatsmacht verlieren, sind sie nur noch ein Nichts; ich dagegen werde mich von diesem Dolchstoß in den Rücken erholen und auf den Skeletten dieser Dreckskerle tanzen. In ein paar Monaten, wenn die Rechten gewinnen, wird das ganze Pack, das es mit den falschen Plateau-Absätzen der Macht zu etwas gebracht hat, entlassen sein, erbärmliche Arbeitslose, die in ihre miefige frühere Existenz zurückkehren müssen, und viele von ihnen nicht mal das. Dann komme ich und sammle sie mit einem Schaufelbagger ein, kippe sie auf die stinkendste Müllkippe von Madrid und stecke ihnen solange Fünftausender ins Maul, bis sie platzen und ihnen die Banknoten zum Arschloch herauskommen. Was glauben die eigentlich, mit wem sie es zu tun haben? Mit einem Sündenbock, den sie zur Schau stellen können, um zu demonstrieren, daß sie der Korruption abgeschworen haben? Da seht her, wie integer wir sind, wir haben sogar Lázaro Conesal, die Galionsfigur des spekulativen Kapitalismus, geopfert! Mit einem Strick um den Hals wollen sie mich durch die Straßen schleppen, zum Gespött der Massen. Sie wollen dem Pöbel einen Köder vorwerfen, um sich selber vor der Lynchjustiz zu retten. Aber sie wissen nicht, was ihnen blühen wird! Ich besitze mehr Aktenmaterial über sie, als es je über El Lute gab, und ich weiß sogar, ob sie mit Kondom vögeln oder sich von einem Schimpansen wichsen lassen.»

Der Anwalt tat, als betrachte er die abendliche Madrider Landschaft, und kniff erst, als die Ausdrücke allzu deftig wurden, die Augen zusammen, wie um sie zu bewahren vor den Bildern, die durch seine Ohren eindrangen. Conesal ging nun dazu über, Instruktionen zu erteilen, und der erleichterte Anwalt machte sich Notizen. Die Termine mit den betroffenen Geschäftspartnern, die voraussichtlichen Mittel, die ihm blieben, aber Lázaro Conesal wollte noch in dieser Nacht den «Radiohörer» aktivieren.

«Ist es nicht etwas verfrüht, mit dem ‹Radiohörer› anzufangen?»

«Deine Winkeladvokatenkünste helfen uns nur, Zeit zu gewinnen. Sobald wir sehen, daß sie wirklich auf mich losgehen und sich nicht mit Enteignungsmaßnahmen zufriedengeben, zeige ich ihnen, was eine Harke ist. Der ‹Radiohörer› muß alles fix und fertig vorbereitet haben. Außerdem will ich Hormazábal und Regueiro Souza am Boden zerstört sehen. Vor allem Regueiro, der mich unterhalb der Gürtellinie erpreßt.»

«Was soll das heißen, unterhalb der Gürtellinie?»

Er befriedigte die Neugier des Anwalts nicht, sondern empfahl ihm dringend, sich mit den Konsequenzen eines sofortigen Termins mit dem «Radiohörer» auseinanderzusetzen.

«In seiner Eigenschaft als Sicherheits- und Personalchef kann er tun und lassen, was er will. Aber ich will ihn in einer Stunde auf meinem Zimmer sprechen.»

«Wen?» fragte Álvaro, der sich der Gruppe angeschlossen hatte.

«Den Radiohörer.»

«Ein Gast?»

«Genau das.»

«Wir sind die Gäste der Reihe nach durchgegangen.»

«Dann waren wir nicht gründlich genug, Álvaro. Aber das ist eins der zweitrangigen Probleme. Gewöhne dir an, weder Worte noch Intelligenz an zweitrangige Probleme zu verschwenden!»

«Wie lief es mit dem Chef der Staatsbank?»

«Fatal.»

«Kannst du mir das nicht genauer erklären?»

«Zuerst muß ich es mir selbst zurechtlegen.»

Damit betrat er den Aufzug, und Álvaro blieb angespannt, aber mit jener eisigen Miene zurück, von der seine Mutter immer sagte: «Wenn es Alvarito ganz schlecht geht, zieht er sich in den Iglu zurück und gefriert zu Eis.»

Je weiter ihn der Aufzug nach oben trug, um so einsamer wurde Lázaro mit seiner Angst, und als er seine Suite erreicht hatte, wußte er nicht womit beginnen. Der Preis. Jeder Preis hat eine Jury, und die Jury mußte logischerweise bereits versammelt sein, in Klausur, ohne Druck von außen, nicht einmal von seiten Lázaro Conesals, wie es die Medien verkündet hatten und morgen wiederholen würden, wenn der Name des Gewinners und der Titel des Romans Schlagzeilen machen würden. Fünfzehn Meter von seiner Suite entfernt lag der Raum der Jury, und dorthin ging Conesal nun, den Hauptschlüssel in der Hand. Beim Öffnen wurden die Jurymitglieder in einem Standfoto festgehalten, das sie als Experten in der Kunst zeigte, Canapés mit Kaviar und gebeiztem Lachs zu Munde zu führen, mit den präzisen Bewegungen allesfressender Cocktail-Tiere, die die Beute auf halbem Weg zwischen dem gekonnten Schwung des Armes und dem räuberischen Vorschnellen der Schnauze zu packen verstanden, ohne dabei die Haltung intelligenter Persönlichkeiten aufzugeben, die sich bewußt waren, daß wir auf dieser Welt ernstere Pflichten haben, als Canapés zu verzehren und Champagner mit dem Etikett «Crystal Roederer» zu trinken.

«Mensch, Lázaro, welch ein Glanz in unserer Hütte! Es wird Zeit, daß du uns verrätst, ob wir über den Nadal-Preis oder den Loewe-Poesie-Preis entscheiden!»

Der Spott kam von Bastenier, dem Präsidenten der Jury, aber es gab auch eine gewisse Schärfe, in einem Vorwurf von Floreal Requesens, dem renommierten Herausgeber eines Atlas, an dessen Inhalt sich Conesal nicht erinnern konnte.

«Je länger wir hier sitzen, desto klarer wird mir die Inkongruenz, daß ich einer Jury angehöre, die nicht einmal weiß, wer für den Preis kandidiert.»

«Wurden Ihnen nicht Zusammenfassungen der vorgelegten Werke und eine kritische Bewertung vorgelegt?»

«Das schon.»

«Halten Sie sich daran! Dann werden Sie den Journalisten zu antworten wissen, wenn sie fragen, ob die Auswahl sehr schwergefallen sei. Außerdem ist am Tag danach der Gewinner der einzige, der zählt.»

Floreal war nicht dieser Ansicht.

«Wenn die Gerüchte stimmen, die über die Kandidaten kursieren, werden wir nicht umhinkönnen, über die zu sprechen, die den Preis nicht bekommen haben.»

Conesal zuckte die Schultern.

«Jeder Preis wird gegen jemanden oder gegen etwas verliehen.»

Aus einer der Innentaschen seines Sakkos zog er so viele Umschläge, wie die Jury Mitglieder hatte, verteilte sie der Reihe nach, ohne die befremdeten Mienen zu beachten, mit der sie den Lohn für ihre Dienste entgegennahmen, über den sie schon Bescheid wußten und den sie mit flinken Fingern, aber distanziertem Gehirn entgegennahmen: Was tun Sie? Ich weiß nicht, ob ich das annehmen kann! Ach, wird das denn bezahlt? Einige trieben die Schauspielerei auf die Spitze, indem sie den Umschlag zaghaft zurückwiesen, aber wenn Lázaro dann Anstalten machte, ihn an seinen Ursprungsort zurückzuschicken, schossen die Hände wie Greifenklauen vor, um sich des Lohnes zu bemächtigen, ohne daß die Augen dabei von Habsucht zeugten. Die Habsucht kam von innen, aus der tiefinnerlichen Überzeugung, daß der Zahlmeister ein Gangster mit weißem Kragen war, zu dessen Vermögen eine Million Tote den Grundstein gelegt hatten.

«Ganz ehrlich, Lázaro! Es ist uns peinlich, dafür Geld zu nehmen, daß wir nicht als Jury tätig sind!»

«Nehmt es als eine literarische Situation!» antwortete Lázaro Conesal auf Basteniers Einwand und erinnerte sie, bevor er sie wieder ihren Canapés und Champagnergläsern überließ: «Wenn ich den Gewinner bestimmt habe, seid ihr die ersten, die es erfahren. Wir haben uns wiederholt über die besondere Logik dieses Preises unterhalten. Meine Logik. Ich glaube nicht, daß ich euch demütige. Ihr habt gewußt, wie das Spiel läuft.»

«Aber natürlich, Señor Conesal», sagte ein anderes Jurymitglied beruhigend, der schon mit einem Auge in den Spalt geschaut hatte, den seine Finger in dem offenen Umschlag erzeugten.

«Jeder kulturelle Akt hat seine Liturgie», sagte Lázaro beim Hinausgehen und schloß die Tür von außen ab.

Er legte die wenigen Meter zurück, die ihn vom seinen Gemächern trennten, schaute aber, bevor er sie betrat, durch die Glaswand, die die aus dem Dschungel aufragende Steilwand fortsetzte. Einige Gäste trudelten bereits ein, und aus der Vogelschau war es unmöglich, sie zu erkennen, es sei denn, sie ruderten mit den Armen oder hatten keine: Diejenigen, die sich beim Gehen mit den Armen den Weg bahnten, waren unzweifelhaft seine Rudelgenossen, und wer nicht wußte, wohin mit den Händen, und sie deshalb zumeist in den Taschen versteckte, das waren die Intellektuellen. Aus dieser Höhe betrachtet, schienen ihm all diese Wesen zu seinem Besitz zu gehören, versammelt zu einem Zweck, dessen unumschränkter Herr er war; selbst ein Nobelpreisträger hatte sich dazu hergegeben, seinen Preis aufzuwerten, einen Preis von Lázaro Conesal, Sohn eines Gastwirts aus Brihuega, das beste Gasthaus von Brihuega, das wohl, und auch in der ganzen Gegend. Briocenser! Leute von Brihuega! Briocenser! Schaut alle her und seht, wie der Sohn von Inocencio und Fermina vom Gipfel seiner gläsernen Pyramide aus mit der Welt umspringt! Der junge Student, der im Sommer als Buchhalter in den Gipsbrüchen arbeitete und am Ende alle Baufirmen am Ort und die meisten der Provinz Guadalajara besaß! Das einzig Wichtige, was in Brihuega nach den Schlachten im Erbfolgekrieg und im Bürgerkrieg passierte, war die Geburt von Lázaro Conesal.

Er blieb auf seinem Aussichtsposten stehen, Stirn und Handflächen ans kalte Glas gepreßt, überhörte den inneren Ruf, sich einzuschließen und die Entscheidung des Preises vorzubereiten, betrachtete interessiert das Hin und Her der Neuankömmlinge und spielte das Ratespiel, wem dieser oder jener Gang zuzuschreiben war. Da kam ihm zu Bewußtsein, daß eine jener Gangarten zu Altamirano gehörte, der den Aufzug erreichte, zweifellos, um nach oben zu fahren und ihn wieder unter Druck zu setzen. Lázaro Conesal trat vom Glas zurück und stellte fest, daß der eingebildete Altamirano tatsächlich zu ihm wollte. Er wich zum Eingang seiner Suite zurück, trat ein und verdunkelte das Zimmer. Er streckte sich auf dem Sofa im Wohnzimmer aus, legte den Arm über die Augen und grinste befriedigt, als Altamirano vor der Tür auf jede erdenkliche Art versuchte, sich bemerkbar zu machen.

«Lázaro, bist du da?»

Ja, ich bin da, alte Nervensäge, aber nicht für dich. Alles, was wir uns zu sagen hatten, ist gesagt. Plötzlich ertönte hinter der Tür eine neue Stimme.

«Was haben Sie hier zu suchen?»

Es war die Stimme von Sánchez Ariño alias «Dillinger», und Conesal fiel der verzagte Ton auf, in dem Altamirano antwortete.

«Ich suchte Señor Conesal.»

«Wenn er nicht antwortet, dann ist er nicht da. Außerdem will ich gerade selbst ins Zimmer wegen einiger Akten.»

«Tut mir leid.»

«Wenn es Ihnen wirklich leid tut, dann gehen Sie!»

«Hören Sie mal, Sie haben keinen Grund, sich so aufzublasen. Wer sind Sie überhaupt?»

«Einer, der verlangen darf, daß Sie gehen!»

Zwei oder drei Minuten vergingen, dann klopfte Sánchez Ariño mit den Knöcheln an und rief leise seinen Namen.

«Don Lázaro, ich bin's.»

Conesal öffnete die Tür.

«Ich habe eine lästige Fliege verjagt.»

«Gut gemacht.»

Sánchez Ariño blieb auf der Schwelle stehen und wagte nicht einzutreten, denn Conesal hatte das Licht nicht angeschaltet und sich wieder auf dem Sofa in die Horizontale begeben.

«Treten Sie ein! Und schließen Sie die Tür.»

Der Sicherheitschef tat, wie ihm geheißen, und blieb im Halbdunkel stehen, bis sich seine Augen daran gewöhnt hatten und er die Dinge, aber vor allem seinen ausgestreckten Chef erkennen konnte.

«Setzen Sie sich, wenn Sie einen Stuhl oder was auch immer finden, aber machen Sie kein Licht an! Was wir zu besprechen haben, möchte ich lieber im Dunkeln erledigt haben!»

«Ich stehe gut, Don Lázaro.»

«In Ordnung. Von dieser Sache darf kein Mensch erfahren, nicht einmal mein Sohn! Álvaro weiß nichts von den wirklichen Funktionen, für die Sie in meinem Organisationsplan vorgesehen sind. Dafür müssen Sie aufhören, Sánchez Ariño zu sein, und wieder zu ‹Dillinger› werden, der ‹Dillinger› von damals, als Sie noch zu den *Servicios de Información* gehörten und der ‹Radiohörer› genannt wurden. Erinnern Sie sich, wir besitzen haufenweise Dossiers aus dem Bestand, den Sie angelegt haben, als Sie Politiker, Finanziers und Journalisten über der Gürtellinie und unter der Gürtellinie abhörten und beschatteten.»

«Ich habe alle gut aufbewahrt, Don Lázaro.»

«Nun, der Moment ist gekommen, die Dossiers einzusetzen. Organisieren Sie ein Tarnungsmanöver, und spielen Sie die Informationen, so wie ich sie ausgewählt habe, nach dem seinerzeit festgelegten Plan den Massenmedien zu!»

«Sie sind chiffriert, Don Lázaro. In vierundzwanzig Stunden kann ich alles parat haben, die Verbindungsleute in achtundvierzig Stunden.»

«Gut, das war's. Ach ja, nicht ganz: Ich will Unrat, viel Schmutz und Unrat auf Regueiro Souza. Egal, wen es sonst noch trifft. Ich will, daß seine ganzen schwulen Techtelmechtel ans Licht gezerrt werden, und gut mit Fotos dokumentiert! Ich will, daß sich ganz Spanien an dieses verkokelte Affengesicht erinnert!»

«Fühlen Sie sich schlecht, Don Lázaro?»

«Warum fragen Sie?»

«Ich sehe, Sie sind sehr erregt, Don Lázaro, und das ist nicht Ihre Art.»

«Schlecht ist nicht das Wort. Danke für Ihr Interesse. Gehen Sie!»

«Soll ich einen Sicherheitsmann vor der Tür postieren?»

«Nein. Nur ganz wenige kennen diese Suite, und ich muß gleich hinuntergehen, um den Präsidenten der *Comunidad Autónoma de Madrid* und die Kulturministerin zu empfangen.»

Als «Dillinger» alias «der Radiohörer» gegangen war, begab sich Conesal wieder in die Horizontale und schaltete das Licht ein, aber die Enthüllung der Gegenstände und seiner selbst mitten unter ihnen vertiefte nur seine Depression. Er löschte das Licht wieder, um es kurz darauf endgültig wieder einzuschalten, und ging zu einer Sonne aus Blech, die als Tarnung in halber Höhe an der Wand hing. Schob man sie zur Seite, gab sie den Blick auf einen Wandtresor frei. Er tippte die Kombination, und die Tür öffnete sich wie ein Korken unter dem Druck der zahlreichen, nicht einmal ordentlich gestapelten Papierblätter im Inneren des Tresors. Er nahm die Papiere mit beiden Händen, las das erste Blatt, auf dem das Pseudonym des Autors und der Arbeitstitel *Uroboros* stand, und wollte sich eben mit dem Original setzen, als das Telefon schrillte: Die Ministerin werde jede Sekunde eintreffen, begleitet vom noch amtierenden Präsidenten der *Comunidad Autónoma de Madrid*, Joaquín Leguina. Conesal zog einen anderen Anzug an und fand wieder zu einer gewissen Haltung, als er vor dem Spiegel des großen Badezimmers stand, der von Glühbirnen umgeben war wie der Schminkspiegel eines Superstars. Er ging zum Aufzug, fuhr zur Halle hinunter und begab sich zum Eingang, wo soeben Journalisten und Fernsehkameras in Stellung gingen, um die Ankunft eines Präsidenten aufzunehmen, der eben die Wahlen verloren hatte, und einer Ministerin, die bei den nächsten allgemeinen Wahlen ebenfalls zu den Verlierern gehören würde. Er empfing Leguina als Intellektuellen mit Intelligenz und Respekt und die Ministerin mit derselben Herzlichkeit, die sie ihm bewies, indem sie ihn mit den Worten auf beide Wangen küßte:

«Sie sind der bestaussehende Minister, den ich kenne!»

«Na, das spricht ja nicht gerade zu meinen Gunsten!»

Die Ministerin lachte frei heraus, und Leguina setzte eine den Umständen angemessene Miene auf. Er gab ihnen das Geleit bis zu ihrem Tisch, ignorierte einen harten Blick von seiner Ehefrau und vertraute die Politiker der Obhut seines Sohnes an.

«Ich weiß dich in bester Gesellschaft, liebe Ministerin. Das ist mein Sohn Álvaro. Er hat gerade das MIT hinter sich und braucht jemand wie dich, der ihn in die mediterrane Kultur einführt. Vergiß nicht, Álvaro, dieser Stuhl ist nur geliehen! Sobald die Entscheidung gefallen ist, stehst du auf und gibst ihn mir zurück!»

«Ich habe bei dem Tausch profitiert! Die Söhne schöner Männer sind noch schöner als ihre Väter!»

«Dafür haben die Söhne reicher Väter weniger Geld als ihre reichen Väter.»

Es gefiel ihm nicht, daß Álvaro den Armen spielte, denn das war er nie gewesen, war es jetzt nicht und würde es auch niemals werden. Aber er mußte den Saal verlassen und sein Selbst wiederfinden, das belästigt wurde, denn ihm folgte der Privatdetektiv auf dem Fuße, den Álvaro engagiert hatte und an dessen Familiennamen er sich nicht erinnern konnte. Milagros hielt ihn am Ärmel fest.

«Ich habe versucht, dich zu erreichen.»

«Wer dich hört, muß denken, wir würden nicht dasselbe Schlafzimmer teilen!»

«Regueiro hat mir einen schrecklichen Roman geschickt. Die Zukunft unseres Sohnes steht auf dem Spiel.»

«Das hätte sich Álvaro früher überlegen sollen.»

«Willst du nichts unternehmen?»

«Schiffbruch um Schiffbruch. Mein eigener interessiert mich mehr.»

Hormazábal kam ihm entgegen.

«Und wie steht unsere Sache?»

«Findest du, jetzt ist der richtige Zeitpunkt?»

Andere kreuzten seinen Weg, gratulierten ihm oder erkundigten sich nach dem Gewinner.

«Wollt ihr tratschen oder den Namen des Siegers erfahren? Die Jury ist versammelt und erwartet mich.»

Der Privatdetektiv blieb an der Tür zurück, und Conesal betrat den breiten Korridor der schlafenden Boutiquen und ging zu den Aufzügen der Hall. Aber an der Tür des Aufzugs erwartete ihn der falsche schwarze Barkeeper, «Einfach José», der Mann für alles.

«Ich würde gerne mit Ihnen über meine Schwester reden!»

«Ich nicht. Ihre Schwester ist eine erwachsene Frau, und ich habe ihr bereits jede Art von Unterstützung gewährt.»

«Aber sie will nicht abtreiben.»

«Das ist ihr Problem.»

Der einsame Aufzug war eine sichere Zuflucht und brachte ihn zu der ersehnten Suite, wo er auf sich selbst wartete, irritiert durch den Zwang der Rolle, die er spielen mußte. Er legte Krawatte, Schuhe und Jackett ab, streckte sich wieder auf der Couch aus und suchte eine Haltung, in der er nach Belieben sein eigenes Volumen erforschen konnte, und als er sie endlich gefunden hatte, hörte er ein erneutes Klopfen an der Tür. Wenn es Altamirano war, sollte er ihn noch unbeugsamer finden und bereit, ihn diesmal mit eigener Stimme und Hand hinauszuwerfen. Aber es war nicht Altamirano, sondern eine Schriftstellerin, mit der er sich vor Monaten unterhalten hatte, weil ihn Marga Segurola dazu nötigte: «Sie ist genau die Gewinnerin, die du brauchst, denn sie ist der größte Gegensatz zu dir, die Rückseite deines Mondes. Stell dir vor, diese Hausfrau schreibt in ihrer Freizeit Romane, die fast pornografisch, aber mit großem Anstand geschrieben sind.» Da stand sie, die schreibende Mutter der Kinder, in der Pose der Heldin eines Grand-Hotel-Romans, wo es von ineinander verwobenen Lebensläufen und unmöglichen Lieben nur so wimmelt.

«Lieber Señor Conesal, störe ich? Nein. Könnten Sie mir ein paar Minuten widmen?»

Er eröffnete ihr die Möglichkeit, das Zimmer in Besitz zu nehmen, und sie nutzte es, indem sie sich groß und breit auf das Sofa fallen ließ und ihr Gesicht mit der Hand bedeckte, um ein Schluchzen zu ersticken. Aber sie nahm sich sofort zusammen und bot ihre feuchten, aber unerschrockenen Augen dem bestürzten Blick Conesals, der wirklich nicht wußte, wohin er schauen sollte oder wohin er bei ihr schauen sollte.

«Ich möchte, daß Sie mich von der vereinbarten Verpflichtung entbinden.»

«Verzeihen Sie, aber ich erinnere mich nicht.»

«Sie baten mich, nicht für den Preis zu kandidieren, und gaben mir als Entschädigung einen Vorschuß. Ich verstand das damals als genialen Schachzug Ihrerseits, aber mit der Zeit erschien es mir immer mehr als Demütigung.»

«Den größten Schriftstellern der Weltliteratur hätte man manchmal einen Gefallen getan, wenn man sie dafür bezahlt hätte, gewisse Dinge nicht zu schreiben.»

«Aber ich habe nicht auf Sie gehört und meinen Roman geschrieben. Es gibt also keinen leeren Buchtitel unter den eingereichten Manuskripten. Mein Roman existiert. Und er ist so gut, ich bin so glücklich darüber, daß ich Ihnen eine Gefälligkeit erweisen könnte, einfach dafür, daß Sie ihn als Gewinner betrachten.»

Wäre sie nicht als Schriftstellerin aufgetreten, die unter dem Gewicht ihrer eigenen Kreativität zusammenbricht, hätte sich Conesal wahrscheinlich nicht zu der Feststellung hinreißen lassen: «Ich überlege, welche Gefälligkeiten Sie mir erweisen könnten, Señora, und mir fällt nichts ein!»

«Meine literarische Laufbahn ist sauber, ohne Zugeständnisse. Niemand wird unterstellen, daß Mauschelei im Spiel sei. Meine Romane sind authentische Produkte, wie meine Kinder.»

«Mir wäre es lieber, Sie zeigten mir ein Foto von Ihren Kindern. Sie haben doch sicher eins in Ihrer Handtasche!»

«So, wie Sie es sagen, klingt es wie eine Obszönität.»

«Ich wüßte nicht, warum, ich habe Sie nicht einmal aufgefordert, mit mir ins Bett zu gehen.»

Von unerwarteten Energien getrieben, sprang sie auf und wedelte mit der gespreizten Hand erregt vor Conesals Gesicht.

«Die Antwort wäre ein kategorisches Nein gewesen.»

«Um so besser.»

Nun waren es Schluchzer wie feuchte Böllerschüsse, die sich dem Körper der beleidigten Walküre entrangen, gefolgt von einer kurzen Sprinteinlage, die sie ins unendliche Draußen brachte, aus dem nun ein Schrank von Mann ins Zimmer trat, der hinter der Tür auf der Lauer gelegen zu haben schien.

«Wie können Sie es wagen, so mit meiner Frau zu sprechen? Ihr Geld imponiert mir einen Dreck. Sie sind ein Flegel!»

Er war einer jener Zuchthengste mit starkem Bartwuchs, ausgeprägtem Kinn und Apollo-Körper.

«Verschwinden Sie, bevor mein Sicherheitsdienst Sie mit Fußtritten hinauswirft, Sie abgebrochener Riese!»

Obwohl er größer war als Conesal, erhob er sich auf die Zehenspitzen, um bedrohlicher zu wirken.

«Sie sprechen nicht mit einem x-beliebigen! Ich bin Ingenieur im Brücken- und Straßenbau!»

«Was verdienen Sie pro Tag? Pro Stunde? Pro Minute? Wissen Sie, was ich in jeder Sekunde verdiene? So viel, daß ich es mir nicht leisten kann, meine Zeit mit Geschwafel mit Ehemännern von Schriftstellerinnen zu vergeuden. Raus!»

Conesals Empörung hatte sich zu solcher Wut gesteigert, daß er den erstbesten Aschenbecher nahm und mit voller Wucht nach dem

Brücken- und Straßenbauingenieur schleuderte. Der Ingenieur ging hinaus, ohne den Schritt zu beschleunigen, und Conesal blieb siegreich, aber erregt zurück und verspürte den Wunsch, die Rolle und die Haut zu wechseln. Er riß sich mit gewaltsamen Händen Jackett, Krawatte und Schuhe vom Leib, nahm das Original aus dem Tresor wieder zur Hand und ging mit dem Papierstapel ins Schlafzimmer, wo er einen für eine Hotelsuite überdimensionierten Kühlschrank öffnete. Er goß sich zwei Fläschchen Whisky ein, gab Eiswürfel dazu und leerte die Hälfte des Glasinhaltes in einem Zug. Er hatte wieder zur Normalität gefunden, als das Telefon schrillte. Señor Puig wolle ihn besuchen.

«Stellen Sie das Gespräch zu ihm durch, bitte! Quimet? Worum geht's? Gut. Komm 'rauf.»

Er betrachtete den Stapel Manuskriptblätter und kehrte in den Wohnraum zurück, um ihn in den Tresor mit der Sonne zurückzulegen.

Er pfiff eine Melodie und durchmaß die Länge und Breite der beiden Räume, als seien sie einer, und seine Schritte wurden immer ausgreifender und energischer, bis ihn ein Klopfen an der Tür stoppte. Quimet Puig war ganz Hände und ‹Wie geht's›, ganz der joviale Geschäftsmann, und öffnete die Vokale nach Art der Katalanen bis zum Gehtnichtmehr.

«Was für ein Gala-Abend, Junge, unglaublich! Alles, was du anpackst, wird einfach gigantisch! Kolossal!»

«Trinkst du was?»

«Ich darf nicht noch mehr trinken, hör mal, sonst krieg ich noch Probleme mit dem Blutdruck, und meine Frau sitzt mir im Nacken. Die ist nicht scharf drauf, Witwe zu werden, hör mal, was soll ich sagen, also mir würde das gut gefallen, wenn ich eine reiche Witwe wäre!»

Sie hatten sich gesetzt, und Conesals übergeschlagenes Bein zuckte unkontrolliert, als gebe es Fußtritte in die Entfernung, die ihn von Puig trennte, welcher sich nun über die Gäste und über ein Gespräch ausließ, das er am Morgen mit den Gebrüdern Valls Taberner gehabt hatte.

«Beide auf einmal, eh! Ich hab beide auf einmal eingewickelt!»

«Quimet, entschuldige! Aber ich muß noch das mit dem Preis entscheiden, und ich hätte gerne gewußt...»

«Entschuldige, Junge, ich bin ganz aus dem Häuschen, weil ich mich mit dir unterhalten kann, daß ich völlig vom Thema abkomme. Also gut. Du weißt ja besser als ich, daß die politische Situation schlecht ist und daß sich die Regierung nur noch wegen der Stimmen von Pujol, von den Katalanen, im Sattel hält. Ich kann dir praktisch auf den Tag genau sagen, wann es zum Bruch kommen wird, und dann bleibt den Sozialisten nichts anderes übrig, als vorgezogene Wahlen auszurufen.»

Das war nicht der ganze Vortrag, den er vorbereitet hatte, aber Conesal schwieg, ohne ihn zum Weiterreden aufzufordern.

«Dir geht es zur Zeit auch nicht gerade gut...»

Conesal nickte zustimmend.

«...aber ich gehöre zu denen, die auf deine Comeback-Qualitäten vertrauen. Hör mal, Junge, ganz offen gesagt, die Valls Taberner gaben heute früh keinen Pfifferling für dein Glück, und ich sagte zu ihnen: Wer glaubt, Conesal sei tot und begraben, der wird sehr blöd aus der Wäsche gucken, wenn er feststellt, wie kerngesund diese Leiche ist. Das habe ich denen wortwörtlich gesagt, wie ich es jetzt zu dir sage.»

Conesal dankte ihm mit einem Lächeln und einem langsamen, melancholischen Schließen der Augen.

«Ich wüßte gerne, wie es um unsere kleinen Geschäfte steht, *maco*. Die Sachen, an denen wir dran waren.»

Conesal zeigte ihm seine Hände.

«Die werden von der Intervention nicht berührt.»

Puig zwinkerte so lange, daß Conesal seine Unkenntnis der neuesten Entwicklung klar wurde.

«Wird es zur Intervention kommen?»

«Jawohl. Aber ich habe bereits alles in Sicherheit gebracht, was die Investition in die Hotels am Cabo Sur betrifft, und dort warten Tausende und Abertausende von kleinen Löchern auf dich, in die du deine Kloschüsseln pflanzen kannst.»

«Nicht daß ich Zweifel daran hatte. Lázaro, *maco*, aber die Zeiten sind schwierig, und der Schein trügt mehr denn je. Um die Formalitäten schneller abzuwickeln, habe ich hier eine notariell beglaubigte Verpflichtungserklärung mitgebracht – denn bis jetzt waren alles nur Worte, und unsere Freundschaft, klar, die bleibt, aber Worte sind eben nur Worte.»

Er holte mehrere Bögen Papier aus einer besonderen Gürteltasche, die er unter dem Lila Smoking trug.

«Ich unterschreibe mit deinem Füllfederhalter, wenn du ihn mir leihst.»

«Weniger gern als meine Frau!»

Trotz der scheinbaren Entspanntheit ließ Puig kein Auge vom Namenszug Conesals. Er gab ihm eine Kopie des Dokuments und steckte die übrigen Blätter in seine Galatasche.

«Das ist es, was mir an Madrid gefällt. Jedesmal, wenn ich hierherkomme, mache ich ein gutes Geschäft.»

«Hast du nicht vom genauen Datum des Bruchs gesprochen?»

«Der 17. Juli, so Gott will.»

«Ich glaube, Gott will.»

Conesal versank unter den seligen, fast zärtlichen Blicken der Puig GmbH in stumme Berechnungen.

«Du bist ständig am Überlegen, Lázaro, ständig überlegst du.»

«Du weißt es aus guter Quelle?»

«Aus *der* Quelle.»

«Pujol persönlich?»

Puig nickte. Er erhob sich und legte seinem Gegenüber die Hand aufs Knie des rebellischen Beines.

«Ich verlasse dich jetzt, Junge, und beruhige dich! Heute ist dein Abend. Heute nacht wirst du wie der König von Schweden sein. Was die vorgezogenen Wahlen angeht, so weißt du ja, daß ich zu dem Unternehmerzirkel gehöre, der Pujols Vertrauen genießt, und wir haben schon seit geraumer Zeit gesagt: Jag die Sozialisten zum Teufel, Jordi, die nützen weder dir noch uns, noch irgendwem sonst. Das sind Kadaver und Unglücksbringer. Sie haben keine Ahnung von Tarnen und Täuschen!»

Wieder allein, holt Conesal das Original hervor und schafft es, sich in eine schrägstehende Lektüre zu vertiefen, indem er jede Seite diagonal liest und verweilt, wenn ihn eine Situation oder ein Satz überraschen. Aber man ist nicht gewillt, ihn sich selbst zu überlassen. Diesmal ist es die Stimme Hormazábals, die ihm den Wunsch aufzwingt, ihn sofort zu sprechen.

«Warum?»

«Aus einleuchtenden Gründen. Ich glaube, wir sind immer noch Partner.»

«Wenn du es sagst... Komm 'rauf!»

Nun bemächtigt sich Hormazábal des Wohnraums und beäugt den Stapel Manuskriptseiten, der auf einem Tischchen in der Mitte des Raumes liegt.

«Immer noch beim Lesen?»

«Einen Roman lesen ist das Berechenbarste, was es gibt. Du liest mal hier, mal da eine Seite, bis du Seite fünfzig erreicht hast. Dann liest du den Schluß, und zwischendurch mal hier zwei Seiten, mal da zwei Seiten, bis du den Schluß wieder erreicht hast. Fertig.»

«Das ist ja eine ganze Theorie! Aber es sind nicht die Romane, über die ich mit dir reden will. Man hört schon Informationen, nicht mehr nur Gerüchte, daß die Staatsbank dich stürzen will. Ich glaube, das ist eine Information, die du einem Geschäftspartner nicht vorenthalten solltest.»

«Ich werde den Verdacht nicht los, daß dir diese Information vertrauter ist als mir. Der Leiter der Staatsbank zeigte sich über jeden meiner Schritte so gut unterrichtet, daß er aus Quellen in meiner nächsten Umgebung geschöpft haben muß.»

«Warum gerade ich?»

«Warum nicht? Regueiro Souza geht mit mir und mit den Sozialisten unter. Du dagegen hast dein Schäfchen rechtzeitig ins trockene gebracht. Wieviel haben sie dir gegeben? Ich bin sehr neugierig auf den Preis für meinen Kopf. Was hast du dafür bekommen?»

«Mauscheleien sind nie so ganz sauber. Aber für deinen Kopf interessiert sich niemand mehr, in keinster Weise, und deine Manövrierfähigkeit hast du selbst zunichte gemacht, weil du schlauer als alle andern sein wolltest. Ich glaube, du hast dir eingebildet, du seist ein Geschäftsmann aus dem Kino oder aus einem Roman.»

«Du wiegst dich in Sicherheit? In vierundzwanzig Stunden kann ich dich so fertigmachen, daß du reif für den Abdecker bist!»

Hormazábal lacht diskret, beherrscht, und setzt mit seinem Blick das visuelle Bißduell mit Conesal fort.

«Wenn du deine berühmten Dossiers meinen solltest – diejenigen, die mir schaden könnten, habe ich neutralisiert.»

Jetzt ist es an Conesal, offen zu grinsen, aber Hormazábals Augen flackern nicht, werden nicht unsicher, er wittert einen Bluff.

«Sicher?»

«Was?»

«Daß du meine Dossiers neutralisiert hast?»

«Ganz sicher.»

«Auch die Sache mit dem Bankrott deines Schwagers, dem Bruder deiner Frau? Wie würde Alicia den Beweis finden, daß ihr eigener Mann ihren Bruder in die Scheiße und den Selbstmord getrieben hat?»

Hormazábal hat eine undurchdringliche Miene aufgesetzt und denkt nach. Vorerst braucht er sich mit einer Antwort nicht zu beeilen, aber Conesal weiß, daß er einen leckeren Happen zwischen den Zähnen hat.

«Und wenn es dich nicht juckt, welche Schwierigkeiten dir Alicia machen könnte – was werden deine Kinder denken, die ihren Onkel vergöttert haben?»

Es ist ein gepreßter Seufzer, den Hormazábal im Raum stehen läßt, während er sich zum Gehen wendet, seinem Partner den Rükken kehrt und, zur Tür gewandt, fragt: «Meine Kinder sind cool und intelligent. Alle intelligenten jungen Leute von heute sind cool. Sie sind alle vom selben Schlag. Aber für den Fall eines Falles: Läßt du mit dir darüber verhandeln?»

«Heute nicht. Morgen ist auch noch ein Tag. Sieh zu, wie du klarkommst, aber in einer Woche will ich deinen Namen aus allen Dokumenten getilgt sehen, die uns noch verbinden!»

«Das mit meinem Namen ist leicht. Für dich ist es schwerer. Wie viele Dokumente gibt es, aus denen du gerne deinen Namen tilgen würdest?»

Aus wie vielen Dokumenten würde er seinen Namen tilgen wollen? Aus keinem einzigen. Er nahm gerne seine Situation eines Siegers an, der zwar in die Ecke getrieben war, aber am Ende doch triumphieren würde, wenn alle Welt mit Dreck bespritzt und die Rache des Lázaro Conesal in die Geschichte der moralischen Katastrophen des Landes eingegangen sein würde. Eine Unterschrift unter einem Dokument stand zwischen ihm und einem Prozeß des Nachdenkens, der ihm immer mehr als antiquiert erschien und notwendigerweise durch Aggressivität ohne Wiederkehr zu ersetzen war. Man hatte ihn überwältigt, aber er fühlte sich wohl in der neuen Rolle. Der Roman, den er in Händen hielt, wurde zu einer abstrakten irrealen Wesenheit, und er begann, sich Notizen zu machen über seine nächsten Schritte, aber auch über Passagen seiner Lektüre. Er schrieb *Uroboros* und zog einen Kreis um das Wort, aber an der Tür klopfte wieder jemand, und jetzt präsentierte sich dekolletiert, faltig, vielfarbig, bestrickend, die Señora Puig.

«Auf zwei Minütchen, Lázaro, zwei Minütchen!»

Aber sie brauchte eine Viertelstunde zur Erläuterung der Vorzüge des Romans ihres Favoriten, eines gewissen Sagalés. Es war ein Roman, den man nicht diagonal lesen konnte, denn er ließ einen glauben, man befinde sich ständig in ein und derselben Szene.

«Es ist ein Roman, in dem die Gestalten zwanzig Seiten lang eine Treppe hinaufsteigen, und wenn sie pissen, wirkt es, als hätten sie eine literarische Prostata.»

Diese Anspielung auf die Puig GmbH hatte ihr mißfallen, und sie ging, wie sie gekommen war, unter Getänzel, suggerierter Komplizenschaft und beschworener gemeinsamer Vorlieben. Entschlossen legte er den Roman beiseite und trug ihn wieder zum Safe, bevor er ans Telefon ging. Andrés Manzaneque? Und wer soll das sein? Aber die Situation begann ihn zu amüsieren, und er ermutigte den Mann an der Rezeption heiter: «Er soll heraufkommen, und von jetzt bis Mitternacht kann jeder heraufkommen, der darum bittet.»

Manzaneques Kleidung erinnerte ihn an einen Schriftsteller, der ihm bekannt vorkam, ein Schriftsteller und englischer Schwuler, der geistreiche Sätze produzierte, zum Beispiel: Das Tiefgründigste am Menschen ist die Haut. Manzaneque war dandyhafter als ein Dandy. «Dandy» kritzelte er auf das Blatt voller Notizen und trank seinen zweiten doppelten Whisky, während er dem jungen Mann etwas anbot.

«Heute nacht könnte ich nur Ambrosia trinken.»

«Heut nacht kann ich die trübsten, traurigsten Verse schreiben», antwortete ihm Conesal, bereit, sich im Kitsch zu suhlen, und der sensible Jüngling erwartete ihn schon mit geschlossenen Augen unter der Stirnlocke und rosigen Lippen, die mit der Stimme einer Radiosprecherin säuselten:

«Zuweilen bin ich es müde, ein Mann zu sein.»

«Und was ist das?»

«Auch ein kostbarer Vers von Neruda. Señor, Sie sind traurig. Ich auch. Diese Nacht kann eine große Nacht werden. Ich sterbe vor Ungeduld zu erfahren, ob die Leuchtschrift meinen Namen verkünden wird. Andrés Manzaneque, und den Titel meines Romanes *Ro-*

binsons Überlegungen angesichts einer Kiste Stockfisch – so lautet der wirkliche Titel, obwohl Sie wahrscheinlich den Titel kennen, unter dem ich ihn zur Beurteilung einreichte: *Die Schutzlosigkeit.*»

«So ist es, und Sie sind also der Autor der *Schutzlosigkeit*. Sie sind selbst schutzlos. Ich auch. Wir alle sind schutzlos.»

«Wir kommen schutzlos zur Welt», sagte Manzaneque mit Tränen in den Augen.

«Wir sterben schutzlos», schloß Conesal den Kreis und seufzte tief, um das Gefühl der Unerträglichkeit der Situation aus seiner Brust zu entfernen, aber Manzaneque empfing die Luft dieses Seufzers, als sei sie die Substanz der Angst selbst.

«Ich kann Ihnen gar nichts sagen, Andrés, mein Lieber. Die Urteilsfindung der Jury vollzieht sich langsam und mühselig. Wenn ich Ihnen etwas sagen darf: Könnte ich den Gewinner auswählen, wünschte ich mir, daß er wäre wie Sie.»

Manzaneque hat sich erhoben, und es gelingt ihm, die Fingerspitzen einer Hand von Conesal zu erhaschen, die er küßt, ohne sie zu befeuchten – ein trockener, kurzer Kuß, der kein Besitzergreifen darstellt, sondern die leichte Berührung einer delikaten Zärtlichkeit.

«Gewinnen ist das Geringste. Das Wichtige ist, Sie kennengelernt zu haben. Heute nacht wollte ich mich umbringen. Vom höchsten Punkt dieses Hotels auf die Schädel der Gäste herunterspringen.»

«Selbstmord? Wenn man die Chance hat, im kommenden Jahrtausend den Cervantespreis zu gewinnen?»

Manzaneque nahm noch einmal seine Hand, küßte sie, laut diesmal, hielt sie zwischen seinen Händen und sagte nichts zum Abschied. So ein Fatzke, dachte Conesal, als er seinem Gesichtskreis entschwunden war, lachte aber nicht über ihn, wie er sich vorgenommen hatte, vielleicht, weil im Türrahmen bereits Mona d'Ormesson erschienen war, die sprach und sprach und sagte, wie notwendig es sei, daß er ihr hundertprozentig sichere Kandidaten empfehle, die sich an einer Stiftung für die Generation von '36 beteiligen würden, ein alptraumhaftes Projekt, von dem die d'Ormesson jedesmal anfing, wenn sie ihm begegnete.

«Übrigens, Lázaro! Was hältst du davon, ein Revival von Max Aub zu finanzieren? Max Aub ist wieder in der Diskussion, und ich glaube, heute nacht wäre eine ausgezeichnete Gelegenheit, dies bekanntzugeben. Außerdem – stell dir vor, welch ein Zusammentreffen! – befindet sich der Duque de Alba unter den Gästen, dieser Ex-Jesuit, und denk an das köstliche Fragment aus *La gallina ciega*, wo ein paar Intellektuelle Max Aub besuchen und einer von ihnen, ein Jesuit, sich als Vorhut der Theologie der Befreiung präsentiert. Eine geniale Szene, sie erinnert mich an eine Maxime von Ovid: *Quod nunc ratio est, impetus ante fuit.* Was jetzt Vernunft ist, war ehemals Drang. Ich muß dir ganz viel von meiner Arbeit über den Orphismus in den frühen englischen Gedichten erzählen. Du vernachlässigst mich sehr, Lázaro. Zeig mal! Was hast du da aufgeschrieben?»

Mona nahm den vollgekritzelten Zettel, und ihre Augen wanderten zu dem umrahmten Wort «Uroboros».

«Uroboros. Phantastisch! Tendierst du zu diesem Roman? Ich sagte dir ja, der Titel ist von höchster symbolischer Bedeutung. Warum öffnest du nicht mit etwas Wasserdampf die Umschlagsfalte? Das Pseudonym des Autors ist ebenfalls vielversprechend: Baron d'Orcy.»

«Es interessiert mich nicht, wer ihn geschrieben hat.»

«Aber du wirst den Namen bekanntgeben müssen. Ein richtiger Literaturpreis wird nicht ins Blaue hinein vergeben. Man weiß immer die wichtigen Namen, die sich unter den Falten des Umschlags verbergen.»

«Der richtige Zeitpunkt wird schon kommen.»

Sobald Mona mit dem Gang eines etwas fülligen Models entschwand, telefonierte Conesal und bestellte Julián Sánchez Blesa zu sich. Der Mann kam herein, die spitze Nase schnupperte nach rechts und links, als fürchte er einen Hinterhalt, dann legte er einen Aktendeckel auf den Wohnzimmertisch.

«Ich finde, dies ist nicht der richtige Ort.»

«Bist du der einzige Vertreter deines Verlages?»

«Von den leitenden Angestellten ja.»

«Gehören Buchvertreter zu den leitenden Angestellten?»

«Ich kontrolliere das gesamte westliche Verkaufsgebiet.»

«Wie findest du den Zeitpunkt für ein Kaufangebot?»

«Die Produktion für Buchhandlungen geht zurück, weil es einen Haufen Konkurrenz gibt, aber der Haus-zu-Haus-Verkauf von dicken Büchern, das ist unsere Festung! Du könntest dir die internen Machtkämpfe und das, was du auf eigene Faust herausgefunden hast, zunutze machen.»

«Genug, um eine Figur in Richtung Schach zu bewegen. Wie nennt man gleich dieses falsche Schach, das aussieht wie Matt und es doch nicht ist?»

«Mit Schach kenne ich mich nicht aus. Lázaro, bei dem, was du am meisten liebst, sei diskret! Ich habe Angst, daß jemand erfährt, daß der Bericht von mir stammt!»

«Wärst du gerne Verkaufschef eines Conesal-Multimediakonzerns?»

«Mensch, Lázaro, du fragst Sachen!»

«Ein multinationaler Multimediakonzern, der mehrere Länder gleichzeitig ins Visier nehmen und aus dem Stand den Markt von Europa und Amerika erschließen kann!»

«Das mit Amerika kannst du vorderhand vergessen!»

«In jedem lateinamerikanischen Land, so arm es immer sein mag, gibt es allmählich eine Million Reiche!»

«Diese Reichen kaufen keine Bücher.»

«Ich habe bereits bei Zeitungen, Radio- und Fernsehsendern einen Fuß drin. Die ganze Regierung wird das Gesicht verlieren, wenn ich es will. Was ist denn heutzutage die Macht ohne Image?»

«Du mußt es wissen, Lázaro. Aber kompromittiere mich nicht! Sonst sitze ich auf der Straße.»

«Was verdienst du im Jahr?»

«Mal mehr, mal weniger. Um die dreißig, fünfunddreißig Millionen.»

«Ein Taschengeld. Wenn du entlassen wirst, stelle ich dich ein, und dann spendest du das, was du jetzt im Jahr verdienst, der Caritas!»

«Ich weiß, alter Kumpel, aber du bist ein Spieler. Ich erinnere mich noch an die Domino-Runden in der Kneipe deines Großvaters!»

Conesal griff zum Telefon und bat seinen Gesprächspartner, ihm Marga Segurola heraufzuschicken, um sich dann wieder mit geheucheltem Interesse Julián zuzuwenden.

«Du hattest kein Glück. Immer hast du die doppelte Sechs erwischt!»

Er hatte immer die doppelte Sechs erwischt, und die Gesichtszüge des jungen Julián waren spitz geworden, und der Dominostein war das schwarze Objekt der Manipulation, das Lázaro kontrollierte, um ihm ständig den Weg zu verbauen. Er sah ihn gebeugt hinausgehen, nicht von der Last einer Schuld, sondern weil alle Sánchez Blesa stets gebeugt gegangen waren – das genetische Erbe langer Generationen von Reben-Anhäuflern, den besten der ganzen Gegend, die sogar nach Valladolid und in andere Anbaugebiete des Ribera del Duero gerufen wurden.

Marga Segurola kam nicht gebeugt herein, wirkte aber wie ein Kronkorken auf dem Teppichboden, keuchend und extrem verschüchtert.

«Ich rief dich zu mir, Marga, weil ich dir etwas versprochen habe.»

«Daß du mir vor der Urteilsverkündung persönlich mitteilst, ob du mir den Preis verleihst oder nicht.»

«Du wirst ihn nicht bekommen. Aber ich will dich entschädigen. Du und Altamirano wart mir bei dieser Inszenierung hier eine große Hilfe, und ich möchte dich von jetzt an als Beraterin an meiner Seite wissen, um mir den Weg in die Welt der Intellektuellen zu ebnen. Ich möchte einen Salon führen wie in Frankreich zu Beginn des neunzehnten Jahrhunderts. Die Intellektuellen sollen kommen und Kaviar essen, Champagner der besten Jahrgänge trinken, und einmal in der Woche öffne ich meinen Salon den Studenten der Malerei, damit sie meine Kunstsammlung bewundern können. Ich las in einem Buch, daß es im zaristischen Rußland zwei große Sammler gab, die es ebenso hielten, und als die Revolution siegte, überließen sie ihre Kunstwerke den staatlichen Museen, der Eremitage beispielsweise.»

«Einer tat es sogar freiwillig, denn er war ein linker Reicher. Sein Name war Morosow.»

«Ein linker Reicher! Wie geschmacklos!»

«Lázaro, wem wirst du den Preis zusprechen? Vergiß nicht, daß dieser Preis eine Totgeburt werden kann, wenn der Sieger ihn nicht ausfüllt. Einen mit hundert Millionen Peseten dotierten Preis auszufüllen ist keine Kleinigkeit!»

«Wer immer der Gewinner sein wird, er wird nicht mehr derselbe sein, nachdem er hundert Millionen Peseten gewonnen hat, und er wird mit der besten Aura durch die Welt gehen, nämlich der, die das Gold verleiht.»

«Ich bin außerdem noch eine Frau! Ein zusätzlicher Wert, der für Aufsehen sorgen würde.»

«Du bist reich, Marga.»

«Jetzt willst du also den Reichtum diskriminieren! Willst du den Preis einem Romancier von der Caritas verleihen?»

«Du hast bereits die literarische Macht. Willst du auch noch die der Literatur selbst?»

«Ich kann schreiben, Lázaro, im Gegensatz zu den meisten Schriftstellern.»

«Du selbst spielst eine Rolle in meinen Plänen, aber dein Roman nicht.»

Die Nacht war vielversprechend, und die Pforte zur Außenwelt des *Venice* war zu einem fernen Horizont geworden, von dem viele Fremde herkamen, auf der Jagd nach literarischem Ruhm oder der Rettung der Ehre, wie es der Sherrybaron Pomares & Ferguson von ihm verlangte, die Arme vom Körper abgespreizt und breitbeinig, um als schlapper Superman zu imponieren.

«Lázaro, rette meine Ehre und deine Seele!»

Conesal fürchtete die Attacken von Gehörnten nicht. Es war nicht die erste, die er erlebte, und er beschränkte sich darauf, der Ereignisse zu harren, die dem Monolog von Sito Pomares folgen würden.

«Lázaro, ich opfere dir meine Ehre als Ehemann, wenn du deine Haltung änderst! Damit würdest du deine Seele retten und wir unsere Ehe.»

Das erschien ihm so komisch, daß er laut auflachte. Pomares biß die Zähne aufeinander, ließ die Halsschlagadern schwellen, ballte die Fäuste, bis die Knöchel weiß wurden, und schrie hysterisch: «Jetzt reicht's! Ich scheiße auf deine Toten, du Bastard!»

Aber er war untröstlich über seine eigene Hysterie. Conesal ließ ihn im Wohnzimmer stehen, schloß sich im Schlafgemach ein und legte sich auf die Chaiselongue neben einem Tischchen und einer Stehlampe, um den Bericht über die Helios-Verlagsgruppe durchzublättern. Er war auf der Hut vor der Reaktion von Pomares und hörte dessen Schritte, als er wegging, aber nicht, daß er die Tür schloß. Er hatte sie wohl in einem Akt stupider Rache offenstehen lassen. Für Lázaro war es gut, daß sie offen war, weit geöffnet für das, was ihm die Nacht der Bittsteller bringen würde, die lange Schlange der literaturwunden Ungeheuer. Und diese ließ ihm keine Zeit, sich an der Situation zu ergötzen, denn der Verleger Fernández Tutor fragte: «Darf man eintreten? Lázaro, bist du da? Kannst du mich empfangen?» Aber er erwartete keine Antwort und stand unvermittelt im Schlafgemach, wie ein Gast, der sich in der Zimmernummer, im Hotel, im Tag geirrt hat, und da fiel die Kühnheit von seinem Körper ab, denn sein Blick zitterte sozusagen, als er vielmals um Entschuldigung bat.

«Es tut mir leid, Lázaro! Ich weiß nicht, ob ich eintreten durfte. Die Tür stand offen.»

«Du durftest nicht, aber da du einmal hier bist, sprich! Auch du willst den Namen des Preisträgers hören? Auch du hast dafür kandidiert?»

«Nein, Lázaro, du weißt doch, wie fern mir die Eitelkeit des Schreibens liegt. Mein Projekt ist die Rettung der vom Kannibalismus des Marktes bedrohten literarischen Kultur. Du kennst mich doch. Nur darum geht es. Vielleicht ist nicht der richtige Zeitpunkt, Lázaro, aber ich wollte dir sagen, daß du auf mich zählen kannst in diesen Zeiten, gerade in diesen Zeiten!»

«Was für Zeiten meinst du?»

«Ich will mich nicht in Dinge einmischen, die mich nichts angehen, aber man spricht von deinen wirtschaftlichen Schwierigkeiten, von dieser niederträchtigen Hetzjagd – niederträchtig, Lázaro, das sage ich hier, und wo immer es vonnöten sein wird – die diese Bastarde veranstalten, um ihren eigenen Arsch zu retten.»

«Danke. Ich werde es nicht vergessen.»

«Ich trage heute mein Herz auf der Zunge. Unsere verlegerischen Projekte, erinnerst du dich? Jetzt sind sie eins der geringsten Probleme. Denke ich zumindest.»

«Du denkst richtig.»

«Du ziehst mir den Boden unter den Füßen weg. Mein gesamtes Erbe steckt in diesem Projekt. Aber das Wichtigste geht natürlich vor.»

«Ich an deiner Stelle würde mich an die neuen Machthaber halten. Vielleicht haben sie kulturelle Ambitionen, ganz sicher haben sie die. Die Macht braucht die Kultur wie ein Friedhof das Immergrün. Ganz sicher wird ein Projekt wie das deine…»

«Das unsere, Lázaro, das unsere.»

«Gut, also das unsere. Ganz sicher werden sie interessiert sein. Ich will mich der Sache nicht völlig verweigern, aber du hast vollkommen recht. Es ist nicht der Zeitpunkt.»

«Nicht der Zeitpunkt. Ich verstehe.»

Aber er ging nicht. Er zog eine Schnute. Und weinte. Und konnte vor Schluchzen nicht mehr zusammenhängend sprechen.

«Für dich ist es Kleingeld. Für mich ist es der Ruin.»

«Und die Schönheit des Versuchs? Du selbst hast mir hundertmal erklärt, daß jede Verwirklichung eines Traumes den Traum verdirbt. Betrachte es als einen Traum, der nicht verwirklicht und gerade deshalb um so schöner ist.»

Er nahm den zerbrochenen Traum mit sich. Conesal war euphorisch. Das Durchbrechen von Konventionen, die er für fundamental gehalten hatte, verschaffte ihm ein Gefühl der Erleichterung. Er konnte tun, was immer er wollte. Von Mr. Hyde zu Dr. Jekyll und umgekehrt, ohne Zaubertrank und ohne erkennbaren Grund, er mußte vor keinem mehr seine tiefe Verachtung all derer verbergen, die meinten, sie seien jemand, weil sie ihn zum Niemand erklärten. Er mußte nicht einmal mehr verbergen, daß er Regueiro Souza, der jetzt mit verschlagenem Blick seine Wohnung betrat, abstoßend fand, ja, daß er ihm physisch zuwider war.

«Hast du den Roman *Telemachos* gelesen?»

«Weit genug, um nichts davon zu halten.»

«Das ist schlecht. Er ist von Arielito Remesal, einem sicheren Romancier, der bereits sein festes Publikum hat. Außerdem erzählt er eine wahre Geschichte von finanzieller und sexueller Korruption auf höchster Ebene.»

«Ich fand ihn ab Seite elf vollkommen dümmlich.»

«Und Seite zwölf?»

«Habe ich noch nicht gelesen.»

«Du wirst die Kröte schlucken müssen, Lázaro, wie ich die Sudelkampagne schlucken mußte, mit der du mich die letzten zehn Jahre in den Schranken oder zu deinen Füßen gehalten hast. Du bist ein Aasgeier und wirst am Ende deinen eigenen Kadaver fressen.»

«Ich werde dich zu Fall bringen, Celso, stürzen werde ich dich!»

«Wohin? Ins Elend? Sobald Remesals Roman veröffentlicht wird, wirst du in etwas noch Schlimmeres stürzen. In deine eigene Scheiße.» Und er hatte sich bereits zum Gehen gewandt, als er fand, es sei noch zuwenig, was er gesagt hatte. «Ich gab den Roman deiner Frau zu lesen. Vielleicht kann sie dich wieder zur Vernunft bringen. Dich überzeugen, daß du über Seite zwölf hinaus weiterliest.»

«Was auch kommen und wer auch immer zugrunde gehen mag, ich werde diese Seite zwölf niemals lesen, und jetzt verschwinde und paß gut auf, daß dir nichts passiert!»

Weit, weit weg war sie, und hoffentlich für immer, die Silhouette des perversen, schwulen und bösartigen Regueiro Souza, als Conesal beschloß, sich auf die Vorbereitung der Preisverleihung zu konzentrieren. Meine Damen und Herren, die Verleihung eines Literaturpreises ist viel mehr, als den Namen eines Autors zu verkünden oder die Lektüre eines privilegierten Buches zu empfehlen. Sie bedeutet, eine schöpferische Tat auszuwählen und auf den Weg zu ihren Adressaten zu bringen. In gewissem Sinne heißt dies, an der schöpferischen Tat selbst teilzunehmen. Wenn ich diesen Preis mit einer ungewöhnlichen Summe dotiert habe, dann nicht, weil ich glaube, Kreativität mit Geld aufwiegen zu können, sondern weil nur *die* Kreativität, die mit Geld aufgewogen werden kann, ihren Platz in den Köpfen und Herzen der Konsumenten findet. Wie oft schon wurde behauptet, Geld habe kein Herz und keine Heimat! Ich will, daß das Geld Herz, Hirn und Heimat bekommt! Ein Herz, das es dazu bringt, Glück zu verbreiten, ein Gehirn, das es dazu veranlaßt, seine eigenen Bedürfnisse zu fördern, aber auch die Heimat der Gebildeten... der Intelligenz!» Zuvor mußte er allerdings einiges erledigen, was noch ausstand, und er ließ Sánchez Bolín heraufkommen, den Schriftsteller, der gegen die Mutlosigkeit gefeit war. Altamirano sagte einmal von ihm, er habe sein Leben damit verbracht, der *Literatur* nachzujagen, ohne sich allerdings festlegen zu wollen, ob er sie seiner Meinung nach erreicht hatte oder nicht. Sánchez Bolín kam mit verrutschter Krawatte und zu kurzen Hosen, denn er hatte zugenommen und mußte die Höhe des Gürtels oder die Länge der Hosen ändern. Er schob mit einem Finger die Brille nach oben, wieder einmal nach dem optimalen Platz suchend, den er seit dem ersten Tag mit Brille immer noch nicht gefunden hatte. Wann war das gewesen? Wahrscheinlich vor dem Krieg. Dem Koreakrieg.

«Die Bewunderung, die ich für Sie empfinde, veranlaßt mich, Ihnen persönlich mitzuteilen, daß Ihr Roman, obwohl er für mich zu den achtenswertesten gehört, nicht den Preis bekommen wird. Selbstverständlich werde ich niemals das Geheimnis Ihres Pseudonyms preisgeben.»

«Tun Sie, was Sie wollen. Alle Welt weiß, daß ich kandidiert habe. In der Tat, wer hat *nicht* kandidiert? Alle Clans sind vertreten: die Realisten, die Verinnerlichten, die Kriminalautoren, die Minimalisten, die Nabelbeschauer und die, die dem Stockfisch nachjagen. Sogar die, die sonst nie kandidieren.»

«Hätten Sie das Geld benötigt?»

«Sie sind der einzige Mensch, der jemanden fragen darf, ob er hundert Millionen Peseten braucht.»

«Sie können sie sich auf andere Weise verdienen. Was halten Sie von einem Roman mit dem Titel *Autobiografie des Lázaro Conesal*?»

«Großartiger Titel.»

«Hundert Millionen Peseten, und ich gebe Ihnen Informationen, das versichere ich Ihnen, die Ihnen niemand sonst geben kann.»

«Müßte ich Sie vorteilhaft darstellen?»

«Es reicht mir, wenn ich interessant und etwas geheimnisvoll bleibe.»

«Das ist kein Problem. Aber ich könnte es nicht annehmen, wenn Sie als positive Gestalt erscheinen wollten. Sie sind kein positiver Held.»

«Bleibt immer noch der Rückgriff auf Dr. Jekyll und Mr. Hyde.»

«Darin bin ich Experte.»

«Nehmen Sie an?»

«Hundert Millionen Peseten sind eine sehr beachtliche Summe, aber wenn Sie die zehn Prozent abziehen, die meine Literaturagentin bekommt, und die sechsundfünfzig Prozent, die mir der Finanzminister abnimmt, bleibt mir wesentlich weniger als die Hälfte. Für diese Summe könnte ich einen Erfolgsroman über beliebige Personen schreiben, aber nicht über Sie.»

«Hundert Millionen netto, die Prozente Ihrer Agentin und die Steuern schon abgezogen.»

«Ich werde es mit meiner Agentin besprechen. Señor Conesal, bitte halten Sie mich nicht für einen Pesetenfuchser, aber ich bin in diesem schwierigen Alter, in dem ich als etablierter, quasi reicher Schriftsteller gelte, über den sogar die Kritik Gutes schreibt, aber aus Überdruß, ohne Begeisterung, wie man eben gut über etwas sattsam Bewiesenes spricht. Möglicherweise liegt eine schwere Zeit vor mir, und das Publikum entzieht mir seine Gunst, die es mir sicherlich wieder schenken wird, wenn ich einmal sterbe, aber nicht sofort. Langlebige Schriftsteller wie wir pflegen die letzten Lebensjahre im Fegefeuer zu verbringen, und später erwecken uns Verfasser von Doktorarbeiten, Hispanisten oder Herausgeber kritischer Editionen wieder zum Leben. Was uns sehr gut zupaß kommt, ist, wenn in unserem Namen eine kleine Industrie aufgebaut wird, mit Doktoranden, Symposien und Subventionen für eine Revision. Ich glaube nicht, daß es gelingen wird, in meinem Namen eine posthume Rückforderungsindustrie aufzubauen, wie bei García Lorca, Joyce oder Proust, von diesen vielkommentierten Jungs wie Shakespeare oder Cervantes gar nicht zu reden, die das immense Glück hatten, in einem Goldenen Zeitalter zu leben, und das ist praktisch eine Ewigkeitsgarantie. Dafür wollen wir mal sehen, wer diesen nervtötenden Joyce in fünfzig Jahren, wenn die Leser noch respektloser sein werden als die heutigen, lesen wird – was sich dann eben noch lesen nennt, denn nie mehr wird man mit Respekt lesen, und daher wird auch nie mehr mit Respekt geschrieben werden. Im übrigen ist da ein neuer Verlagsmanager aufgetaucht, eine Art Terminator, «Terminator» Belmazán, der vollkommen davon überzeugt ist, daß kein Schriftsteller dreißig Jahre durchhält, und bei mir sind es bald vierzig Jahre, daß ich schreibe.»

«Ich engagiere Sie für unseren Roman und werde diesem Emporkömmling, diesem ‹Terminator›, die Hölle heiß machen. Wenn Sie wollen, kaufe ich den Verlag und setze ihn an die Luft.»

«‹Terminator› Belmazán ist der Kampf- und Fluchtname, unter dem er bei den Verlagen bekannt ist.»

Er dachte über das verlockende Angebot nach und hatte bereits einige Annäherungen ans Thema parat.

«Was halten Sie davon, wenn der Roman so beginnt: Viel zu lange schon habt ihr mich Lázaro Conesal genannt…»

Aber ein bestimmter Zweifel hatte sich in seinem Kopf eingekapselt, und er äußerte ihn, als er bereits mit halbem Körper zur Tür hinaus war.

«Was haben Sie mit dem ‹Terminator› vor? Sie wollen ihn doch nicht umbringen?»

«Es gibt viele Arten, jemanden zu töten.»

«Wenn mein Verlag ihm kündigt, stellt ihn ein anderer ein.»

«Ich werde dieses Detail berücksichtigen.»

Er schien befriedigt von dannen zu ziehen, und Conesal streckte sich auf der Chaiselongue des Schlafgemachs aus, blätterte in dem Bericht über die Helios-Gruppe und spielte mit dem Blatt, worauf er das Wort «Uroboros» gekritzelt hatte, während er den nächsten Überraschungsbesuch erwartete. Dem Zylinder des *Venice* entstieg eine bunte Schar von Erscheinungen, gerufen oder ungerufen wie Oriol Sagalés. Er betrat das Zimmer, ohne ihn anzusehen, als sei er die Mühe nicht wert, und murmelte in beleidigendem Ton unverständliche Worte, die ihn Conesal zu wiederholen bat.

«Ich habe nicht verstanden, was Sie da gesagt haben.»

«Ich sagte, wenn Sie schon meine Frau vögeln, können Sie mir wenigstens den Preis geben.»

Conesal hielt es für angebracht, andere Saiten aufzuziehen. Er erhob sich, ging auf Sagalés zu und versetzte ihm einen Schlag mit der Faust, der den anderen, der den Kopf zur Seite beugte, am Ohr traf. Der Schriftsteller machte einen Satz rückwärts und ging, als er Distanz gewonnen hatte, in eine Verteidigungsstellung, wie sie die orthodoxesten Boxschulen lehren. Aber Conesal nahm es als Clownerie, und der andere verließ das Schlafgemach, ohne sich weiter für ihn zu interessieren. Aus der Stille, die zu ihm drang, schloß Conesal, daß er gegangen sei, aber als er aus dem Schlafzimmer schaute, stand Sagalés immer noch da, geduckt, Beine gegrätscht, Schultern vorgewölbt, Fäuste geballt, und die Stirnlocke des gealterten Jünglings hing ihm über die Augen. Dann ging er an ihm vorbei zur Tür. Er selbst wußte, wohin, wollte es aber nicht verraten. Als Lázaro Conesal nach dem Telefon griff, sagte Sagalés mit verächtlich herabgezogenen Mundwinkeln: «Du brauchst deine Sheriffs nicht zu rufen. Ich fasse dich nicht an. Der Arzt hat mir verboten, Scheiße anzufassen.»

Aber Conesal nutzte das Telefon, um Señora Sagalés zu sich bitten zu lassen. Laura kam eilenden Schrittes, dramatisch, bereitwillig. Sie umarmte ihn, und sie küßten sich, wobei sie die Körpersprache einer alten Leidenschaft zum Leben erweckten.

«Dein Mann ist eben gegangen.»

Laura löste sich von seinem Körper und musterte ihn aus der Entfernung, wie um nach Spuren der Begegnung zu forschen.

«Was hat er dir getan? Betrunken ist er sehr gewalttätig.»

«Ich habe mir erlaubt, ihm einen Faustschlag zu verpassen.»

Conesals Lippen nahmen den Mund der Frau gefangen, ohne ihr zu gestatten, sich über das Geschehene zu äußern; sie gab sich der Liebkosung hin und ließ zu, daß die Hände des Mannes alles in Besitz nahmen, was aus ihrem Körper hervorragte, als wollten sie sie kneten und nach eigenem Gutdünken neu formen.

«Warte! Warte!»

Er aber schob sie zum Schlafgemach und entzog ihr die Umarmung, um sie aufs Bett fallen zu lassen, während er sich auszukleiden begann. Laura war über die Tagesdecke gerobbt, um den Rücken gegen das Kopfende des Bettes zu lehnen und die angezogenen Beine mit den Armen zu umschlingen. Aus dieser Stellung rief sie laut: «Warte! Lázaro, so warte doch!»

Conesal war nackt, aber die Stimme der Frau stoppte ihn, und er fühlte sich lächerlich. Er legte sich neben sie, den Blick zur Decke gerichtet, einen Arm als Kopfkissen benutzend, während der andere die Hand öffnete, die ihm erlaubte, sein Geschlecht zu bedecken. Er hatte nicht den Mut, sie anzusehen, wußte aber, daß sie ihn mit der alten Zärtlichkeit betrachtete und nicht zögern würde, ihm wie immer übers Haar zu streichen und zu sagen, daß er schon immer ein ungeduldiger Liebhaber gewesen sei.

«Alles mußt du sofort haben.»

«Sofort? Zwanzig Jahre sind seit unserer Liebe vergangen! Wie kannst du es nur mit diesem Idioten aushalten!»

«Ich habe zuviel in ihn investiert. Zeit. Geld. Zuneigung. Mitleid. Aber ich habe es satt. Weißt du noch, worum du mich vor zwei Jahren gebeten hast, als wir in Brüssel verabredet waren?»

«War das in Brüssel?»

Sie gab ihm eine sanfte Ohrfeige.

«Sei kein Rüpel! Du weißt ganz genau, daß es in Brüssel war. Damals riefst du mich von Zeit zu Zeit an und sagtest: ‹Señora, am Flughafen wartet eine Flugkarte mit dem Kodewort... Ich erwarte Sie am Montag den zwölften in... Brüssel, Dakar, Colombo... Ich bin sogar nach Colombo geflogen! Aber es war in Brüssel, wo du mich gebeten hast, bei dir zu bleiben.»

«Und du gabst mir zur Antwort, er könnte es nicht ertragen, er sei wie ein Kind, er würde sich umbringen.»

«Damals bedeutete er mir sehr viel.»

«Und heute?»

Sie nahm sich keine Zeit zu antworten, sondern entkleidete sich geschickt, um über den Körper des Mannes zu gleiten, ihn von den Augen bis zu den Füßen mit kleinen Küssen zu bedecken und auf dem Penis eine zarte Berührung zu hinterlassen, die diesen erigieren ließ und sie froh machte.

«Du bist ganz der alte!»

«Ich bin Uroboros, der Mythos der Kontinuität, die Schlange, die sich in den Schwanz beißt. Heute mußte ich mir sagen lassen, die Kultur des Buy-and-Sell und der spekulativen Ökonomie habe ausgespielt, und das Ei habe solche Schlangen wie mich hervorgebracht, aber ich sei eine Schlange, die sich schließlich in den eigenen Schwanz beißen würde. Der so mit mir sprach, war ein Beauftragter des Staatsbankchefs, der keine Ahnung hat von dem Mythos des Uroboros, der Schlange, die sich in den Schwanz beißt, oder der Kontinuität. Scheinbar sagte er mir, in meinem Ende liege mein Anfang, aber in Wirklichkeit gab er mich meinen Ursprüngen zurück. So oft habe ich andere gebissen, um endlich in meinen eigenen Schwanz zu beißen.»

«Ist das mit der Schlange eine phallische Anspielung?»

Ihr Venushügel lag auf dem erigierten Penis, bis sie zur Penetration bereit war, und die Frau bewegte sich bis zur Erschöpfung, bis sich ihre Flüssigkeiten in der Kapitulation über die des Mannes ergossen, der sie empfing, als breite sich eine Heimat über ihm aus. Lázaro strich ihr über das Haar und die Entdeckung, daß ihre Haarwurzeln grau waren, schlecht gefärbt. Er sprach leise ins Ohr der Frau.

«Ich habe einen schrecklichen Tag hinter mir. Sie wollen mir an den Kragen!»

«Ich habe davon gelesen.»

«Ich werde einige mitnehmen, wenn ich sterbe.»

«Was redest du da von sterben?»

Ihr Gesicht war über dem seinen, auftauchend aus den zerwühlten Haaren, das Maskara zerflossen und die Lippen zerfleddert von Küssen und Liebesbissen.

«Gilt deine Bitte von Brüssel noch?»

Er zögerte lange mit seiner Antwort, lange genug, daß sie sich aus dem Sattel schwang und sich neben ihn fallen ließ.

«Ich ziehe die Frage zurück.»

«Natürlich gilt sie noch!»

Aber auch der Ton der Stimme war nicht das, was sie sich gewünscht hätte, und als er sich anschickte, überzeugender zu werden, drang von der Tür her eine hinterhältige Stimme an sein Ohr.

«Don Lázaro?» Nach der Stimme ein paar Schritte und die nächste Frage: «Störe ich?»

Conesal zerrte hastig einen Pyjama unter dem Kissen hervor und zog ihn, auf einem Bein hüpfend, an, während er rief: «Einen Moment!»

Er konnte gerade noch die Schuhe überstreifen und zur Tür gehen, die das Schlafgemach vom Wohnraum trennte, gerade noch rechtzeitig, um das Vorrücken von Mudarra Daoiz aufzuhalten. Das Akademiemitglied reckte den Hals, um die Silhouette der Frau im Gegenlicht besser zu erkennen, die versuchte, sich mit der Bettdecke zu schützen.

«Wir hatten noch ein Gespräch offen, Don Lázaro.»

«Mann Gottes, muß das gerade jetzt…»

«Mir kam eine Idee, die ich großartig finde und die das Problem lösen könnte, das Sie zweifelsohne umtreibt. Jeder Preis hat sein Image: Nehmen wir Goncourt, Planeta oder Nadal und stellen uns dazu eine Reihe von Komponenten vor, die den Preis konnotieren. Von der ersten Verleihung des Venice-Preises hängt sein künftiges Image ab. Was erwarten die Leute?»

«Das weiß ich nicht.»

«Eine Show. Eine triumphale Show. Einen anerkannten Schriftsteller, den Sie für hundert Millionen Peseten eingekauft haben. Ich glaube, meine Kandidatur steht just für das Gegenteil. Was bin ich? Die Königliche Akademie. Ich repräsentiere den Tempel der Literatur. Ein Gelehrter des Wortes, der Geschichte des Wortes. Mir den Preis zu verleihen würde heißen, das Image des Preises für immer mit der *Literatur* zu verbinden.»

«Die Würfel sind gefallen, Señor Daoiz.»

«Ein Gewinner steht fest?»

«Nicht Sie, obwohl ich die Verdienste Ihres Romanes zu würdigen weiß.»

Das Akademiemitglied seufzte tief und preßte sich eine Hand aufs Herz.

«Sind Sie herzleidend?»

«Das kann ich nicht mit Sicherheit sagen, aber in letzter Zeit funktioniert die alte Maschine nicht zu meiner Zufriedenheit.»

«Heutzutage ist das Herz nur eine Frage der Klempnerei. Ich nehme täglich ein Kinderaspirin, denn es erweitert sehr effektiv die Gefäße und verursacht keine Magenbeschwerden.»

«In letzter Zeit nimmt alle Welt Aspirin. Muß es unbedingt die Kindertablette sein?»

«Die ist am unschuldigsten.»

«Ich werde Ihren Rat beherzigen.»

Er begleitete das Akademiemitglied zur Tür, konnte ihn aber nicht bewegen, sofort zu gehen.»

«*Apropos*, es ist sehr weit gediehen, Don Lázaro, das Projekt, Sie zum Ehrendoktor der Universität zu ernennen, an der ich lehre. Der Rektor ist begeistert von dieser Möglichkeit.»

«Sagen Sie ihm, ich werde mich ihm erkenntlich zeigen und mich umgehend mit seiner Forderung nach einem Medienlabor befassen.»

«Don Lázaro. Die Medien sind zur einzigen Chance der Realität geworden, und wir alle leben und starren auf ihre Schatten, wie die Menschen in Platons Höhlengleichnis.»

«Ein sehr gelungener Vergleich.»

Als er auf den Flur hinausschaute, um den Abgang von Daoiz zu verifizieren, glaubte er den Glockenrock einer Frau zu sehen, die sich zurückzog, um sich zu verstecken. Er blieb auf der Schwelle stehen und erwartete die Bestätigung seiner Vision, und sobald das Akademiemitglied vom Aufzug verschluckt war, tauchte Beba Leclercq aus dem Schatten auf, umstrahlt von ihren Juwelen und ihrer herrlichen Blondheit. Sie rannte mit kleinen Schritten auf hohen Absätzen auf seine Tür zu, um zu verhindern, daß er sie vor ihr verschloß, doch Conesal ließ sie offen und beschränkte sich darauf, in den Wohnraum zu gehen, um zu überprüfen, ob die Verbindungstür zum Schlafgemach geschlossen war, wo er die wachsende, bedrängte Wut Lauras vermutete.

«Ich habe dich tagelang verfolgt. Du bist so ahnungslos. Sieh dir das an!»

Sie gab ihm ein gefaltetes Blatt Papier, das Conesal nicht nehmen wollte. Da sagte sie laut: «Jemand weiß alles. Er weiß sogar von unserem Rendezvous im *Hotel Drei Könige* in Basel.»

«Das hättest du mir auch telefonisch sagen können.»

«Du hast mir schon tausendmal gesagt, daß deine Telefone angezapft sind. Du mußt etwas unternehmen!»

Conesal nahm das Papier entgegen, faltete es auf und gab es, nachdem er es gelesen hatte, Beba zurück.

«Das ist noch zu früh. Er muß seine Karten noch mehr zeigen. Außerdem ahne ich, wer dahinterstecken könnte.»

«Wer?»

«Meine Frau. Sie ist in den Wechseljahren und schiebt alles, was mit ihr geschieht, mir in die Schuhe, selbst die Wechseljahre. Wenn sie es nicht ist, dann einer von der geschäftlichen oder politischen Konkurrenz. Madrid ist verseucht von Informanten und Zuträgern, und ich besitze eine Anlage zum Aufspüren potentieller Wanzen, die bei mir installiert werden. Ich dulde es hier nicht einmal, daß ich über meine eigene Videoanlage überwacht werde. Du solltest den anonymen Brief ignorieren. Er klingt wie aus einem spanischen Film der fünfziger Jahre.»

«Wenn er von deiner Frau stammt, ist es eher ein Film der neunziger Jahre. Stell dir bloß vor, Sito würde davon erfahren.»

«Sito ist bereits im Bild. Er war hier und wollte, daß ich bereue.»

Beba mußte sich irgendwohin fallen lassen und setzte ihre ganze Hoffnung auf das Sofa der Couchgarnitur, aber Conesal vertrat ihr den Weg.

«Beba! Ich muß mich anziehen und nach unten gehen, um den Namen des Gewinners bekanntzugeben. Laß uns morgen oder überhaupt nicht mehr davon reden! Dein Sito weiß schon alles. Was hast du also noch zu befürchten?»

«Und meine Töchter? Wie soll ich meinen Töchtern in die Augen sehen?»

Sie verbarg ihr Gesicht in den Händen und ging hinaus, verfolgt von dem Schweigen Conesals, das ihre Flucht zu beschleunigen schien. Der Mann kehrte ins Schlafgemach zurück, wo Laura bereits angekleidet war.

«Gehst du?»

Sie weinte und hörte nicht auf, während sie zur Tür ging.

«Was ist los mit dir?»

«Das *Hotel Drei Könige in Basel*! Anscheinend bist du ganz begeistert davon. Mit mir hast du dich auch dort getroffen!»

«Laura!»

Conesal hielt sie zurück, und sie ließ sich umarmen.

«Wir haben uns dreißig Jahre lang aufeinander zu- und voneinander wegbewegt. Willst du jetzt eifersüchtig werden? Habe ich vielleicht das Recht dazu?»

Sie nickte schweigend und ging, obwohl Conesal ihre Hand festhielt.

«Wolltest du nicht etwas für deinen Mann erbitten?»

Verletzt und gedemütigt der Blick und der Mund von Laura.

«Für wen hältst du mich, und für wen hältst du ihn? Du bist wirklich die Schlange, die sich in den eigenen Schwanz beißt!»

Hätte er sie gerne zurückgehalten? Wer fürchtet nicht zu verlieren, was er schon nicht mehr liebt? Wo hatte er das gelesen und zur Immunisierung seiner Gefühle ausgesucht? Wieder allein, sah er zur Uhr und trieb sich selbst zur Eile.

«Worauf wartest du denn?»

Er wußte nicht, was er als erstes tun sollte, fühlte sich schmutzig in dem Schlafanzug, der am Eingriff feucht geworden war, und nahm mechanisch den Bericht über die Helios-Gruppe zur Hand, als wolle er ihm den Preis verleihen, und ging, nachdem er sich seines unsinnigen Aktes bewußt wurde, wieder in den Wohnraum und zum Tresor. Jemand klopfte an der Tür, und als er öffnete, stand dort Ariel Remesal, ganz Auge.

«Willst du den Preis vakant lassen? Ist das der Gewinner?»

Er zeigte auf den Bericht, den Conesal noch immer in der Hand hielt, während er ins Zimmer schlüpfte.

«Wo sind die Originale? Und die Jury? Hast du meinen Roman gelesen?»

«Weit genug.»

«Besser, du bringst ihn selbst heraus, nicht? Das wird den Leuten die Spekulationen über die Gestalten austreiben. Es würde ja keiner Steine auf sein eigenes Dach werfen, und du am allerwenigsten.»

«Natürlich.»

«Das sagst du einfach so? Die Geschichte läßt dich wohl kalt.»

«Ariel, bitte, geh!»

«Regueiro sagte, du würdest mich erwarten.»

«Er hat dich belogen.»

«Nun, ihr beide werdet euch schon einigen.»

Damit ging er hinaus wie ein Gangster der Provinzliteratur. Endlich allein. Conesal fühlte sich müde und kehrte ins Schlafgemach zurück, um sein Mittel gegen Erschöpfungszustände zu holen. Die vier Prozac-Tabletten waren wie ein Fetisch. Er wollte sie um dieselbe Zeit einnehmen, um die er sie tagsüber nahm. Immer, wenn er einen Sieg oder eine Niederlage kommen sah. Aber auf der Nachtkonsole stand das gewohnte Fläschchen nicht. Auch nicht im Medizinschränkchen im Badezimmer. Und auch nicht auf dem Wandbord hinter der Toilette. Er griff zum Telefon und wählte die Nummer der Bar.

«Lazarillo? Du hast vergessen, mir meine Prozac-Dose wiederzubringen. Komm sofort herauf!»

Die melancholische Trinkerin hatte Augäpfel voller geplatzter Äderchen, verschwitztes Haar, das ihr besiegt in die Augen hing, einen derangierten Ausschnitt und die fülligen Arme vom vielen Kneten mit den Händen gemartert. Sie schaute in die vier Himmelsrichtungen des Raumes, wie überrascht, daß man sie eingefangen hatte, aber mit der Resignation eines Menschen, über dem die Nacht und das Leben zusammengebrochen sind. Laura Ordeix Segura, geboren in Valencia, Professorin für Statistik an der Universität von Barcelona, seit 1975 verheiratet mit Oriol Sagalés.

«Das Jahr, in dem Franco starb, genau.»

Kein Mensch hatte danach gefragt, aber sie hatte es mitteilen wollen.

«Ich bin älter als mein Mann. Sieben Jahre, glaube ich. Sieben Jahre. Früher fiel es nicht auf. Heute schon ein wenig. Oder vielmehr sehr, sehr, stimmt's?»

In der Tat, sie habe Lázaro Conesal aufgesucht, weil er sie darum gebeten habe, und wenn er das nicht getan hätte, wäre sie trotzdem zu ihm gegangen, um mit ihm zu reden.

«Wir hatten eine Affäre, Ende der siebziger Jahre, und tatsächlich sprachen wir damals sogar davon, zusammenzuleben, aber er ging nach Deutschland und in die Vereinigten Staaten, um seinen Abschluß und so weiter zu machen, und ich hatte nicht den Mut, meine Eltern zu verlassen. Sie waren reiche Bauern und sehr alt, und ich bin die einzige Tochter. Als er zurückkam, nutzten wir jede Gelegenheit, um uns zu sehen, entweder wenn ich nach Madrid fuhr, oder wenn er nach Barcelona kam. Nein. Oriol hat er nie kennengelernt. Die Beziehung war ausschließlich unsere Sache. Ich versuchte auch nicht, die Erinnerungen meines Mannes, sein Privatleben zu teilen; es war schon genug, daß ich ihm half zu schreiben und zu überleben. Mein Mann ist die große, unerfüllte Hoffnung der jungen Literatur Spaniens, aber er wird auch bald fünfzig, glaube ich. Ich kann mir das Alter von Leuten nie merken. Nur meines weiß ich genau. Zweiundfünfzig Jahre. Zwei Jahre älter als Lázaro Conesal. Das ist mein Verhängnis. Älter zu sein als die Männer, die ich anziehend finde.»

«Auf welche Weise halfen Sie Ihrem Mann zu schreiben und zu überleben?»

Laura warf ihre Mähne nach hinten, wollte Augen und Mund frei haben, wenn sie sagte: «Von der Reinschrift seiner Manuskripte, früher auf der Schreibmaschine, heute am Computer, bis zum Verkauf aller Ländereien, die mir meine Eltern hinterlassen haben, damit er sich ausschließlich dem Schreiben widmen kann. Er ist begabt, hochbegabt, aber er ist wie ein verzogenes Kind, das glaubt, es sei verdientermaßen das Zentrum der Welt. Er wollte nicht einmal, daß ich Kinder bekam. Er sagt, er sei mein Kind. Vor Jahren belustigte mich das, aber seit ich fünfzig bin, überhaupt nicht mehr.»

«Wußten Sie, daß er sich um den Venice-Preis beworben hatte?»

«Ja.»

«Sprachen Sie mit Lázaro über die Kandidatur Ihres Mannes?»

Sie seufzte tief auf, riß, um den Eindruck größtmöglicher Aufrichtigkeit zu erzeugen, die Augen auf, bis sie beinahe aus den Höhlen traten, und sprach die Worte in einzelnen Silben aus.

«Nein. Oriol hatte mich zwar gebeten, es zu tun. Er war hypernervös und hatte ein schlechtes Gewissen. Er, der sich so abfällig über Literaturpreise geäußert hatte! Er machte mir Vorwürfe, als hätte ich mich aus eigener Schuld ruiniert und unsere finanziellen Nöte seien meine Schuld, weil ich es nicht verstanden hätte, das Erbe meiner Eltern zusammenzuhalten! Er verstand seine Kandidatur für diesen Preis als anarchistischen Banküberfall, und dabei scheute er vor nichts zurück, nicht einmal davor, daß dies meine alte Affäre mit Lázaro berührte. Er war sich sicher, daß Lázaro immer noch Gefühle für mich hegte, ohne sich zu fragen, ob ich diese vielleicht erwiderte. Er ist wie ein Kind, das alles instrumentalisiert, was ihn umgibt, um den Erfolg zu erreichen. Ein polymorph perverser Mensch, der in gewisser Hinsicht das Alter der Vernunft nie erreicht hat. Warum behauptete er, er habe Lázaro Conesal umgebracht? Fragen Sie sich das nicht? Ich glaube nicht, daß er ihn getötet hat, aber heute nacht will er diesen Ort als Sieger verlassen, und wenn er den Preis nicht bekommen kann, wird er sein Ziel erreichen, indem er den gefürchtetsten und bestgehaßten Mann Spaniens ermordet. Er wird sich in die Phantasie hineinsteigern, er habe wie Judith gegenüber Holofernes oder Charlotte Corday gegenüber Marat gehandelt.»

«Sie besuchten Conesal, behaupten aber, sie hätten ihn nicht gebeten, Ihrem Mann den Preis zu geben!»

«Nein. Zu Oriol sagte ich, ich hätte es getan, ich hätte ihn darum gebeten, aber tatsächlich habe ich es nicht getan. Ich konnte mit Conesal keinen Kuhhandel anfangen, und er selbst erwähnte mit keinem Wort, daß mein Mann zu den Bewerbern gehörte. Ich fand ihn verängstigt, sehr traurig, hilfsbedürftig und als versuche er, die Atmosphäre jener Jahre wiederherzustellen, in denen wir unschuldig waren. Alles zerrann ihm unter den Fingern. ‹Ich bin die Schlange, die sich in den Schwanz beißt, Laura.› Das Symbol der Schlange, die sich selbst in den Schwanz beißt, erwähnte er ein ums andere Mal. Diese Idee war ihm anscheinend heute abend gekommen, während einer Begegnung auf höchster Ebene mit dem Leiter der Staatsbank, als ihm dieser mitteilte, daß die Conesal-Bank unter staatliche Aufsicht gestellt werde. Er schwankte zwischen Erbitterung und Depression.»

«War das alles?»

«Sozusagen.»

«Ich bedaure, Ihnen eine Frage stellen zu müssen, die Ihre Intimsphäre betrifft, Señora, aber die Wendung, die die Selbstbezichtigung Ihres Mannes den Dingen gegeben hat, könnte zu einer peinlichen ärztlichen Untersuchung führen.»

«Worum handelt es sich?»

«Haben Sie mit Lázaro Conesal geschlafen?»

«Ja.»

«Haben Sie das Ihrem Mann gesagt?»

«Ja, aber ich erklärte ihm nicht den wirklichen Sinn meiner Tat. Oriol hatte ein schlechtes Gewissen, weil er glaubte, er hätte mich ausgenutzt, um den Preis zu bekommen, und aufgrund dieses schlechten Gewissens geriet er in Rage und meinte, ich sei imstande gewesen, für die hundert Millionen Peseten des Preises mit Lázaro ins Bett zu gehen. Da explodierte ich und sagte, ja, es sei seine Schuld, daß ich mit Lázaro geschlafen hätte; er sei ein Zuhälter, ein mieser Zuhälter, im Leben und in der Literatur.»

Carvalho begriff nach einer oberflächlichen Musterung dieser Frau, daß Lázaro Conesal in sie eingedrungen sein mußte wie in eine Heimat.

«Wir schliefen miteinander, nun gut, er mit mir. Er bedrängte mich, und außerdem wurden wir von einer Reihe zudringlicher Bittsteller des Preises gestört. Er mußte sich einen Pyjama überziehen, der unter dem Kissen lag, um nicht nackt dazustehen.»

«Sie kannten die Gewohnheit von Lázaro Conesal, Aufputschmittel zu nehmen?»

«Ich sah ihn schon Aufputschmittel aller Art nehmen, und früher ging er nie mit mir ins Bett, ohne daß jeder von uns zwei *lines* Kokain geschnupft hatte.»

«Neuerdings nahm er ein legales und harmloses Mittel namens Prozac.»

«In der Tat. Bei zwei Rendezvous', die wir im vergangenen Jahr hatten, nahm er es bereits gewohnheitsmäßig und pries mir seine Vorzüge. Er sagte, es gebe einige Produkte und Marken, ohne die man nicht auf der Höhe der Moderne sei, und eines davon sei Prozac.»

«Sie waren im Schlafzimmer, hätten also das Prozac-Döschen auf der Nachtkonsole sehen können.»

«Ich erinnere mich an kein Prozac-Döschen. Ich glaube nicht, daß eines da war. Und ich würde mich bestimmt daran erinnern, denn auf der einen Konsole steht das Telefon, das fast den ganzen Platz einnimmt, und auf der anderen hatte ich meinen Schmuck abgelegt.»

«Es gab also überhaupt kein Döschen mit Aufputschmitteln im Schlafzimmer von Señor Conesal?»

«Nein. Ich glaube nicht.»

Ramiro unterbrach plötzlich das Verhör und ging zur Tür. Er sprach energisch mit dem Polizisten, der dort Wache stand, und blieb, bis Sagalés von zwei Polizisten, die wie basketballspielende Zwillinge aussahen, gebracht wurde. Laura brach beim Anblick ihres Gatten in Tränen aus, und ihre Augen waren von Tränen und Haaren verschlossen, als Ramiro Sagalés fragte:

«Wie haben Sie Señor Conesal umgebracht?»

«Ich habe ihn vergiftet.»

Ramiro schien von dieser Eröffnung nicht beeindruckt.

«Streuten Sie Arsen in seinen Kaffee?»

«Nein. Ich füllte einen Giftstoff in die Prozac-Kapseln, die er täglich einnahm.»

Laura weinte mit lauter Stimme, und Ramiros Miene wirkte, als habe er den Mörder gefunden. Aber Carvalhos Stimme zerstörte die einverständige Atmosphäre, die sich um den vermeintlichen Angeklagten gebildet hatte.

«Mit welchem Gift füllten Sie die Kapseln?»

«Mit welchem Gift? Ist das wichtig? Mit Gift eben. Dem stärksten, das ich fand.»

«Wo? In welcher Apotheke haben Sie es gekauft?»

«Ich habe eine weitverzweigte Verwandtschaft, und es fehlt mir nicht an Vettern mit pharmazeutischen Laboratorien. Die Sagalés Bel sind direkte Verwandte von uns, den Sagalés Dotras. Gift kann heilen oder töten, vergessen Sie das nicht!»

«Welches Gift, Señor Sagalés?»

«Was weiß ich!»

Ramiro bat Laura, ihrem Mann zu folgen, verbot ihr aber, ein Wort mit ihm zu wechseln.

«Der richterliche Haftbefehl ist unterwegs, und Sie können sich schon mal in Bewegung setzen und ihm einen Anwalt besorgen!»

Sagalés wehrte den Umarmungsversuch seiner Frau ab und verließ, begleitet von zwei Polizisten in Zivil, den Raum, wie die nach Marats Ermordung Verurteilten ihre Zellen verließen, um zur Guillotine zu gehen. Laura folgte ihm als Mater Dolorosa. Ramiro wandte sich Carvalho zu und interpretierte dessen skeptische Miene.

«Sie glauben nicht, daß er es war? Und das Detail mit dem Prozac? Wie ist es möglich, daß es nicht am Bett lag?»

«Vielleicht hat er es getan, vielleicht erzählte ihm auch seine Frau von den Gewohnheiten Conesals und dachte dasselbe wie der Mörder, ohne es jedoch auszuführen? Warum konnte er uns den Namen des Giftes nicht sagen?»

«Stellen Sie sich vor, wie sich Señor Sagalés, als er den Mord plante, unter dem Vorwand eines spontanen Besuches seinen Vetter ansprach! Ach, was ist denn das? Ein sehr starkes Gift, das einen Elefanten umbringen würde. Und das war's schon! Er brauchte nur eine Unaufmerksamkeit zu nutzen und sich eine Portion zu verschaffen, um zur Tat zu schreiten.»

«Sicher. So könnte es gewesen sein. Aber bleibt ein technisches Manko, daß einer den Namen des Giftes nicht kennt, das er benutzt. Außerdem bleibt eine wichtige Frage: Wenn er oder seine Frau Laura das Prozac ausgetauscht hat, wie kam dann das Giftfläschchen ans Bett, und wie entwendete er oder sie das richtige Prozac?»

«Señora Sagalés sagte, es habe keine Dose dort gelegen. Natürlich kann ihr Mann sie später gebracht haben, oder sie hat gelogen. Aber dieses Döschen mußte selbstverständlich schnell genug dorthin gelangen, damit Lázaro Conesal seine Pillen nahm, ohne Verdacht zu schöpfen.»

Die Beamten an der Tür teilten mit, im Speisesaal herrsche Tumult, und nach ihnen drangen der Polizeichef, Leguina und die Ministerin mit müden, verhandlungsbereiten Gesichtern ins Zimmer.

«Man kann die Leute nicht länger im Zaum halten. Ich bitte Sie inständig, diejenigen gehenzulassen, die nicht verhört werden sollen. Der Nobelpreisträger hetzt die Massen auf und predigt eine friedliche Invasion dieses Zimmers.»

«Uns fehlt nur noch eine Zeugenaussage, aber noch besteht die Möglichkeit, daß einer der Gäste in die Sache verwickelt wird. Wir können Sie nicht ohne ein Mindestmaß an Gewißheit den Tatort verlassen lassen. Sonst heißt es später, ich hätte stümperhafte Arbeit geleistet.»

«Ramiro, ich übernehme die volle Verantwortung gegenüber dem amtierenden Präsidenten der *Comunidad Autónoma de Madrid* und der Frau Ministerin. Der Regierungschef will in einer halben Stunde ein Vorab-Memorandum haben, und für eine halbe Stunde später habe ich bereits eine Pressekonferenz einberufen. Das Hotel ist von Fernsehreportern aus der halben Welt und von Schaulustigen umstellt, die über den Rundfunk von den Ereignissen erfahren haben. Mein Gehör ist taub geworden, so haben die Zeitungsredakteure auf mich eingeschrien, die nicht wissen, was sie in den Morgenausgaben sagen sollen, die sich bereits im Druck befinden. Ich gebe Ihnen eine Viertelstunde, Ramiro, und nehme alles auf mich. Wen haben Sie noch?»

«Álvaro Conesal.»

«Ich gehe ihn holen», bemerkte Carvalho und ging gemächlich aus dem Zimmer, um sich den Disput zwischen Ramiro und seinem Chef nicht entgehen zu lassen.

«Ich kann Ihnen nicht garantieren, daß nicht eine Rückblende notwendig wird!»

«Für wen halten Sie sich eigentlich, für Almodóvar?»

Carvalho beschleunigte den Schritt, als er das Zimmer verlassen hatte, und ging zum Speisesaal, wo die aufgebrachten Massen den Nobelpreisträger umlagerten.

«Man mag uns, wenn es denn sein soll, alle als Mörder bezeichnen und als solche von der Justiz festnehmen lassen, aber wir lassen uns nicht mit einem Aufschub nerven, der lediglich die Beschlußunfähigkeit der sozialistischen Regierung bemänteln soll!»

Hier applaudierten selbst Sozialisten und Sympathisanten der Sozialisten, während Sánchez Bolín mit erhobenem Sektglas versuchte, seinem Trinkspruch Gehör zu verschaffen:

«Auf den Sturz des Systems!»

Carvalho erlöste Álvaro. Der Nobelpreisträger bekam den meisten Applaus, Álvaro die meisten Fragen. Er ging neben dem jungen Mann her zum Verhör, hielt ihn aber einige Meter vor der Tür auf.

«Sie sind mein Klient, und ich will zu Ihnen offen sein. Sie haben eine besonders unangenehme Frage zu gewärtigen.»

Álvaro schluckte und zögerte etwas mit der Antwort.

«Ich nehme an, es geht um den Roman von Ariel Remesal?»

«Ja.»

«Celso ist ein Schwein.»

«Ist das alles?»

«Quasi. Sie werden, wie ich annehme, bereits darüber im Bilde sein, daß es mehr als zwei Geschlechter gibt.»

«Reichen Ihnen zwei nicht?»

Álvaro wirkte nicht irritiert, seine Augen schienen ihm sogar zu-zulächeln. Carvalho hatte seine Aufgabe erledigt und begleitete ihn zur Tür, aus der ein verärgerter Polizeichef und die übrigen Wür-denträger herausquollen. Der Polizeichef memorierte murmelnd die Sätze, die er sich zurechtgelegt hatte, um das Publikum zu beru-higen. «Wenn Sie schon eine Ewigkeit ausharren konnten, warum nicht noch weitere dreißig Minuten?» Álvaro folgte Ramiros Auf-forderung, trat ein und rümpfte die Nase, denn das Zimmer roch nach übermüdeter Feuchtigkeit.

«Die Ereignisse überstürzen sich, und ich muß meine Befragung so schnell wie möglich zu Ende bringen.»

«Die Gemüter sind wirklich sehr erregt.»

«Sie verließen den Saal ziemlich häufig, und am Ende wurde eine längere Zeit der Abwesenheit registriert, nach der Sie mit der zu-nächst zurückgehaltenen Nachricht zurückkehrten, daß Sie Ihren Vater tot aufgefunden hatten.»

Álvaros Kopf bejahte.

«Mehr oder weniger. Mein Vater fühlte sich schlecht und hatte noch Zeit, den Arzt zu rufen. Damit begann die Kette der Entdek-kungen.»

«Als Sie seinen Tod festgestellt hatten, gingen Sie zum Speisesaal hinunter und teilten es Señor Carvalho und Ihrer Mutter vertraulich mit. Gut, ich kenne aus Ihren früheren Aussagen alles, was die Ent-deckung der Leiche betrifft, aber ich würde aus Ihrem eigenen Munde gerne drei Dinge hören, nur drei, die mir wichtig erscheinen. Erstens: Kannten Sie die Ursache der tiefgehenden Depression, un-ter der Ihr Vater heute nacht litt?»

«Ja. Er kam von einem Gespräch mit dem Leiter der Staatsbank zurück, und morgen oder übermorgen wird bekanntgegeben, daß der gesamte Banksektor unseres Unternehmens unter Staatsaufsicht gestellt wurde.»

«Kann es sein, daß Ihr Vater Selbstmord beging, weil er den Bankrott fürchtete?»

Álvaro lachte auf, zur Überraschung der Anwesenden. Carvalho beschränkte sich darauf, die Augen zu schließen.

«Mein Vater war nicht bankrott. Dafür war er zu reich. Er ist zu reich, um bankrott gehen zu können.»

«Dazu fällt mir ein, daß dieses Zimmer hier die Leute, die Ihren Vater haßten, nicht fassen würde.»

«Wenn man die hinzunimmt, die ihn vergöttert haben, reicht ganz Spanien nicht aus.»

«Und Sie? Hassen Sie ihn oder vergöttern Sie ihn?»

«Ich haßte ihn, als es für mich an der Zeit war, ihn zu hassen. Jetzt war er für mich nicht nur gleichgültig, sondern sogar unwirklich.»

«Unwirklich?»

«Genau. Unwirklich soll heißen kaum glaubhaft. Mein Vater erschien mir als Vater kaum glaubhaft, selbst seine Existenz erschien mir kaum glaubhaft, als gehöre sie zu einem Drehbuch, in dem ich auch eine Rolle zu spielen hatte. Gegen meinen Willen. Sie hatten zwei weitere Fragen, glaube ich.»

«Sehen Sie eine Verbindung zwischen dem Mord und der Preisverleihung?»

«Ganz bestimmt. Man suchte einen gradiosen, publikumswirksamen Schauplatz, und das hier war einer.»

«Bedenken Sie, daß morgen die Nachricht von seinem Bankrott, oder was auch immer, bekannt wird! Ist das nicht auch ein grandioser Schauplatz?»

«Wahrscheinlich wußte derjenige, der ihn umbrachte, nichts von seinen finanziellen Problemen, oder es war ihm gleichgültig.»

«Jemand wie Sie? Ihnen sind doch die finanziellen Schwierigkeiten Ihres Vaters gleichgültig.»

«Ich bin von ihnen betroffen, messe ihnen aber keine Bedeutung bei.»

Ramiro zwinkerte, als feuere er eine Maschinengewehrsalve auf Álvaro Conesal ab.

«Wissen Sie, was Sie da eben gesagt haben? Ist Ihnen klar, daß dieses Kriterium alle Mordkandidaten aus Geschäftswelt und Politik von jeglichem Verdacht befreien würde?»

«Nicht notwendigerweise, aber wahrscheinlich.»

Ramiro war wütend über alles und nichts, tigerte im Zimmer auf und ab, schaute ständig auf die Uhr, schüttelte den Kopf – aber er hatte nun mal drei Fragen angekündigt und erst zwei gestellt.

«Wer sollte den Preis erhalten?»

«Ich weiß es nicht. Ich machte mir nicht allzu viele Gedanken darüber. Ich wurde Zeuge aller möglichen Versuche unerlaubter Einflußnahme, manche Leute versuchten sogar, mich vor ihren Karren zu spannen. Schließlich und endlich tat ich meine Pflicht, half bei der Organisation dieser Show, und das war alles.»

«Kannten Sie den Inhalt des Romans, den Ariel Remesal einreichte und den Regueiro Souza bei ihm in Auftrag gegeben hatte?»

«Ich ahnte ihn.»

«Sie ahnten ihn? Ist das alles?»

«Ich ahnte ihn. Damit ist genug gesagt. Ich las ihn nicht, ahnte aber den Inhalt.»

«War Ihnen die Vorstellung nicht unangenehm, daß Ihr Vater diesen Roman lesen würde?»

«Ich bin für die Freiheit des Lesens. Mein Vater war ein lebendes Wesen mit seinen eigenen biologischen und geistigen Überlebensproblemen. Genau wie ich. Den Inhalt des Romans kannte er wohl, aber nein, er hatte ihn nicht gelesen, sonst hätte er irgendeine Bemerkung gemacht, und außerdem war mein Vater über meine Homosexualität im Bilde, wenn es ihm auch zweifellos nicht gefallen hätte zu erfahren, daß meine erste Beziehung mit Regueiro Souza zustande kam. Mein Vater war so egozentrisch, daß er es als sexuellen Angriff auf seine eigene Person betrachtet hätte. Mein Vater las nur in dem preisgekrönten Roman, oder vielmehr dem Roman, der den Preis davontragen sollte, und ich glaube nicht, daß er bis zum Ende kam.»

«Señor Regueiro Souza sagte uns, er habe ein Exemplar des Romans Ihrer Mutter zukommen lassen.»

«Celso ist sehr extrovertiert. Er überschätzte die Angst, die meine privaten Laster meinem Vater einjagen könnten.»

«Ihr Vater starb, weil jemand den Inhalt der Prozac-Kapseln durch ein blitzschnell wirkendes Gift ersetzte, und dieser Jemand hätte den Austausch auch zu einem anderen Zeitpunkt bewerkstelligen können, vorausgesetzt, Ihr Vater trug die Kapseln stets bei sich oder er bewahrte sie bei sich zu Hause auf.»

«Mein Vater hatte an allen Orten, wo er sich erwartungsgemäß aufhalten würde, Prozac-Vorräte, unter anderem in der Suite des *Venice*. Es war ein Problem der Logistik, genau wie die Seidenschlafröcke und die Whiskyflaschen.»

«Mit anderen Worten, diese Kapseln können nur hier manipuliert oder ausgetauscht worden sein. Aber es ist nicht zwingend, daß diese Manipulation oder dieser Austausch heute stattfand.»

«Doch. Gestern schlief mein Vater hier und nahm Prozac aus derselben Dose. Der Austausch muß heute stattgefunden haben.»

«Señor Conesal, ich habe mit allen gesprochen, die diesen Saal verlassen haben, um sich mit Ihrem Vater zu treffen, und bei dem vielen, was ich nicht verstehe, ist mir eine Sache ganz besonders unerklärlich: Ihr Vater schreibt einen Preis aus, und am Abend der Verleihung ist er sich noch nicht schlüssig, wer ihn bekommen wird, man findet kein einziges Original, das eingereicht wurde, und kann nicht davon ausgehen, daß es einen Gewinner gab. Ihr Vater machte ein paar rätselhafte Notizen und zog einen Kreis um das Wort *Uroboros*. Was sagt Ihnen dieses Wort?»

«Nichts Besonderes, soweit ich weiß.»

Ramiro zuckte die Schultern. Álvaro durfte gehen, und der Polizeichef konnte mitteilen, daß das Fest zu Ende war.

«Ich gebe bekannt, daß ich Señor Oriol Sagalés als vermutlichen Urheber des Verbrechens habe festnehmen lassen. Dies sage ich, weil die Nachricht jeden Moment bekanntwerden kann, und ich möchte nicht, daß Sie davon überrascht werden.»

Álvaros Miene zeigte Skepsis oder Enttäuschung, aber weder Ramiro noch Carvalho konnte klären, was von beiden. Der Polizeichef betrat mit seinen Männern den Personalraum, und Álvaro trat zusammen mit Carvalho die Rückkehr in den Saal an, ohne ein Wort zu erwarten oder zu sagen.

«Wie steht die Sache, Álvaro?»

Die Frage wurde von einer konkreten Person gestellt, schien aber von allen Anwesenden zu kommen, mit Ausnahme eines eigenartigen orphischen Chors, der sich um den Tisch des real existierenden Nobelpreisträgers scharte, welcher sich mit Unterstützung des Akademiemitglieds Daoiz und des Schriftstellers Sánchez Bolín außerdem als polyphonischer Dirigent betätigte.

Los estudiantes navarros
cuando van a la posada
lo primero que prequntan
chin pon jódete patrón saca pan y vino
    chorizo y jamón
iy un porrón!

Que adónde se acuesta el ama.

Die Studenten von Navarra,
wenn sie in die Kneipe geh'n
ist das erste, was sie fragen –
Kling klang, he da, Wirt, bring Brot und Wein,
    Salami und Schinken
und eine Trinkflasche!

– wo die Wirtin schläft.

Leguina hatte den Krawattenknoten gelockert und saß mit aufge-stützten Ellbogen an einem Tisch, an dem ihm nur die Ministerin Gesellschaft leistete.

«Wenn doch der neue Präsident endlich sein Amt antreten würde! Zuweilen korrumpiert die Macht nicht, sondern verwandelt einen in etwas, das einem Schwamm am nächsten kommt, der alles auf-saugt, was daraufgeschüttet wird. Was ich mir auf dieser Welt am meisten wünsche, ist, wieder ein Rückgrat zu bekommen.»

Die Ministerin schenkte ihm das liebevollste Lächeln, mit dem man aus dem Amt scheidende Beamte tröstet.

«Ich habe auch Lust, in meine Heimat zurückzukehren und mich zu kleiden, wie es mir paßt, ohne daß man mich wie ein exotisches Tier anstarrt. Hier in Madrid tragen alle Frauen beige.»

«Ihr in Valencia habt eben einen ganz anderen Sinn für Farben.»

«Und für Ästhetik, Joaquín. Da behauptet dieser Esel namens Unamuno doch, die Ästhetik würde uns ersticken, aber in Wirklich-keit erstickt hier alle Welt im Quark. Hier in Madrid herrscht näm-lich miese Stimmung, Leguina!»

«Was möchtest du mal werden, wenn du groß bist?»

«Kunsthändlerin, und viele Reisen machen. Neue Talente ent-decken. Ein Jahr auf Bali leben.»

Leguina betrachtete finster die Anwesenden.

«Wie schade, daß das mit der Revolution gelogen ist und man nicht mit dem ganzen Pack aufräumen kann. In Spanien gibt es nicht Felder genug für das Brot, das man für dieses ganze Pack braucht. Wahrscheinlich haben wir die ganzen Schwierigkeiten Mario Conde und Pedro J. Ramírez zu verdanken!»

«Auf den Sturz des Systems!»

Mit diesem Trinkspruch hob ein hyperkalorischer Sánchez Bolín sein Glas. Leguina und die Ministerin schlossen sich wohlerzogen dem Vorschlag an, während er vom real existierenden Nobelpreisträger kühl aufgenommen wurde.

«Nichts gegen Seine Majestät den König! Er ist groß und blond, während jeder Präsident der Republik kahlköpfig, rundlich und so klein ist, daß er den Staub der Wege aufwirbeln würde, wenn er Fürze ließe, genau wie Sie!»

Mudarra Daoiz zog es vor, weiterhin der Sangeslust zu frönen, und ließ mißtönend, mal im Falsett, mal in einem zu tiefen Bariton, den von Serrat vertonten Vers Antonio Machados erklingen:

> *Caminante no hay camino,*
> *se hace camino al andar.*

> Reisender, es gibt keinen Weg,
> man bricht sich Bahn beim Gehen.

Die einzige lebende Seele, die in seinen Gesang einstimmte, war seine Frau, mit besserer Stimme und Intonation begabt, aber der Duque de Alba beschloß, sie mit Mona d'Ormesson zu verlassen, um zwischen den Tischen voller Leichen, denen nicht einmal die Empörung geblieben war, umherzuwandern. Dort saß auch Beba Leclercq, den Blick in einer Ecke des Saales verloren, die nur sie selbst sah, während ihr Mann wie irre auf ein Glas stierte, als wolle er es auf die Hörner nehmen. Der junge Schriftsteller schwatzte mit Marga Segurola, die erstaunlich empfangsbereit war, im Gegensatz zu Altamirano, der ein Buch aus der Tasche gezogen hatte und begierig darin las, blind und taub für die Unbilden der Situation.

«Was liest du da?»

Er hob Amado Alonsos Buch *Poesie und Stil Pablo Nerudas*.

«Es ist eine, sagen wir mal, Taschenbuchausgabe von Sudamericana aus dem Jahr 1966.»

«1966! Damals war ich noch ein junger Jesuit, studierte in Frankfurt und organisierte Begegnungen zwischen Marxisten und Katholiken.»

«Wer erinnert sich heute noch der großen Humanisten der Republik – Amado Alonso, Sánchez Albornoz, Américo Castro, Cansinos Asens, Guillermo de Torre…? 1936 begann es mit diesem Land für immer bergab zu gehen.»

«Manche Länder sind dazu bestimmt, Geschichte zu machen, andere, sie zu erleiden.»

Mona nahm den düsteren Duque am Arm und bemerkte: «Das war aber nicht Frankfurter Schule, lieber Duque, sondern Nietzsche!»

«Ob Nietzsche oder Lieschen Müller, es ist eine ungeheure Wahrheit. Ich wartete die ganzen zwanzig Jahre der *transición* mit Engelsgeduld darauf, daß dieses Land zur Normalität finden und aufhören würde, ein perverses metaphysisches Anderssein zu kultivieren, das ihm der unsägliche Generalissimus mit dem jämmerlichen Geist hinterlassen hat. Aber das Wunder ist nicht geschehen. Modernität ja, aber mit Schuppen und Zahnstein.»

«Duque, Duque, dich verrät deine Sehnsucht nach dem *Ancien régime*.»

«Du sagst es, Mona. Wir sollten uns darauf einigen, die Moderne noch einmal, und zwar besser, zu beginnen. Das achtzehnte Jahrhundert! Nach Carlos III. ein neuer aufklärerischer Anstoß, spanische Enzyklopädisten! Revolutionen muß man zur rechten Zeit machen, und das Schlimmste, was einer Revolution passieren kann, ist, daß sie zur falschen Zeit kommt, wie in der Sowjetunion. Sie kam zu früh. Die historische Zielsetzung der Oktoberrevolution wird erst im nächsten Jahrhundert möglich sein, und zwar bedingt durch die Notwendigkeit, zu überleben und das zu verteilen, was all die globalisierten Haifische vom Globus übriggelassen haben.»

«Für Lenin wird noch ein Nachfolger gesucht, Duque!»

«*Chi lo sa.*»

Der Duque ging am Tisch der verschlossenen Finanziers vorbei, die sich nicht unterhielten und ihre Getränke mit jener Melancholie zu sich nahmen, die die Extrovertierten befällt, wenn sie entdecken, daß die Wirklichkeit sie nicht verdient hat.

«Dem geht's wirklich gut! Angeheirateter Duque, Apanagen und Titelseiten, soviel er will», bemerkte Regueiro Souza. Hormazábal lokalisierte das Objekt dieser Bemerkung mit dem Blick und grinste mitleidig.

«Diese Aristokraten gibt es keine fünfundzwanzig Jahre mehr. Die reinsten Museumsstücke!»

Der beste Buchvertreter der westlichen Hemisphäre Spaniens versuchte, der Puig GmbH eine komplette Sammlung der Helios-Enzyklopädien aufzuschwatzen.

«Die Leute glauben, wir hätten nur das *Enzyklopädische Wörterbuch*, aber das Konzept des Enzyklopädischen geht viel weiter. Wußten Sie, daß wir enzyklopädische Texte aus Naturwissenschaft, Kunst und Geschichte anbieten, die auf der Basis der Werke von einer Milliarde Nobelpreisträgern erstellt wurden?»

«So viele Nobelpreisträger gibt es?»

«Eine Unmasse. Sie müssen bedenken, es gibt nicht nur den Nobelpreis für Literatur, obwohl der am bekanntesten ist, es gibt auch einen für Naturwissenschaften, Wirtschaft, Malerei und den Frieden.»

«Was, es gibt Nobelpreise für Malerei?» fragte Señora Puig, gleichermaßen schockiert wie interessiert.

«Sozusagen. Oder ist Picasso nicht so gut wie ein Nobelpreisträger?»

«So besehen, klar. Wie lange dauert das denn noch!»

Der hoffnungslose Seufzer der Señora Puig entsprach genau denen von Marga Segurola und Alma Pondal, die sich zusammengetan hatten, um die literarische Schlechtigkeit der Zeit zu verurteilen.

«Wenn ich sehe, wie diese jungen Minimalisten mit Romanen von hundertundfünfzig, ja, manchmal noch weniger Seiten, auf denen sie nichts weiter tun, als Schallplatten zu hören und auf naturalistische Weise ein hohles und dekadentes Dasein zu beschreiben, als Hoffnung der spanischen Literatur gefeiert werden, könnte ich aus der Haut fahren.»

«Marga, gegen Franco ging es uns besser. Wir waren eine zivile Gesellschaft mit kritischem Rückgrat, wir waren dagegen, aber wir wollten auch etwas, und zwar glühend: die Demokratie. Heute wissen wir nur, daß wir nichts wirklich Wichtiges wollen können, wie es der Sturz der Diktatur war.»

«Ich wußte gar nichts von deinen antifranquistischen Aktivitäten, Alma.»

«Mein Bewußtsein war antifranquistisch, aber wenig davon konnte ich in die Praxis umsetzen, denn ich war noch sehr kindlich, kaum von den Nonnen entlassen, kam die Heirat, Umzüge mit meinem Mann, die Kinder, und die Literatur als Trost, ein ungeheurer Trost, ach, was ist die Literatur für ein Trost!»

«Erinnerst du dich an die Alternative, die Semprún in *Schreiben oder Leben* aufstellt? Also für mich gibt es keine Wahl. Nur die *Literatur*!»

«Das kannst du sagen, weil du keine Kinder hast, aber wenn du welche hättest, wüßtest du, daß das *Leben*, ihr Leben, das Leben deiner Kinder, das Wichtigste ist, und daß du es nicht an ihrer Statt leben kannst.»

«Das wäre kontraproduktiv», erklärte der beste Brücken- und Straßenbauingenieur Spaniens.

«Natürlich, natürlich», lenkte Marga ein und fuhr fort: «Ich will dem Urteil der Fachleute nicht widersprechen. Übrigens, die Polizei soll Sagalés verhaftet haben, diesen jungen katalanischen Schriftsteller.»

«Jung? Der ist doch so alt wie ich!»

«Du bist eben sehr jung, Alma. Du hast in so kurzer Zeit so viel geschafft!»

«Jung oder alt, sollen sie ihn doch festhalten und den Rest nach Hause gehen lassen!» meinte der Ingenieur pragmatisch. Aber Marga hatte noch ein literarisches Zitat in petto.

«Wir haben wohl, ohne es zu bemerken, etwas erlebt, was Aristoteles eine *anagnorisis* nennt, ein Phänomen, das Northrop Frye mit methodischer Strenge in *Die inflexible Struktur des literarischen Werkes* analysiert. Frye sagt, *anagnorisis* sei der Zweck einer linearen Kontinuität oder Partizipation an der Handlung aus verschiedenen Blickwinkeln heraus. Wenn wir im Kriminalroman entdecken, *wer es war*, ist der Zweck der *anagnorisis* die Enthüllung von etwas, das vorher ein Rätsel war. Der Leser weiß bereits, was jetzt gleich passieren wird, wünscht aber an der Vollendung des angelegten Planes zu partizipieren.»

Der Polizeichef kehrte, von einem ernsten Hofstaat umgeben, aber offensichtlich zufrieden, in den Saal zurück und schaffte es, trotz der Scheinwerfer des Fernsehteams und der Drohungen der Mikrofone vorwärtszukommen. Die Fotografen stießen die Radiojournalisten in die Rippen, weil sie ihnen im Bild standen, und als die Polizisten den Ort erreichten, wo Leguina und die Ministerin ihrer harrten, umwogte sie wildes Kampfgetümmel. Leguina und die Alborch übertrugen anscheinend dem Polizeichef die Verantwortung des Augenblicks, denn der Mann eilte aufgebläht zur Tribüne, wo das Mikrofon seit sechs Stunden auf die Nachricht wartete, wem der erste Venice-Preis der Stiftung Lázaro Conesal zugesprochen worden sei. Diesmal funktionierte es, und der Beamte konnte die freudige Mitteilung machen, daß das Fest zu Ende sei.

«Die von den Sicherheitskräften sowie den staatlichen Würdenträgern, die die Situation in jeder Sekunde unter Kontrolle hatten, gesteckten Ziele sind erreicht. Sie können heimkehren.»

«In diesem Land endet alles mit einem Kriegsbericht», klagte Sánchez Bolín dem Erstbesten, den er traf. Die Puig GmbH belachte den Einfall sehr und versuchte in Erfahrung zu bringen, mit wem sie das Gespräch und den Rückweg in die Normalität teilte.

«Und Sie, schreiben Sie oder arbeiten Sie?»

Sánchez Bolín schaute diesen vor Charme zerfließenden Mann, der die Stirn besaß, das zahnbewehrte Lächeln aufrechtzuerhalten und die Hand auf seinem Arm liegenzulassen, mit neutralem Blick an und antwortete: «Ich arbeite.»

Man stand Schlange und stieß sich in die Rippen, um so schnell wie möglich den Nachgeschmack des verdorbenen Festes loszuwerden, und schon machte die Nachricht die Runde, daß der Schriftsteller Oriol Sagalés verhaftet worden sei. Die Radio-Moderatoren mußten die ganzen Ereignisse am Mikrofon ihrer jeweiligen Sendestation kommentieren und hatten kaum zwei Stunden, um sich etwas zu erholen und eine kritische Argumentation zu finden. Gegen wen oder was überhaupt? Gegen Literaturpreise? Gegen das Strychnin? Gegen Sagalés?

«Zieht über die Sozialisten her! Da ist euch der Erfolg sicher. Sprecht schlecht über mich!» schlug Leguina provozierend vor.

«Mord kann die vollkommenste der Schönen Künste sein», orakelte der beste schwule Romancier und Dichter beider Kastilien für Zeitgenossen, die sich seine Orakelsprüche einprägen wollten, aber so groß war die Eile, den Saal zu verlassen, daß ihm nur der betrunkene Schiffsreeder als Gesprächspartner blieb, wenn er nicht gerade den Kopf schüttelte oder Rülpser aus seinem verblüfften Magen drangen, der es unbegreiflich fand, wie er seit Mittag so viel Alkohol hatte einlagern können.

«Du hast völlig recht, mein Junge. Vor allem, wenn du es nicht bist, der ermordet wird!»

«Es gibt so viele Arten, jemanden umzubringen!»

«Nur eine, mein Junge. Daß man ermordet wird.»

Es war der Beginn einer wunderbaren Freundschaft, und Sagazarraz stützte sich auf den Arm von Andrés Manzaneque, als er sich erhob. So gelang es dem Reeder und Ausrüster von Kalamarfangschiffen, auf die Füße zu kommen und die ersten und zweiten Schritte zu machen, indem er seinen jungen Gefährten als Krückstock benutzte. Aber kaum hatten sie das Hotelportal erreicht, sank Sagazarraz auf dem obersten Treppenabsatz zu Boden, mit der Notwendigkeit der Bleigewichte und der Nachhut der Flüchtenden. Manzaneque erwischte einen Arzt und den «Terminator» Belmazán, die auf seinen Ruf herbeieilten. Der Arzt öffnete den Hemdkragen des Gefallenen, befühlte die Schlagadern am Hals, nahm den Puls. Er war unbestreitbar tot, und die drei einzigen Zeugen des Vorfalls reagierten professionell. Der Arzt verbot, den Toten zu berühren, und «Terminator» Belmazán wies mit einladender Gebärde auf den Hingestreckten, als wolle er ihn Manzaneque zum Geschenk machen.

«Da hast du deinen Bestseller! Ich schenke ihn dir, denn du hast noch viel Zukunft vor dir. Ich garantiere dir den Almansa-Preis!»

Das war der Moment, in dem dem besten schwulen Romancier und Dichter beider Kastilien unverhofft das Zitat von Oscar Wilde einfiel, nach dem er die ganze Nacht gesucht hatte, und er trug es Belmazán vor.

> *Doch jeder tötet, was er liebt.*
> *Ich sag es, daß jeder es hört!*
> *Der tut es mit dem bösen Blick,*
> *Der mit Schmeicheln, das betört.*
> *Der Feigling tötet mit einem Kuß,*
> *Der Kühne greift zum Schwert.*

Der eine tötet jung sein Lieb,
  Der andere als Greis.
Der eine würgt mit der Hand der Lust
  Und der für goldnen Preis.
Der Beste greift zum Dolch, weil er
  Dann schnell zu töten weiß.

Álvaro und Carvalho hatten die gähnende Leere im Speisesaal erwartet und durchquerten ihn ebenso wie die Hotelhalle mit ihren
schlafenden, obschon toten Palmen, um in der Bar Zuflucht zu suchen. Dort fand Carvalho den falschen Schwarzen wieder, dessen
Auge von Falten umgeben und dessen Farbe vom weißen Untergrund bedroht war. Auch zwei Frauen waren da. Carmela döste, die
Arme über ihrer Tasche verschränkt und den Mund leicht geöffnet,
in einer Ecke des Sofas, das den Umfang des ganzen Raumes nach-
zog. Die andere war Álvaros Mutter, die sich erhob, um ihren Sohn
zu umarmen. Sie war aufgewühlt und verängstigt.

«Álvaro! Du bist gerettet. Du bist das einzige, was für mich noch
zählt!»

Er war weder aufgewühlt noch verängstigt und verdeutlichte dies,
indem er sie mit energischer Sanftheit abschüttelte. Die Frau schien
es gewohnt, daß ihr Sohn Distanz suchte, und ließ sich wieder in
ihren Sessel fallen, während ihr Blick die wenigen Punkte umspielte,
die ihm in der fast leeren Bar Halt boten.

«Ich kann nicht bei deinem Vater wachen. Ich finde den Anblick
entsetzlich – dieser schreckliche Tod, dieser schreckliche Körper,
der ihm geblieben ist. Er sieht gar nicht wie er selbst aus.»

«Er ist es aber, Mama, er ist es.»

«Er starb so schrecklich, wie er gelebt hat. So schrecklich, wie er
selbst war. Ohne es zu wissen. Niemals wollte er von mir alles, was
ich ihm geben konnte.»

Álvaro war hinter die Theke gegangen und bediente sich in Er-
mangelung des falschen schwarzen Barmanns, der sich in voller Ent-
färbung befand, selbst. Carvalho wollte Carmela nicht aufwecken
und stützte sich mit dem Ellbogen auf die Theke, um zu trinken, was
der junge Mann trank: Rum, Tonic, viel Eis, Limette. Es war wohl-
schmeckend und erfrischend. Carvalho ließ den Blick über den
Kellner wandern, und dieser reagierte mit einem übertriebenen Auf-

reißen der Augen, das die Kontrastwirkung seiner weißen Augäpfel erhöhte.

«Um welche Zeit brachten Sie Señor Conesal die Prozac-Kapseln?»

Die Augen des falschen schwarzen Kellners öffneten sich bis zur Maßlosigkeit, schlossen sich aber dann, wie um eine innere Uhr zu befragen. Sie ließen Carvalhos Augen nicht los, als fragten sie stumm: Warum mischst du dich in Dinge, die für dich bedeutungslos sind? Was habe ich dir getan, daß du mir diese Frage stellst? Habe ich dir nicht Gesellschaft und guten Whisky geboten?

«Waren Sie nicht dafür zuständig, daß Whisky und Prozac stets vorhanden waren?»

«Um halb zwölf ungefähr. Señor Conesal rief mich direkt aus seiner Suite mit dem Haustelefon an. Er hatte festgestellt, daß das Prozac-Döschen fehlte.»

«Sie haben ihn immer damit versorgt.»

«Ja.»

Carvalho machte eine Handbewegung, als übergebe er Álvaro den Schuldigen, doch der junge Mann bestand nur noch aus Erschöpfung. Es war Carvalho, der den Barkeeper fragte: «Warum? Warum haben Sie es getan? War es wegen der Geschichte mit Ihrer Schwester?»

«Was für eine Geschichte meinen Sie?»

«Die Kapseln enthielten Gift.»

Ein guter Barkeeper muß der indirekten Beschuldigung, der Mörder zu sein, mit Gleichmut begegnen, dachte Carvalho, aber im Aplomb des falschen Schwarzen lag noch etwas anderes, das sich in einem unheilvollen Grinsen äußerte. Jetzt sprach «Einfach Jose» schonungslos mit seinem jungen Herrn.

«Die Dose mit den Kapseln hat mir Ihre Mutter gegeben, Don Álvaro. Sie sagte, sie habe festgestellt, daß am Bett Ihres Vaters keine seien, und gab sie mir, damit ich sie ihm bringen konnte, wenn er danach fragte. Wenn Sie sich erinnern, ich verließ während des Abendessens meinen Arbeitsplatz und kam zum Tisch. Ihre Mutter hatte mich rufen lassen.»

Diesmal ging Carvalho von der Bar weg und überlegte, was er sagen sollte. Müdigkeit überfiel ihn wie ein Katarakt aus feuchter Nachtluft und Morgengrauen. Er brauchte gar nichts zu sagen. Nur sich zu verabschieden. Er reichte Álvaro eine Hand, die dieser drückte, ohne zu verstehen, warum er sie ihm reichte oder warum er sie drückte.

«Auftrag erledigt. Ich fliege zurück nach Barcelona. Wer bringt mich zum Flughafen?»

«Einfach José» war dabei, sich mit einer Schürze seiner Schwärze zu entledigen.

«Ich. Die frische Luft wird mich muntermachen.»

Carvalho rüttelte Carmelas Körper, bis sie wach wurde. Aus den Augenwinkeln betrachtete er alle Wunden der Nacht, die sich ins hieratische, faltige Gesicht der Mutter Álvaros eingegraben hatten, und den jungen Mann, der das Gesicht zwischen den Händen hielt und die Ellbogen auf die Bar stützte.

«Ich werde zum Flughafen gebracht. Komm mit, Carmela!»

Carmelas Gesicht hatte einen erschrockenen Ausdruck, als sie aus ihren Träumen auftauchte.

«Zu welchem Flughafen? Was ist los?»

«Weißt du nicht mehr, daß wir uns auf einem Flughafen verabschiedet haben, vor fünfzehn Jahren?»

Carmela wußte es noch und ließ sich von Carvalho zum Ausgang bringen, wo sie sich dem letzten Rinnsal der auseinanderstrebenden Gäste anschlossen. Man sprach von einem Toten, von zwei Toten, und sie sahen einen Rettungswagen davonfahren, der, wie Carvalho annahm, die sterblichen Überreste Conesals transportierte. Am Fuß der Freitreppe des *Venice* wartete ein Wagen der Polizei auf einen Gast, die Hauptperson des Tages und der Nacht, Sagalés, der entmutigte Schriftsteller, der Conesal aus literarischer und sexueller Erbitterung ermordet hatte. Inspektor Ramiro stand an der Wagentür, die Arme über der Brust verschränkt, und als er sah, daß sich Carvalho und eine weibliche Begleitperson in einigen Metern Entfernung aufstellten, als erwarteten sie ein Taxi, winkte er dem Detektiv freundschaftlich zu, überlegte es sich dann aber anders und ging zu ihm hin.

«Ich verstehe immer noch nicht, wie Sagalés die Dose mit den normalen Kapseln durch die mit den vergifteten ersetzen konnte. Falls seine Frau nicht lügt, wenn sie behauptet, die Dose habe nicht auf der Nachtkonsole gelegen, als sie es mit Conesal teilte.»

«Lassen Sie sich von mir einen Rat geben! Freunden Sie sich nicht mit dem Verhafteten an! Er wird ihnen nicht lange erhalten bleiben. Lassen Sie ihm eine Nacht lang den Traum, ein unschuldig Angeklagter zu sein, der bekannteste unschuldig Angeklagte der spanischen Literaturgeschichte. Diese Schriftsteller sind alle gleich. Normale Menschen, die mehr als andere fürchten, daß keiner von ihren Gedanken und Gefühlen Notiz nimmt. Verhinderte Exhibitionisten. Wenn sie Mumm hätten, würden sie durch Parks schleichen, unter dem Trenchcoat nackt, und ihre Reize den blühenden jungen Mädchen und Knaben zeigen. Aber weil sie das nicht wagen, schreiben sie, um zu verführen. Sicherlich wird Sagalés in ein paar Jahren ein Roman über die Ereignisse des heutigen Tages gelingen. Aber morgen früh werden Sie alles klarer sehen.»

«Wollen Sie damit sagen, daß ein überführter und geständiger Inhaftierter nicht der Schuldige ist?»

«Ich sage nur, daß der Tag angebrochen ist.»

Der Jaguar hielt vor Carvalho und Carmela. Am Steuer saß der Mann für alles, frisch wie eine welke Rose, die sich unter einer schnellen Dusche erholt hat, tadellos in seiner Chauffeursuniform eines Schweizer Admirals und die Haut weißer denn je. Als Carmela einstieg, rief sie: «Mensch, ist das toll! Super! Und wohin entführst du mich, wenn man fragen darf?»

«Zu einem Privatflugzeug, das uns nach Barcelona bringt. Du bist für ein paar Tage mein Gast. Heute nacht konnten wir nicht reden, aber wir haben seit 1980 ein Gespräch offen.»

«Also wirklich! Haben Sie das gehört?»

Der Chauffeur hatte es gehört, ließ sich aber nichts anmerken.

«Da bist du nun seit fünfzehn Jahren weg. Wir haben uns ein paar traurige Dinge gesagt, an der Gangway zu einer Maschine von Iberia, und jetzt kommst du im Privatjet zurück. Gehört er dir?»

«Nein.»

«Er gehört also nicht mal dir, und trotzdem sagst du, ich soll mit dir nach Barcelona kommen, als hätten wir uns gerade mal vor einer Stunde verabschiedet und ich könnte so eben mal die Stadt wechseln und mein Leben verändern, nur weil's dein Körper verlangt!»

«Man ändert sein Leben entweder so oder gar nicht!»

«Und die Freundin, die du hattest? Und dein Geschäftspartner oder was der war?»

«Charo hat mich vor etwa drei Jahren verlassen. Vielleicht sind es auch schon vier. Sie lebt in Andorra, hat die Prostitution aufgegeben und arbeitet als Empfangsdame in einem Hotel. Biscuter versucht sich zu emanzipieren und seinem Leben einen neuen Sinn zu geben, der nicht mehr nur darin besteht, mein Assistent für alles zu sein. Nur mein Nachbar Fuster ist der alte geblieben, aber er hat große Angst, weil alle seine Freunde einen Herzinfarkt bekommen. Man kann sich mit ihm nicht mehr betrinken. Nicht einmal meine Stadt ist mehr, was sie war. Die Olympischen Spiele haben sie zu einer Fremden gemacht. Als seien Flugzeuge mit Insektenvernichtungsmittel darüber geflogen und hätten auch die Bakterien getötet, die mir das Überleben ermöglicht haben.»

«Und warum bleibst du nicht in Madrid?»

«Madrid wurde durch Zufall Hauptstadt eines Imperiums. Jetzt ist es die Hauptstadt einer ungeheuren Müdigkeit. In Barcelona geschieht im Grunde nie etwas. An allem, was mit uns geschieht, trägt Madrid die Schuld. Eure Stadt ist immer von einer Million komischer Personen bevölkert. 1945 war es eine Million Leichen. 1980 eine Million Westen. Heute eine Million Neureiche.»

«Also, was soll ich denn sagen, ich finde Barcelona langweilig, und in Madrid sieht man die Widersprüche des barbarischen Kapitalismus viel deutlicher. Außerdem habe ich morgen eine Menge zu tun. Ich arbeite vormittags in der Flüchtlingsabteilung der UNO. Nachmittags habe ich eine Sitzung bei SOS Rassismus, und dann muß ich eine Arbeitsgruppe zur Unterstützung von Chiapas organisieren. Ich bin ganz die alte geblieben. Solange es Schweine auf der Welt gibt, bleibe ich die alte.»

«Das Flugzeug ist fast so hübsch wie dieses Auto, und wir haben es ganz allein für uns.»

«Was soll ich sagen, das Auto macht mich an. Was für eine Rasse ist das?»

«Jaguar.»

«Also ob Jaguar oder sonstwas, ich find's geil!»

Den Ellbogen auf der Rückenlehne, studierte Carmela ihren alten Unbekannten, und Carvalho las in ihren Augen eine überraschte Diagnose, die sie mit der, die sie ohne Zweifel vor fünfzehn Jahren angestellt hatte, verglich.

«Du bist müde geworden.»

«Die Nacht war lang.»

«Ich meine nicht die Nacht. Du bist müde. Bei Nacht oder bei Tag. Morgen früh wirst du immer noch müde sein.»

«Wahrscheinlich.»

«Bleib hier!»

«Ich bin zu müde, um hierzubleiben. Tut mir leid, daß ich dich bedrängt habe. Wenn du willst, bringt dich der Chauffeur nach Hause, bevor er mich am Flughafen absetzt.»

«Ich verabschiede mich gerne auf Flughäfen von dir!»

Carmela war vierzig, doch plötzlich erschien sie Carvalho fast wie ein Mädchen, ein Mädchen, das ihm seine Gesellschaft schenkte, bis der Moment eines Abschieds kam, der sie von einer verkapselten Zuneigung befreien würde. Sie studierte ihn immer noch, und er war nicht imstande, ihre Ermittlung zu erwidern, indem er die Details ihrer gereiften Anatomie musterte. Sie hatte die Kilos zugelegt, die er damals verlangt hatte, aber jeder Abschied hat eine geheime Melodie, und in derselben Weise, wie sie fünfzehn Jahre zuvor für ihn geklungen hatte, beschwor der Abschied auch diesmal nur das Schweigen der Begierden und schließlich das der Erinnerung. Vor fünfzehn Jahren hätte sie der verrückten Idee zugestimmt und ein Flugzeug für zwei bestiegen, im Morgengrauen, das fast schon der Morgen war, denn Helligkeit sickerte schon in den hohen Himmel über Madrid.

«Wem gehört das Auto? Und das Flugzeug?»

«Lázaro Conesal.»

«Dem Toten? Ein Horror! Arbeitest du für ihn?»

«Heute. Nur heute.»

«Wirklich ein toller Tag, um das erste Mal für Lázaro Conesal zu arbeiten. Das nennt man einen unsicheren Arbeitsplatz!»

«Du hast recht, ich bin müde und hab's satt. Mich selbst. Aber auch dieses Land. Seine Leute. Ich weiß nicht, warum, aber ich nehme an, als Schweizer, Holländer oder Franzose lebt man wesentlich entspannter. Ich habe das Bedürfnis, eine Zeitlang wegzufahren, und ich habe einen Auftrag in Buenos Aires. Die Geschichte wäre etwas für dich. Ich soll einen *desaparecido* finden.»

«Gibt es immer noch *desaparecidos*?»

«Ein Nachzügler, der freiwillig verschwunden ist. Einer, der verschwinden wollte, dessen Geschichte aber verbunden ist mit den Verschwundenen der Militärjunta.»

Carmela betrachtete ihn aufmerksam.

«Komisch, du redest, als wäre unser Gespräch nie unterbrochen gewesen, und es kommt mir wie die natürlichste Sache der Welt vor.»

«Hättest du nicht Lust, mit mir nach Buenos Aires zu kommen?»

«Also wirklich, du bist ja das reinste Reisebüro!»

Der Chauffeur zeigte seine Papiere, und die Flughafenbeamten ließen ihn direkt bis zur *Père Lachaise* durchfahren. Für Carvalho ein vertrauter Vogel, der ihn zur letzten Reise erwartete. Der Chauffeur übergab ihm beim Abschied einen Ordner und einen Umschlag.

«Der junge Herr gab mir das für Sie.»

Der falsche schwarze Barkeeper, Chauffeur und Hispanist nahm Haltung an. «Einfach José steht hier stets zu Ihren Diensten!»

Carmela folgte ihm, ohne zu zögern, bis zur Gangway, doch hatte sie genau wie Carvalho den Wunsch, die Szene zum Abschluß zu bringen. Sie küßten sich auf beide Wangen, und auf dem Weg der Gesichter streiften sich ihre Lippen, aber weder der Mann noch die Frau unternahmen etwas, um die Begegnung der Münder zu vollenden.

«Laß es nicht wieder fünfzehn Jahre werden!»

«Nein, fünfzehn Jahre werden es nicht.»

Am Eingang des Flugzeugs drehte er sich um und wollte ihr zum Abschied winken, aber Carmela hatte ihm bereits den Rücken zugekehrt; sie ging auf den Jaguar zu, der sie zurückbringen würde, in ihre Wohnung, zu *Gott sei uns'rer Seele gnädig*, zu ihren altruistischen Aktivitäten, zu allen notwendigen altruistischen Aktivitäten des zweiten Jahrtausends, und Carvalho wartete nicht ab, bis sie sich vor dem Einsteigen ins Auto umdrehte, sondern betrat das Flugzeug, wo er vom Piloten des gestrigen Morgens leger begrüßt wurde. Die Stewardessen schritten majestätisch, irreal durch den Mittelgang, Hologramme ihrer selbst, aber diesmal lockten ihn weder die Canapés noch die ausgezeichnete Weinkarte oder der Whisky. Er war von Alkohol, Worten und Eindrücken gesättigt, und als der Pilot zum Steigflug ansetzte, öffnete er den Umschlag, den ihm Álvaro Conesal durch «Einfach José», den Mann für alles, hatte zukommen lassen. Ein Scheck. Der Rest des vereinbarten Honorars. Eine Stewardess drückte ihm die frisch gebackene Ausgabe einer Tageszeitung in die Hand.

*Lázaro Conesal vor der Verleihung des Venice-Preises ermordet
Unter Mordverdacht verhaftet: der Schriftsteller Oriol Sagalés
Unter dem Eindruck der Ereignisse verstorben: der Reeder Justo
Jorge Sagazarraz*

Die dritte Schlagzeile erfüllte ihn mit Mitleid, und er bat eine der Stewardessen, ihm einen doppelten Whisky zu bringen.

«*In memoriam*», fügte er enigmatisch hinzu. Mehr als alles reizte es ihn, den beigefügten Ordner aufzuschlagen, und als er es tat, fand er das Original eines Romans vor. Er begann zu lesen. Knapp drei Seiten. Bis ihm klar wurde, daß er ihn bereits erlebt hatte:

Uroboros. Roman. Baron d'Orcy

«Uroboros» bedeutet nach Evola die Auflösung der Körpergrenzen: die universelle Schlange, die sich nach Auffassung der Gnostiker durch alle Dinge windet. Gift, Viper, universelle Auflösung sind Symbole des Undifferenzierten, eines allgemeinen oder «invarianten» Prinzips, das zwischen allen Dingen verkehrt und sie miteinander verbindet.

Lexikon der Symbole, Juan Eduardo Cirlot

Literaturwund. Übersetzung des katalanischen *lletraferit*: Bezeichnung für Menschen, die von der Literatur so besessen sind, daß sie an ihr leiden wie an einer Wunde, deren Heilung sie nicht wünschen.

Es war unvermeidlich, und die meisten Gäste mieden es auch nicht, das Spalier der Journalisten, die mehr oder weniger auf Literaturpreise spezialisiert waren und im Dunstkreis jener etablierten Kritiker und Pseudokritiker herumlungerten, die der Einladung gefolgt waren, um das Gefühl zu genießen, anders zu sein als die anderen, und der Verleihung des Venice-Preises der Stiftung Lázaro Conesal beiwohnen zu dürfen – mit einhundert Millionen Peseten der höchstdotierte Literaturpreis Europas – und das trotz der Verachtung, mit der sie stets die Verbindung von Geld und Literatur gestraft hatten, wobei sie jene sechzig Prozent der besten Schriftsteller der Weltgeschichte ignorierten, die Angehörige mächtiger, wenn nicht sogar oligarchischer Familien waren. Die Kameras aller Fernsehanstalten verfolgten den Einzug der bekanntesten Persönlichkeiten, entweder weil ihnen die Gesichter vertraut waren oder auf

Anordnung des Protokollchefs, einem Kenner des *Who's Who*. Aber dann wandten sie sich begierig dem äußeren Rahmen zu, der Darstellung «…von spielerischem Design, das die unmögliche metaphysische Beziehung zwischen Gegenstand und Funktion widerspiegelt», wie die Werbeprospekte des Hotels *Venice* verkündeten. Der Saal für Galadiners umfaßte das gesamte Repertoire avantgardistischen Designs; den Tischen war das Aussehen von Spiegeleiern verpaßt worden, die in zuwenig Öl gebraten waren, und die Sitzgelegenheiten waren in der Art elektrischer Stühle konzipiert, die, in einer Verbeugung vor der irreversiblen ökologischen Sensibilität, mit Solarenergie betrieben wurden. Das Licht entströmte dem Eigelb der vermeintlichen Spiegeleier sowie einem Dekor von Artischocken, Karotten, Porreestangen, Zwiebeln und sonstigen Gemüsesorten, deren Umrisse, von einem wenig gemüsebegeisterten Kind gezeichnet, an Decken und Wänden hingen. Lázaro Conesal, Besitzer des Hotels und eines nicht unerheblichen Teils der dort Versammelten, hatte die Gestaltung des *Venice* dem «harten» Flügel der Mariscal-Schüler anvertraut, die sich nicht davor scheuten, der Poetik der peterpanesken Träume Mariscals die systematische Provokation der funktionalen Plumpheit des Objekts überzustülpen. Genug Freiheit der Eigeninitiative sei der Natur vergönnt gewesen, bevor das Design geboren wurde, und daher seien sie so, wie sie seien, die Äpfel und die Mistkäfer, Un-Design einer unseligen Evolution, bei der kein Designer habe eingreifen können. Lázaro Conesal fand diese Theorien köstlich, in der festen Überzeugung, daß Theorien fast nie jemandem schadeten, ganz im Gegensatz zu den Theoretikern selbst; aber Objekt-Theoretiker pflegten nicht gefährlich zu sein.

«Ich bin für die Subversion der inneren Bilderwelt», hatte ihm Marga Segurola erklärt, als sie ihn für *El Europeo* interviewte.

«Auch für die anderen Subversionen?»

«Gibt es noch andere?»